Désorientale

Négar Djavadi

Désorientale

Liana Levi

© Éditions Liana Levi, 2016

ISBN : 978-2-86746-834-6

www.lianalevi.fr

One day there'll be a place for us
A place called home

PJ Harvey

*On trouvera une présentation des principaux personnages
en fin de volume.*

L'escalator

À Paris, mon père, Darius Sadr, ne prenait jamais d'escalator.

La première fois que je suis descendue avec lui dans le métro, le 21 avril 1981, je lui en ai demandé la raison et il m'a répondu : «L'escalator, c'est pour eux.» Par *eux*, il entendait vous, évidemment. Vous qui alliez au travail en ce mardi matin d'avril. Vous, citoyens de ce pays, dont les impôts, les prélèvements obligatoires, les taxes d'habitation, mais aussi l'éducation, l'intransigeance, le sens critique, l'esprit de solidarité, la fierté, la culture, le patriotisme, l'attachement à la République et à la démocratie, avaient concouru durant des siècles à aboutir à ces escaliers mécaniques installés à des mètres sous terre.

À dix ans, je n'avais pas conscience de toutes ces notions, mais le regard désarmé de mon père – attrapé durant les mois passés seul dans cette ville et que je ne lui connaissais pas – m'ébranla au point qu'aujourd'hui encore, chaque fois que je me trouve face à un escalator, je pense à lui. J'entends le bruit de ses pas qui grimpent les marches dures de l'escalier. Je vois son corps légèrement penché en avant par l'effort, obstiné, volontaire, ancré dans le refus de profiter du confort éphémère de l'ascension mécanique. Dans la logique

9

de Darius Sadr, ce genre de luxe se méritait, sinon c'était de l'abus, voire du vol. Son destin s'inscrivait désormais dans les escaliers de ce monde, le temps qui s'écoule sans surprise, le regard indifférent des passants.

Pour saisir la complexité de cette réflexion, il faut entrer dans la tête de mon père ; mon père de cette époque-là, Le Tumultueux, Le Désabusé. Comprendre le cheminement tortueux, magistralement absurde, de sa pensée. Voir sous la couche de souffrance, par-delà l'âpreté de l'échec, les étendues de délicatesse et d'élégance, de respect et d'admiration. Apprécier la cohérence de sa décision (ne pas prendre d'escalator), et l'habileté avec laquelle il concentra en quelques mots, lui qui avait passé la majeure partie de son existence courbé sur une rame de papier à écrire, tout ce qu'il était devenu et tout ce que vous représentiez.

Mais vous le savez aussi bien que moi, pour prétendre entrer dans la tête d'un homme, il faut d'abord le connaître ; avaler toutes ses vies, toutes ses luttes, tous ses fantômes. Et croyez-moi, si je commence par là, si j'abats déjà la carte du «père», je n'arriverais plus à vous raconter ce que je m'apprête à vous raconter.

Restons sur l'impact de cette phrase : «L'escalator, c'est pour eux.» Raison qui m'a décidée, en partie, à entreprendre ce récit sans savoir par où commencer. Tout ce que je sais c'est que ces pages ne seront pas linéaires. Raconter le présent exige que je remonte loin dans le passé, que je traverse les frontières, survole les montagnes et rejoigne ce lac immense qu'on appelle mer, guidée par le flux des images, des associations libres, des soubresauts organiques, les creux et les bosses sculptés dans mes souvenirs par le temps. Mais la vérité de la mémoire est singulière, n'est-ce pas ? La mémoire sélectionne, élimine, exagère, minimise, glorifie, dénigre. Elle façonne sa propre version des événements, livre sa propre réalité. Hétérogène, mais cohérente. Imparfaite, mais sincère. Quoi qu'il en soit, la mienne charrie tant d'histoires, de mensonges, de langues, d'illusions, de vies rythmées par des exils et des morts, des morts et des exils, que je ne sais trop comment en démêler les fils.

Il est possible que certains d'entre vous me connaissent déjà, qu'ils se rappellent cet événement sanglant survenu à Paris, dans le 13ᵉ arrondissement, le 11 mars 1994. L'information fit l'ouverture du 20 heures de France 2. Le lendemain, tous les journaux en parlaient à travers des articles remplis de contre-vérités et ornés de photos de nous, les yeux barrés d'un rectangle noir. Peut-être m'avez-vous vue sur l'une d'entre elles. Peut-être avez-vous suivi l'affaire.

D'ailleurs, j'aurais pu commencer par là. Au lieu de vous parler d'escalator, j'aurais pu vous raconter ce que nous appelons entre nous L'ÉVÉNEMENT. Mais je ne peux pas. Pas encore. Pour l'instant, tout ce que vous avez besoin de savoir c'est que nous sommes le 19 janvier, il est dix heures dix et j'attends.

FACE A

1

Le vent de Mazandaran

L'aile est de l'hôpital Cochin destinée à la procréation médicalement assistée est en travaux depuis plusieurs mois. D'après ce que j'ai compris, le bâtiment va être démoli et le service transféré dans le bâtiment principal situé sur le boulevard du Port-Royal. Au deuxième étage, la salle d'attente est réduite à son minimum. Ni affiche au mur ni prospectus, mais une vingtaine de chaises grises alignées en trois rangées, que la lumière terne de l'hiver, filtrée par les échafaudages extérieurs, éclaire mollement. Ce matin, quand je suis entrée, une chaise était placée à l'écart contre le mur. Cela fait bientôt trois quarts d'heure que je suis assise dessus, à attendre.

Notre première consultation avec le docteur Françoise Gautier a eu lieu il y a onze mois. La veille, une journée chaude et agréable de printemps, j'avais peint les ongles de mes orteils en rouge dans l'espoir un peu naïf de paraître plus en adéquation avec l'image que je voulais donner de Pierre et moi. J'avais décidé de porter des sandales à talons, et, malgré l'armée de nuages qui déferlait dans le ciel alors que je m'habillais, je n'avais pas changé d'avis. Tout en parcourant notre dossier transmis par le professeur Stein, Docteur Gautier nous a demandé: «Alors, vous allez vous marier?» Sa voix était neutre, mais la question m'est apparue brutale. J'étais loin de m'imaginer qu'après Professeur Stein, Docteur Gautier aussi s'intéresserait à notre situation matrimoniale. N'étions-nous pas là pour démarrer enfin le protocole? Les questions ne devaient-elles pas être désormais d'ordre médical: maladies infantiles, hérédité, opérations subies? N'allions-nous donc jamais en finir avec cette histoire de mariage?

«Oui, bien sûr, dans quelques mois», avais-je répondu d'une voix qui sonnait si faux qu'à chaque fois que j'y pense, j'ai envie de m'enfuir loin et de mourir.

Le couple assis en face de moi était déjà là quand je suis arrivée, de même qu'un autre, installé dans le fond. Entre-temps, trois autres couples se sont ajoutés aux précédents; chacun ayant pris soin de laisser quelques sièges vides entre lui et ses voisins. Personne ne parle. Un silence chargé de résignation et de divers bruits en provenance du couloir emplit l'atmosphère. Les visages affichent tous un air crispé, mélange d'anxiété et de vulnérabilité, qui les fait ressembler à des enfants perdus dans un supermarché.

Ai-je moi aussi ce même air?

Je suppose que non, parce que je ne ressens rien, excepté peut-être un début d'impatience.

Les femmes qui me font face, dont le corps, à l'instar du mien, est devenu un champ de bataille, ont sans doute déjà commencé à emmagasiner tout un tas d'émotions à raconter plus tard. De longues conversations remplies d'explications, d'indignations, de larmes étouffées et de rires libérateurs. Des «tu te rends compte…», «si tu savais…», «non mais franchement…», jusqu'à ce que tout sorte, se fonde dans l'air et s'oublie. De temps en temps, quand elle revient de ses voyages universitaires, Mina se comporte de cette façon avec moi (et avec Leïli aussi bien sûr). Elle m'appelle, et aussitôt entre dans les détails, ouvre des parenthèses, les laisse en suspens, lâche des rires incompréhensibles, s'extasie, répète la même anecdote sur différents tons. Elle trouve normal que je l'écoute, pendue au téléphone pendant des heures, puisque je suis sa sœur. Leïli aussi l'écoute, mais elle n'a pas dans la gorge cette boule d'agacement qui gonfle à chaque nouvelle phrase. Parce que Leïli la comprend. Elles ont en commun cette aisance à «vider leur ventre», comme disait notre mère, Sara.

Parfois je me demande s'il est possible de ne rien ressentir à ce point. Même si cela m'arrive moins qu'avant, la sensation est toujours là, à portée de main. À l'adolescence, j'avais l'impression qu'en moi un lieu destiné aux émotions s'était asséché sans que je m'en aperçoive. Le monde m'apparaissait alors, comme maintenant, derrière une vitre, intangible et lointain; un spectacle muet auquel j'étais incapable de prendre part. À cette époque, j'avais déjà fait le lien entre cet état-là et les images des G.I. de retour du Vietnam vues dans les films et les séries télévisées. Je comprenais jusque dans mes os ce qu'ils ressentaient, assis sur le canapé familial à fixer le néant tandis qu'on s'agitait autour d'eux. Leur absence, leur incapacité à se joindre au mouvement, à créer un avenir. Comme moi, ils semblaient submergés par le silence des noyés qui flottent à la surface.

Cela n'aura échappé à personne : je suis seule.

Aucune main à tenir. Aucun corps familier collé au mien et lié par l'épreuve. Juste ce long tube en carton orné d'une étiquette avec nos noms et prénoms – les miens et ceux de Pierre – posé sur mes genoux. Un long tube rempli du sperme décongelé et lavé de Pierre (c'est ce que le docteur Gautier m'avait expliqué).

Je n'arrive toujours pas à imaginer comment, par quel procédé, le sperme peut être lavé. Chaque fois que j'essaie, la vision d'un grand tamis, comme celui utilisé par ma grand-mère maternelle, Emma, pour préparer ses gâteaux, s'impose à mon esprit. J'aurais pu trouver l'explication sur Internet, mais à vrai dire je ne suis pas suffisamment curieuse pour me lancer dans ce genre de recherche.

Dès l'instant où je suis entrée dans cette salle, j'ai senti que ma solitude interpellait les couples. Une femme qui entre seule ici ne peut pas être divorcée ou séparée, sinon le protocole s'arrête. Sa solitude renvoie indéniablement à trois hypothèses (dans l'ordre croissant sur l'échelle de la catastrophe domestique) :

1) une dispute le matin, avant le départ ;

2) un désintérêt de l'époux qui n'a même pas pris la peine de poser une RTT, différer un rendez-vous ou un voyage d'affaires ;

3) cas extrêmement rare : la mort de l'époux. Ce qui suppose l'obtention d'une autorisation spéciale auprès d'un juge afin de pouvoir concevoir un enfant post-mortem.

Quoi qu'il en soit, une femme seule dans la section de procréation médicalement assistée de n'importe quel hôpital de la planète est à plaindre, même si sa solitude rend l'infortune de ceux que la vie a conduits jusque-là plus supportable. *Merci Seigneur, il y a plus dans la mouise que nous !* Car ici, c'est le territoire exclusif du Couple. Le no man's land où se jouent son avenir, sa raison d'être, sa finalité. Le purgatoire où le dieu de la Fertilité, réveillé à coups d'injections de follitropine bêta, décide si oui ou non il modifiera son destin. Mon cas ne correspond à aucune de ces hypothèses. Il est bien plus complexe, bien plus fourbe. Il relève de la stratégie et de la manipulation. D'un plan élaboré par des gangsters. Tu ne mesures pas encore, lecteur, le risque que je prends en écrivant ces lignes. Sache que parmi les treize couples qui me font désormais face, qui ont pitié de la femme solitaire que je suis, certains me colleraient au mur s'ils savaient, me cracheraient au visage, me jetteraient à la rue. Aucun ne prendrait la peine de comprendre, de poser des questions, de me regarder, moi aussi, comme une somme incongrue de circonstances, de fatalité, d'héritages, de malchances et de drames.

C'est pourquoi j'écris.

Mon père, Darius Sadr, Le Maître de la page blanche, Le Téméraire, Le Révolutionnaire, disait de sa voix songeuse/visionnaire : « On écoute mieux avec les yeux qu'avec les oreilles. Les oreilles sont des puits creux, bons pour les bavardages. Si tu as quelque chose à dire, écris-le. » Pourtant, il y eut des moments dans ma vie, des séquences plus ou moins importantes, où j'aurais fait n'importe quoi pour ne pas être celle que je suis. J'ai changé de pays et de langue, je me suis inventé d'autres passés, d'autres identités. J'ai lutté, oh oui, j'ai lutté, contre ce vent impétueux qui s'est levé il y a très longtemps, dans une province reculée de la Perse nommée Mazandaran*, chargé de morts et de naissances, de gènes récessifs et dominants, de coups d'État et de révolutions, et qui à chacune de mes tentatives pour lui échapper m'a agrippée au col et remise à ma place. Pour que vous compreniez ce que je raconte, il faut que je rembobine et reparte du début ; vous faire entendre, comme je l'entends moi-même en ce moment – tandis qu'une infirmière nous jette un coup d'œil et s'éloigne, indifférente –, la voix de

---

* Afin de vous faciliter la tâche et vous éviter d'aller chercher dans Wikipédia, voici quelques éléments : Mazandaran est une province du nord de l'Iran d'une superficie de 23 701 km. Délimitée par la mer Caspienne et entourée par la chaîne de montagnes Alborz, c'est la seule région persane à avoir résisté à l'hégémonie arabo-musulmane et, de fait, la dernière à être devenue musulmane. Pour l'imaginer, il faut visualiser les paysages denses d'Annecy, de Suisse ou d'Irlande ; verts, brumeux, pluvieux. La légende dit qu'à leur arrivée à Mazandaran, les Musulmans s'écrièrent : « Oh ! Nous voilà au Paradis ! »

mon oncle Saddeq Sadr, surnommé Oncle Numéro 2. Une voix en mode mineur, aussi suave qu'une clarinette, contant ce que nous appelions entre nous : *La Fameuse Histoire d'Oncle Numéro 2.*

« Depuis le début de l'après-midi, le vent sifflait si fort qu'il aurait pu tout aussi bien annoncer la fin du monde. De mémoire de Mazandarani, on n'avait pas connu un tel déchaînement depuis l'invasion des Mongols ! Et encore, à l'époque, ce que les habitants de Mazandaran avaient pris pour une tempête n'était autre que le souffle dévastateur précédant la horde sanguinaire de Gengis Khan. Quoi qu'il en soit, ce vent mordant qui soufflait depuis les plaines gelées de Russie ne présageait rien de bon.

» Imaginez maintenant l'incroyable domaine de votre arrière-grand-père, Montazemolmolk. Deux imposantes bâtisses d'une soixantaine de chambres chacune, des dépendances, des salles d'armes, des cuisines, des salons de réception, des écuries pleines de chevaux... Le tout niché au cœur du cœur de la forêt, en contrebas des montagnes d'Alborz. Pas moins de deux cent soixante-huit âmes vivaient là, sous la responsabilité de Montazemolmolk. Ce jour de février 1896, un samedi me semble-t-il, il avait donné l'ordre de calfeutrer portes et fenêtres et de rester enfermé jusqu'à ce que le monde retrouve un semblant de calme. Combien de temps cette maudite tempête allait-elle durer ? Dans quel état allait-il récupérer ses terres ? Depuis des heures, ces questions et beaucoup d'autres turlupinaient Montazemolmolk dont l'humeur était aussi sombre que le ciel. Il habitait la bâtisse principale, le *birouni*, avec cent vingt-trois hommes armés, chargés de la protection de ses terres, et une dizaine de jeunes garçons pour les servir.

» Quoique dressée juste en face du *birouni*, de l'autre côté de la cour intérieure, l'autre bâtisse, l'*andarouni*, semblait aussi lointaine et insondable que la Terre promise. Vivaient là les cinquante-deux épouses de Montazemolmolk, venues des quatre coins du pays, ses vingt-huit enfants et une vingtaine de servantes. Il était le seul homme à pouvoir y pénétrer, le seul à connaître l'odeur lourde des parfums et des disputes qui stagnait dans l'air glacé... Les dédales obscurs, les portes entrouvertes, le froissement des tissus, la sensation grisante d'être attendu, désiré, la langueur des corps qui... Allons, allons, vous voyez très bien ce que je veux dire !

» Pourtant, toutes ces nuits passées dans ce lieu qu'il avait, pour ainsi dire, peuplé lui-même, n'avaient pas guéri votre arrière-grand-père de l'impression amère que sa réalité lui échappait. L'*andarouni* restait un territoire mystérieux et fou, une énigme. Ce jour-là, ce jour où la terre de Mazandaran semblait réduite à un caillou dans la main de Dieu, Montazemolmolk redoutait par-dessus tout que les femmes profitent de l'obscurité et du désordre pour comploter contre lui. Après tout, comment savoir ce qui se mijotait dans le ventre d'une femme délaissée ? Comment être sûr de sa loyauté, sa sincérité, son amour ? Plus le temps passait et le nombre de femmes augmentait, plus il sentait contre ses reins, dès l'instant où il posait le pied sur la première marche de l'escalier en colimaçon qui menait aux chambres, la lame aiguisée de la jalousie prête à s'enfoncer dans ses entrailles.

» Ce n'est pas comme si ce drame humiliant, sans doute fomenté par Targol Khanoum, n'avait pas eu lieu ! Targol Khanoum, autrefois sa préférée, était à l'origine d'une épidémie de démangeaisons qui s'était emparée de l'intimité des femmes et avait fini sa course perfide dans l'entrejambe de Montazemolmolk. Des médecins étaient venus de la ville ; des portes avaient claqué ; des objets s'étaient fracassés dans la cour ; des touffes de cheveux avaient été arrachées ; des cris avaient franchi les montagnes ; le déshonneur avait envahi le domaine… C'est à ce moment-là que Montazemolmolk aurait voulu que ce satané vent souffle, balaie ces maudites femmes de la surface de la Terre et emporte toute cette infamie. Enfin ça, c'est une autre histoire… Toujours est-il qu'après des heures passées à trifouiller sa barbe aussi fournie et blonde qu'une poignée de tabac, à arpenter la pièce à six portes qui lui servait de salon, votre arrière-grand-père prit la décision surprenante de remettre la clef de secours de l'*andarouni* à l'un de ses jeunes servants. Le plus laid. Le plus disgracieux. Celui qu'aucune femme n'aurait envie de cajoler même par défi. Alors Montazemolmolk… »

Stop. Encore une fois, impossible de me souvenir comment Montazemolmolk avait fait venir ce garçon. Avait-il hurlé son nom ? Avait-il ouvert une des six portes pour lui demander d'entrer ? Avait-il exigé qu'on aille le chercher ? Assise sur ma chaise contre le mur de l'hôpital Cochin, je fouille ma mémoire dans l'espoir de retrouver ces fragments oubliés. En vain.

Souvent, j'essaie de me rappeler ce passage. Quand je travaille, debout derrière la table de mixage, à arranger le son grossier d'un groupe de rock improbable. Ou chez moi, allongée sur le canapé, Tindersticks en fond sonore. Je fais comme l'écolier qui bute sur le poème appris par cœur. Je recommence à me réciter tout depuis le début, dans l'espoir que les mots m'entraînent sans heurt vers la suite. Mais je m'arrête toujours au bord du même trou noir.

Je pourrais appeler Leïli ou Mina, mais je ne le fais pas. Je sais, grâce à cette intuition aiguë que confère une vie passée à côté d'êtres proches, qu'aucune ne se souvient de cette histoire dans les détails. Mes sœurs se rappellent d'autres moments que j'ai pour ma part complètement occultés.

Les nuits d'été à dormir sur le toit de la maison de Grand-Mère Emma, sous la moustiquaire en mousseline rafistolée de toutes parts; les livres que Sara nous achetait avant les grandes vacances; les expéditions au hammam avec mes cousines et mes tantes dans les villages de Mazandaran. Les rares fois où nous nous retrouvons toutes les trois, sans leurs maris ni leurs enfants, à dîner dans un restaurant choisi par Mina devenue végétarienne depuis L'ÉVÉNEMENT, elles reviennent inévitablement sur ces épisodes. Généralement vers la fin du repas, quand le vin commence à faire son effet, estompant les contours de nos différences et broyant le poids du présent. Alors elles s'échauffent, rient, se coupent la parole, répètent les mêmes phrases comme s'il n'en existait pas d'autres pour décrire ces moments. Parfois je me demande si le but de ces retrouvailles n'est pas d'en arriver là. À ces souvenirs délaissés au bout d'un chemin autrement inaccessible. Aux enfants que nous étions alors, désormais perdues dans les méandres de nos mémoires parcellaires et génératrices de fiction. Les adultes que nous sommes ont besoin de ces dîners pour accéder à ces enfants et croire à leur existence.

Retour à la salle d'attente. Bien que contrariée, je décide de sauter par-dessus le fragment manquant. Il faut se rendre à l'évidence : cette partie de l'histoire a été grignotée, puis balayée par le temps. Cela n'a pas d'importance, me dis-je, pourvu que tout le reste soit intact.

Reprenons : le jeune garçon laid et disgracieux est donc avec Montazemolmolk…

« … qui lui dit de sa voix rêche et autoritaire : "Va voir si elles respectent mes consignes et reviens me faire un rapport. Discrètement tu m'entends ?" Mais à peine prononça-t-il ces mots qu'il les regretta. Aucun étranger, même prépubère, ne pouvait pénétrer dans cette ruche discrètement ! Montazemolmolk détourna les yeux du visage rouge de honte et d'excitation du garçon et le chassa. Il s'en voulait d'avoir dit n'importe quoi, d'avoir laissé entrevoir ses craintes, même si ce puceau, ahuri de tenir au creux de sa main la clef du paradis, n'en avait certainement rien vu. N'empêche, le gamin parti, il était encore moins tranquille qu'avant. Une demi-heure s'écoula, le vent s'intensifia et le garçon ne revint pas. L'impatience se mua en fureur et la fureur gagna comme un incendie le corps massif de Montazemolmolk. Il attrapa son manteau et sa toque en astrakan, décidé à aller voir par lui-même ce qui se tramait de l'autre côté de la cour. Car maintenant il en était certain : un autre scandale se cuisinait à feu doux dans les dédales de l'*andarouni*.

» Ceux qui croisèrent votre arrière-grand-père dans les couloirs vastes et humides du *birouni* n'osèrent pas le retenir. Il était le maître des lieux, le Khan*, avec un nom à six syllabes qui lui assurait son rang et la moitié de Mazandaran comme héritage. Mais il était surtout extrêmement têtu. Chacun savait que vouloir le dévier de son chemin était suicidaire. On disait que même les animaux comprenaient qu'une fois Montazemolmolk à leurs trousses, ils ne réussiraient pas à lui échapper. Ce trait de caractère était souvent commenté et déploré, aussi bien dans l'*andarouni* que dans le *birouni*. Tous avaient peur que son obstination le conduise un jour à la mort. Et s'il mourait, qui s'occuperait d'eux ? Le fait est qu'en ces temps où Nasseredin Shah-e-Qâdjar était roi, la féodalité était encore en vigueur dans le Nord. Les grandes familles, liées par de multiples alliances, régnaient sur les terres et les gens. En contrepartie de leur travail et de

---

* Titre donné communément à celui qui exerce le pouvoir, politique ou féodal. Il peut être précédé de «Agha» qui signifie «Monsieur». Le «kh» est à prononcer en fond de gorge, comme la «jota» espagnole.

leur loyauté, les seigneurs les protégeaient, les soignaient et mariaient leurs enfants. Mais ça, c'est une autre histoire…

» Votre arrière-grand-père poussa de tout son corps la lourde porte en fer. Aussitôt, le vent s'empara de lui et le secoua comme un père son fils arrogant. La porte lui fut arrachée des mains. Sa toque en astrakan s'envola. Son manteau s'accrocha aux branches et se déchira. Montazemolmolk ne céda pas. Il lutta à rage égale avec la tempête et avec ses cheveux rebelles qui lui bouchaient la vue. De centimètre en centimètre, il arriva, épuisé mais vaillant, devant la porte de l'*andarouni*.

» Quand il parvint enfin à pénétrer à l'intérieur, il fut frappé par le silence. Chaque fois qu'il entrait là, il était certes accueilli par le silence. Mais c'était celui, familier et délicieux, des promesses inconnues, des femmes aux yeux fardés et à la bouche rose retenant leur souffle dans l'espoir d'être choisies. Il était l'objet de ce silence, son artisan. Tandis que celui qui l'entourait à cet instant était opaque, aussi inquiétant que celui des tunnels creusés sous les montagnes. Il grimpa quatre à quatre l'escalier en colimaçon. Au premier, le couloir était vide et les portes fermées. Soucieux, il poursuivit son ascension vers le second étage – celui des servantes et des enfants – quand une voix l'arrêta : "Où tu vas comme ça ?" Soulagé d'entendre la voix d'Amira, il fit aussitôt demi-tour et ouvrit la porte de sa chambre.

» Étalée sur des coussins multicolores en laine, enveloppée dans un turban de fumée, Amira le toisa de ses yeux mi-clos. Son sourire sarcastique était chargé de toute une vie passée dans ce lieu dont plus de la moitié, depuis que Montazemolmolk l'avait abandonnée, dans cette chambre à boire du thé, manger des dattes et fumer de l'opium. Amira avait attendu tant de nuits votre arrière-grand-père qu'elle reconnaissait le bruit de ses pas entre mille. Même si

Montazemolmolk l'avait délaissée pour d'autres plus jeunes, il la respectait plus qu'aucune autre. Parce qu'elle était sa première épouse et la mère de son premier fils (et de trois filles, aussi laides que du chou bouilli). En revanche, Amira, large et forte comme une citadelle, avait totalement cessé de le respecter. Elle ne l'appelait plus Khan, mais Monsieur, le tutoyait. "Si Monsieur veut savoir ce qui se passe, il faut qu'il aille dans le salon derrière la cuisine. Allez file crapule, avant que je t'avale tout cru!" Et le rire éraillé et dingue d'Amira accompagna les pas pressés de Montazemolmolk qui encore une fois la fuyait.

» Montazemolmolk poussa la porte du salon et s'arrêta. Elles étaient toutes là! D'habitude, autant de femmes ensemble ça jacasse comme dans un hammam, mais là, aucun son ne franchissait les lèvres. Quelques-unes s'occupaient du puceau qui s'était évanoui en regardant par le trou de la serrure. Ce qu'il avait vu, aucun homme ne le voyait jamais. Une gamine à moitié nue, jambes écartées, possédée par la douleur, se vidant de ses entrailles au-dessus d'une bassine de terre. Maintenant, les femmes reculaient pour laisser passer Montazemolmolk. Le sang était lavé et la bassine avait disparu. La gamine n'avait plus les jambes écartées. Elle était morte.

» Votre arrière-grand-mère ne devait pas avoir plus de quinze ans. Impossible de décrire son visage car dès l'instant où le linceul le couvrit, personne ne parla plus jamais d'elle. D'où venait-elle? Qui était-elle? Quel était son prénom? Ni vous ni moi ne le saurons jamais. Figé dans la stupeur, Montazemolmolk fixait ce corps inerte, se souvenant vaguement de l'avoir écrasé quelques minutes derrière un buisson. Soudain, un minuscule paquet emmitouflé dans un linge blanc atterrit dans ses bras. "C'est une fille, Agha Khan!" furent les premiers mots qui chassèrent le silence et la mort. Pour la première fois de sa vie, Montazemolmolk tenait un nouveau-né dans ses bras.

» Pour lui éviter la déception et le dégoût, ses vingt-huit autres enfants lui avaient été présentés solennellement, une semaine après leur naissance, la face lisse et les joues frottées à l'eau de fleur d'oranger. Tous avaient déjà un prénom choisi par leur mère que Montazemolmolk oubliait aussitôt. Il faut dire que, poussées par la concurrence et le désir de séduire leur mari, les mères inventaient des prénoms de plus en plus complexes qu'elles-mêmes finissaient par oublier.

» En regardant la face fripée du bébé, il fut terrifié par sa couleur terne. Mais d'un coup, le paquet lui fut arraché des mains et un autre atterrit à sa place. "La seconde! La seconde!" N'entendant rien aux questions de reproduction, Montazemolmolk ne comprit pas tout de suite ce tour de passe-passe. Interloqué, il se tourna vers la vieille accoucheuse au visage tanné comme du cuir. "Des jumelles, Agha Khan! À part Dieu Tout-Puissant, personne ne savait que la pauvre fille en avait deux dans la panse. Une vie contre deux vies : c'est comme ça qu'Il l'a voulu." Réprimant sa surprise, Montazemolmolk hocha la tête pour marquer la justesse de cette réflexion. Bien que depuis un séjour en Russie – et pour une raison qu'il tut toute sa vie – il doutait sérieusement de l'existence de Dieu, il continuait à faire croire le contraire par commodité.

» Quoi qu'il en soit, Montazemolmolk baissa les yeux sur son trentième enfant : votre grand-mère. Contrairement à sa jumelle aussi sombre qu'un pruneau, elle avait la peau blanche et un duvet blond sur la tête. Mais surtout – Montazemolmolk approcha son visage, observa de plus près pour en être sûr – elle avait ses yeux bleus. Le bleu étonnant de la mer Caspienne dont aucune goutte n'avait encore daigné tomber dans les yeux de son troupeau d'enfants. À quarante-huit ans, Montazemolmolk tenait enfin dans ses bras l'enfant dont il avait secrètement rêvé, celle dont le regard rappellerait à jamais le sien.

» Une sensation plus grande que la postérité l'envahit. Un bonheur inattendu dont les femmes, rongées de dépit, furent témoins. L'émotion ne se contenta pas d'adoucir ses traits et de dessiner un sourire fier sur ses lèvres, elle remonta jusqu'à sa gorge, devint syllabe, puis mots, puis claqua dans l'air comme une gifle. "Elle s'appellera Nour", s'exclama Montazemolmolk sans quitter le bébé des yeux. *Nour*, Lumière. Embarrassée, la vieille accoucheuse essaya d'atténuer l'effet désastreux de cette annonce sur les femmes. "Et comment comptez-vous appeler l'autre, Agha Khan?" demanda-t-elle avec l'espoir qu'il comprenne le message. "Appelez-la comme vous voudrez." Réponse lapidaire qui ruina définitivement...»

À ce moment du récit, Oncle Numéro 2 s'arrêtait. Les larmes qui couleraient plus tard, après moult digressions et envolées dramatiques, emplissaient déjà sa gorge. Il se levait d'un bond, ouvrait une des boîtes à cigarettes posées sur toutes les tables de sa maison, en prenait une, l'allumait, tirait une longue bouffée en gonflant ses joues. Puis, après quelques pas agités, il revenait s'asseoir, respirait profondément, nous regardait avec tristesse et compassion comme s'il s'apprêtait à nous annoncer une nouvelle terrifiante qui allait bouleverser nos existences: «... qui ruina définitivement l'enfance de Mère.»

Mère.

C'est ainsi que ses fils appelaient Nour, appuyant sur le M pour l'allonger, l'étirer, jusqu'à donner à notre grand-mère paternelle sa dimension émérite d'icône.

Les larmes d'Oncle Numéro 2 arrivaient quand Mère atteignait sa cinquième année. Alors, tous les sévices imposés par les belles-mères, le cœur empoisonné par la jalousie et la rancune, coulaient de sa bouche comme un chagrin ininterrompu. Aller chercher l'eau au puits, servir à table avec les domestiques, dormir dehors, être privée de vêtements chauds en hiver, de nourriture, rester enfermée des journées entières dans les latrines, dans la cave, tirer seule les tapis à l'extérieur pour les dépoussiérer, partir dans la forêt chercher des racines à macérer... La liste était longue. Il pleurait et racontait, racontait et pleurait. Pour finir, bouillonnant de douleur et d'amour, il nous prenait dans ses bras pour que nous nous consolions mutuellement, tandis que le couvre-feu tombait sur Téhéran.

De l'autre côté de la fenêtre du salon d'Oncle Numéro 2, la Révolution était en marche. Bientôt, profitant de la coupure d'électricité et de la nuit, les *Téhéranis*, telle une armée de fantômes unis et en colère, se faufileraient dans les escaliers jusqu'aux toits et crieraient des slogans interdits. Du nord au sud, d'est en ouest, des «Mort au Shah» et «Allah Akbar», vêpres insolentes et désespérées jetées à la face du monde, se répondraient en écho. Quelques minutes, un quart d'heure tout au plus, jusqu'à ce que le bruit des mitraillettes s'élève et la répression s'empare à nouveau de la ville.

Et pendant ce temps, alors que je rêvais de m'échapper de cette pièce pour rejoindre la nuit et les toits, mêler ma voix à ce chant révolté/mélancolique, Saddeq nous serrait contre son chandail beige acheté aux Galeries Lafayette (prononcé *Gâlori Lâfâyed*) à Paris (*Pârisse*), à pleurer sur une grand-mère que je n'avais même pas connue. J'avais sept ans et le respect aveugle que tout enfant d'Orient éprouve envers les adultes m'interdisait de le repousser pour m'enfuir.

2

Oncle Numéro 2 est mort

Hier après-midi, j'étais sur le pas de la porte, prête à sortir pour aller au travail, quand Leïli m'a appelée. « Oncle Saddeq… » a-t-elle dit de cette même voix mate avec laquelle elle m'avait annoncé la mort de tous nos oncles et celle de notre père. J'aurais dû deviner que quelque chose s'était passé pour qu'elle m'appelle si tard. Leïli ne m'appelle que très tôt le matin, sur un trajet quelconque, pressée et à bout de souffle, s'excusant immédiatement de me réveiller. Par un subtil blocage psychique, elle refuse d'admettre que je ne dors que quelques heures, et encore d'un seul œil. Pourtant, il lui arrive devant les autres d'évoquer mes insomnies ; évocation qui lui sert la plupart du temps de préambule pour dériver sur son inexorable besoin de dormir, contrarié depuis des décennies par sa vie de famille et son travail. Mais, quand elle est seule avec moi, un déni s'installe. Un de plus.

« Il est mort ce matin, vers onze heures… »

Au même moment, j'ai vu un cafard courir le long de la plinthe de l'entrée et se faufiler à l'intérieur. Toute mon attention s'est focalisée sur cette tache luisante qui s'enfuyait vers la salle de bains. L'appartement en est infesté depuis plusieurs semaines à cause du restaurant du rez-de-chaussée. Malgré les heures passées à nettoyer, à asperger les recoins avec des produits de plus en plus toxiques, il semble impossible d'éradiquer cette invasion.

Alors que Leïli me parlait, j'ai réussi à poser un pied sur le cafard. J'ai appuyé si fort pour m'empêcher de penser à Oncle Numéro 2 que j'ai cru entendre le bruit humide de ses entrailles s'étalant sur le parquet. «Tu m'écoutes? a demandé Leïli agacée. – Oui, je t'écoute», ai-je menti, ramassant les restes du cafard avec un vieux mouchoir tassé au fond de ma poche.

Je n'avais qu'une envie, raccrocher. Mais j'ai entendu Leïli pleurer. C'était Leïli, ai-je pensé alors, flottant dans sa blouse blanche, sans doute debout devant l'une des hautes fenêtres de son cabinet d'ophtalmologie situé dans le 4e arrondissement, les clavicules saillantes et le bout du nez froid, demandant comme toujours à être consolée. Leïli, ma sœur aînée, sensible et fragile comme de la vieille dentelle. Aussitôt, j'ai cherché quelque chose à dire dans l'espoir un peu vain de l'apaiser, mais avant de trouver la phrase réconfortante qui nous aurait permis d'évoquer Oncle Numéro 2 et de sourire, j'ai demandé: «Tu vas le dire à maman?»

Depuis sa maladie, je l'appelais maman. Je ne sais pas comment c'était arrivé, à quel moment précis j'avais cessé de l'appeler par son prénom. Je ne sais pas si mes sœurs l'avaient remarqué, si elles en avaient parlé entre elles. Si tel était le cas, elles ne m'avaient fait aucune réflexion. Elles, continuaient à l'appeler Sara.

«Je n'en sais rien… Je ne sais pas si Sara…»

Leïli s'arrêta. Comme un air de musique que l'on se remémore dès les premières notes, je reconnus ce silence sec d'avant les sanglots. Un silence qui résume à lui seul tout ce que Sara était et tout ce qu'elle n'est plus. Et Leïli sanglota.

Sara était: grande (1m72), mince (57 kilos), un corps *SophiaLoreni*, comme on disait à Téhéran. Ses cheveux et ses yeux étaient noirs. Ses sourcils étaient épilés avec soin. Son nez présentait une légère bosse à sa base. Sa bouche, qui avait le même dessin que celle de sa mère, Emma Aslanian, laissait deviner, si vous étiez ethnomorphologue, qu'elle avait des origines arméniennes.

Sara était: drôle. Elle savait parler le *tchalémeïdouni*, l'argot de Téhéran, et nous faisait hurler de rire.

Sara était: mère de famille, professeur d'histoire et de géographie, opposante politique, présidente du Syndicat des copropriétaires, présidente du Comité des parents d'élèves, rédactrice en chef du journal *Djombesh* (Mouvement) fondé avec son mari. Levée à cinq heures trente. Couchée entre minuit et demi et une heure du matin.

Sara était: débordante d'amour et d'anxiété pour l'humanité entière. Dès l'aube, avant même de poser un pied sur le sol, elle cherchait quoi cuisiner, acheter, préparer, pour faire plaisir à la famille et aux amis. Quand elle nous réveillait, à six heures quarante-cinq tapantes, avec du Mozart, le déjeuner était déjà prêt, voire le dîner, les toilettes et la salle de bains lavées, les plantes arrosées et le troupeau de chats vagabonds agglutiné derrière la fenêtre de la cuisine, nourri. Nous la surnommions « Mon Général » ou «Caporal Sadr». Ou bien «Associated Press», à cause de son époustouflante mémoire.

Elle se souvenait de tout. Tout ce qui avait été vu et vécu, tout ce qu'on lui racontait. Dense et compacte, sa mémoire était un défi au temps, à la science, et à celles qui croyaient leurs commérages éphémères. Elle connaissait par cœur tous les numéros de téléphone, toutes les adresses, toutes les dates. Les dates historiques, avec une spécialisation dans les événements relatifs à ses deux héros, Napoléon Bonaparte et Mohammad Mossadegh*. Les dates de naissance, celles de ses innombrables neveux et nièces, de ses collègues, de ses amies, de nos voisins, de leurs enfants, et même des frères de mon père alors qu'eux-mêmes avaient à peine conscience d'être nés un jour.

Et puis soudain plus rien. Le néant.

Son cerveau s'était noyé dans l'eau. Un bouchon de liège flottant dans l'immensité de l'oubli. C'était arrivé quelques mois après L'ÉVÉNEMENT.

Longtemps, je suis restée persuadée qu'elle avait besoin de moi, de ma présence, pour guérir. C'est la raison pour laquelle je suis revenue à Paris, donnant peu à peu à ma vie une direction rassurante dans le but absurde de l'apaiser. Mais elle n'a pas besoin de moi, pas plus que de la télévision allumée toute la journée dans un coin de sa chambre.

Sara était ma mère. L'autre est devenue *maman*.

Après avoir raccroché, réalisant soudain que je me trouvais dans la rue, j'ai eu cette vision d'Oncle Numéro 2. Il était là devant moi, au milieu du vacarme de Belleville, une image aussi claire que celle des prostituées chinoises plantées sur le trottoir.

Je vais essayer de vous la montrer, avec ses couleurs passées et sa surface abîmée par les aléas de l'existence, comme ces films super 8 qu'il tournait avec sa Beaulieu sur la plage.

---

* Le nom de Mohammad Mossadegh – appelé par les Iraniens Docteur Mossadegh – ne se range pas d'emblée à côté de celui des femmes et des hommes qui ont marqué le XXᵉ siècle. Cela prouve à quel point l'Histoire a été injuste avec lui. Pourtant, en 1951, premier ministre démocratiquement élu, il réussit l'incroyable tour de force de nationaliser le pétrole iranien exploité depuis des décennies par la compagnie Anglo-Iranian Oil Company. Le moment n'est pas venu de s'attarder sur cette période, mais sachez que tels des enfants gâtés à qui l'on retire un dû, les Britanniques n'apprécièrent pas cette volonté d'indépendance. Le bras de fer dura deux ans et les Américains s'en mêlèrent, fomentant le fameux coup d'État du 19 août 1953 qui bouleversa à jamais le destin de l'Iran. Nous en reparlerons…

Regardez sa silhouette menue et raide descendre l'escalier principal de sa maison, éclairé par la lumière étincelante du grand lustre en cristal. Rasé de près, cheveux poivre et sel coiffés en arrière, le torse engoncé dans une veste en tweed coupée sur mesure et fermée de façon ostentatoire sur le ventre. La pochette est orange, le pantalon en velours côtelé marron. Ses chaussures en cuir noir brillent sur le tapis bleu en soie orné d'un médaillon floral géométrique, typique des tapis d'Isfahan. Avec sa démarche crâneuse, Saddeq pourrait sortir d'une comédie américaine des années 70, un film avec Peter Sellers, où il aurait le rôle d'un nanti naïf. Le voilà qui avance vers Sara, assise à la table du salon. C'est le matin et Sara boit son thé dans un grand verre à anse. « Tu t'es fait chic, dis donc ! » s'exclame-t-elle avec un sourire sincère tandis que derrière elle, Leïli et Mina gloussent dans leur serviette tachée de confiture de coing (quant à moi, depuis que j'ai entendu Oncle Numéro 2 quitter sa chambre, j'attends près de la porte qui mène au jardin pour lui demander l'autorisation d'aller jouer dehors). Saddeq incline la tête à droite et rit comme un adolescent timide à qui la plus belle fille du quartier vient de faire un compliment. Chic (prononcé à l'iranienne : *chiik*) est son mot préféré. Celui qu'il espère chaque matin, celui qu'il mérite en toutes circonstances.

Cette image date de l'hiver 1978, des quelques mois avant la fin de la Révolution que nous avons passés en partie chez lui, dans cette maison où mes parents s'étaient mariés. Je n'ai pas le souvenir qu'il ait neigé cet hiver-là alors qu'à Téhéran la neige s'accumule pendant des mois, haute comme des murets. N'ai-je pas entendu Sara dire qu'il faisait un hiver *à la parisienne* ? S'agissait-il de cet hiver-là ou d'un autre ? J'avais mémorisé l'expression alors que j'ignorais ce que l'hiver à Paris signifiait. Mais il semblait merveilleux, comme tout ce qui était français ; du régime politique au parfum des shampoings. Dans les années précédant la Révolution, Sara nous emmenait dans un supermarché français ouvert dans une des rues huppées du nord de la ville. D'une propreté intimidante, l'endroit était rempli de toutes sortes de marchandises qui nous paraissaient terriblement exotiques. Des petits bouts de France, détachés d'une totalité aussi inaccessible qu'un rêve, qui, miracle du pétrole, avaient voyagé jusqu'à nous. Vache qui rit, Nutella, yaourts Danone, camembert Caprice des Dieux, savon Zeste, cigarettes Gitane. Les produits aux emballages brillants étaient rangés sur des rayonnages en fer, offerts à la vue, disponibles, et non entassés en une montagne branlante comme chez notre épicier, Agha Mohabati. Les prix, affichés en tomans et en francs, étaient si excessifs qu'il était impossible de satisfaire ne serait-ce que la moitié de nos envies. Nous sortions de là avec un petit sachet et l'impression de laisser derrière nous un monde fascinant qui pourrait, comme dans les dessins animés, disparaître pour toujours.

Un jour, alors que je rentrais de Bruxelles, Sara m'apprit qu'Oncle Numéro 2 et sa femme avaient déménagé dans un appartement près du centre-ville. Quelques années auparavant, durant la guerre Iran-Irak, les fondations de leur ancienne maison avaient été terriblement fragilisées à cause des bombardements et son interminable restauration semblait au-dessus de leurs forces. Située dans une rue étroite du centre de Téhéran, elle était gigantesque. Des escaliers conduisaient à de nombreuses pièces aux murs chargés de miroirs. Des tapisseries et des objets hérités des ancêtres faisaient face aux meubles massifs, tout en bois et dorures, achetés chez les antiquaires du marché aux puces (*Mârtché ô Pouce*) de *Pârisse*. L'ensemble, une collision entre des époques et des styles aussi disparates qu'inappropriés, dégageait une impression effrayante de mauvais goût.

J'accueillis la nouvelle avec un détachement calculé, décidée à ne pas laisser Sara réveiller en moi une nostalgie aussi pénible qu'inutile. Je savais qu'Oncle Numéro 2 était malade, cloîtré chez lui, incapable de bouger de son lit. Je le savais comme on détient une information dont il est difficile de visualiser l'ampleur. Un tremblement de terre, une explosion, une réalité lointaine qui remue l'être tout en restant extérieure au présent. J'étais incapable d'imaginer à quoi il pouvait ressembler englué dans la vieillesse et la maladie. Dans quel lit était-il allongé ? Dans quelle chambre, quel appartement, quel quartier ? Et quand bien même j'aurais su le nom de leur nouveau quartier, j'ignorais où il se trouvait. Depuis que le régime islamique gouvernait ce pays, tous les noms des rues et des quartiers avaient été changés, ayatollahisés, brouillant les repères et les mémoires. J'aurais pu l'appeler, mais pour dire quoi ?

« Toi, tu ne parles pas, me dit Sara. Quel besoin de parler ? Tu te contentes de te présenter et ton oncle et ta tante parleront pour toi ! »

Mais même cela était au-dessus de mes forces. Entendre leur voix, les imaginer dans cet ailleurs où j'avais eu autrefois ma place, où j'avais été heureuse comme je ne le serais sans doute jamais plus. Comment est-ce possible que là-bas existe encore et que je n'en fasse plus partie ? Comment une telle absurdité avait-elle pu se produire ? Bien entendu, je connaissais la réponse à toutes ces questions, et à bien d'autres, mais elle ne suffisait pas à expliquer l'impression oppressante de cruauté et d'injustice qui m'écrasait, et m'écrase encore, quand j'y pense. À vrai dire, Oncle Numéro 2 avait disparu depuis très longtemps et l'annonce de sa mort ne venait que confirmer ce que je savais déjà : je ne le verrais plus jamais. Comme je ne verrais plus jamais l'Iran. Je l'avais su au moment même où mes pieds, chaussés des bottes de ma mère, avaient dépassé la ligne virtuelle de la frontière entre l'Iran et la Turquie, aux alentours de quatre heures trente du matin, le 25 mars 1981.

Pour de multiples raisons, de tous mes oncles, il était celui dont j'étais le plus proche. Notre premier séjour chez lui date du mois d'août 1978. Durant l'été, le mouvement de protestation contre le régime du Shah s'était radicalisé. Tandis que dans les principales villes du pays les manifestations s'amplifiaient, entrecoupées d'épisodes sanglants, la répression s'intensifia, aboutissant à l'instauration de la loi martiale. Pas un jour ne se passait sans que des opposants politiques soient arrêtés ou tués. À la demande de Saddeq, nos voisins, les Nasr, m'avaient déposée chez lui le lendemain du jour où Sara, après une violente altercation avec un haut gradé de l'armée, le général Mansour Rahmani, gagné par la rage de vouloir tuer mon père, avait été transportée à l'hôpital. Recherché par la Savak, la police secrète, Darius était caché quelque part dans les entrailles de Téhéran. Il avait quitté notre appartement l'avant-veille vers midi, une journée étouffante d'été, poussé et escorté par des amis à la mine inquiète. Suite à l'incendie du cinéma Rex à Abadan*, la tension était montée d'un cran ces derniers jours. Pour la première fois, Darius ne rechigna pas et accepta de partir, même si, quand il franchit la porte, son visage était aussi abattu que celui d'un gardien de but encaissant un penalty.

---

* Survenu le 19 août 1978 à Abadan, capitale de l'industrie pétrolière, cet incendie fit 477 morts, dont une majorité de femmes et d'enfants. Le régime fut accusé d'avoir mis délibérément le feu au cinéma afin de faire sortir les éléments subversifs qui s'y étaient réfugiés. Mais des années après la Révolution, des documents et des témoignages révélèrent que cet incendie avait été planifié dans la résidence de Khomeiny alors exilé à Najaf, en Irak. Le but: provoquer la colère des ouvriers des raffineries, les poussant à se mettre en grève et diminuer la production du pétrole, mais aussi détruire un lieu de débauche, symbole de la culture occidentale. Il faut croire que la graine de ce qui adviendra plus tard était plantée...

À partir de ce jour, il entama toute une série d'allers-retours sur des périodes plus ou moins longues qui se solda par une entrée en clandestinité d'où il ne sortit qu'en février 1979, une quinzaine de jours après le retour de Khomeiny en Iran.

Leïli et Mina étaient déjà chez Oncle Numéro 2 quand je suis arrivée. Il était seul. Enfin, seul avec Bibi, la fidèle servante qui avait suivi Nour depuis l'*andarouni* paternel jusqu'ici. La femme de Saddeq, riche héritière d'une autre grande famille de Mazandaran, autonome et sympathiquement snob, s'était repliée sur ses terres mazandaranies loin des tumultes de la Révolution. Leurs deux enfants vivaient leur vie : la fille, mariée et mère de trois enfants, habitait à quelques rues de la maison familiale et le fils dilapidait l'argent de ses parents aux États-Unis.

Oncle Numéro 2 avait tenu à nous avoir avec lui, bien à l'abri, dans sa maison fermée à double tour d'où tout élément rappelant l'extérieur – télévision, radio, clefs du jardin – disparut quelques heures après notre arrivée. La journée, il nous apprenait à cuisiner, à coudre, à tricoter, à fabriquer des poupées de chiffon et des parures de coussins. Il nous maintenait dans un état de normalité factice, hors du temps, comme les orphelines d'un conte d'Andersen qu'il fallait malgré tout préparer à une vie de femmes respectables. Le soir, il nous racontait ses histoires dans lesquelles Mère finissait systématiquement en martyre, et lui en larmes.

Dépositaire de la légende familiale, Oncle Numéro 2 avait au cours des années, grâce à un savant dosage entre réalité et fiction, consolidé la plupart de ses récits dans une version personnelle qui semblait convenir à ses frères, oncles, tantes, cousins et cousines de multiples degrés. Les soirs d'été, sur la terrasse de sa villa de Mazandaran, assis sur sa chaise attitrée face à la mer Caspienne, il nous les servait avec gourmandise, tirant par à-coups sur son narguilé et ménageant habilement ses effets comiques. Lui-même riait aux éclats, la tête penchée sur le côté, surveillant du coin de l'œil son public. Et nous aussi riions ; les adultes, qui saisissaient les allusions sexuelles, riaient encore plus fort que les enfants.

Pourtant, à partir du moment où il nous avait récupérées, des métastases de drame avaient envahi ses versions. Non seulement nous ne riions plus, mais nous finissions inévitablement les uns collés aux autres, chœur secoué par les sanglots d'Oncle Numéro 2. Selon Leïli, éprise d'explications et d'analyses, la tristesse de notre oncle n'était pas due à son amour délirant pour Mère, mais à celui qu'il portait à notre père. L'angoisse, affirmait-elle, avait gagné ses récits, effaçant les épisodes comiques et les remplaçant par d'autres, terrifiants. Coups, sévices, tortures, meurtres. Autant de situations que nos parents activistes risquaient de subir à chaque instant.

Une nuit, alors que le nez collé à la fenêtre, j'échafaudais un plan secret pour m'enfuir, Leïli me prit par le bras et me retourna d'un coup sec.

« T'es tellement égoïste que tu ne vois même pas qu'il s'occupe de nous, qu'il fait semblant que tout va bien, et le soir, il craque ! Ça s'appelle une *dépression* ! »

Le vocabulaire de Leïli, enrichi de façon spectaculaire par ses lectures, comportait des mots dont la signification m'échappait totalement. Tous ces mots étaient en français, langue apprise dès l'école maternelle au très huppé lycée Razi – l'école française située dans les quartiers résidentiels du nord de Téhéran – où, malgré un droit d'entrée exorbitant, Sara avait tenu à nous scolariser. Les raisons qui l'avaient poussée à faire un tel choix, en totale contradiction avec notre vie dans un quartier pour classe moyenne, ses opinions politiques et son métier de professeur dans un lycée public, étaient complexes. Bien sûr, elle voulait nous donner toutes les chances de réussir, ce qui signifiait indiscutablement faire des études supérieures à l'étranger. Bien sûr, elle avait planifié qu'après nos études nous reviendrions en Iran pour participer au développement du pays. Mais ce pragmatisme apparent cachait une passion immodérée pour la France, pays où elle-même avait passé un an grâce à une bourse universitaire obtenue dans le cadre d'une thèse sur Jean-Jacques Rousseau. Une année seulement, comme un mirage en plein désert. De même que certaines mères, rêvant d'être reine de beauté, inscrivent leurs filles à des concours de Miss, Sara nous avait inscrites au lycée Razi.

Contrairement à mes sœurs, je n'aimais pas le français, langue que je trouvais alambiquée/ampoulée et avec laquelle je refusais de nouer le moindre contact en dehors de l'école. Je ne touchais pas aux livres de la Bibliothèque Rose et Verte, hérités de mes sœurs et soigneusement alignés par Sara sur l'étagère fixée au-dessus de mon lit. Je ne lisais pas *Astérix et Tintin* en français, mais en persan, m'efforçant de rire fort pour narguer mes sœurs qui jugeaient la traduction ridicule.

À vrai dire, ce n'est pas le français que je rejetais, mais l'obligation tacite, partagée par les élèves iraniens du lycée Razi, issus des castes élevées et pour certains outrageusement riches, de le considérer comme supérieur au persan. De là découlait la certitude que puisqu'ils pratiquaient cette langue, ils étaient eux-mêmes supérieurs aux autres Iraniens, masse bruyante et inculte perdue dans les bas-fonds du Moyen-Orient, mangeant du riz avec une cuillère comme si c'était une soupe. En classe, c'était la concurrence à qui s'exprimerait le mieux en français, passerait les plus longues vacances en France, s'habillerait en Cacharel ou porterait des Moon Boots en hiver. Certains parlaient même français avec leurs frères et sœurs, appelaient leur père «papa» au lieu du vulgaire et arriéré «baba». Les élèves français étaient considérés comme des dieux ayant eu la magnanimité de descendre jusqu'à nous pour nous dispenser leur raffinement. Se faire accepter par eux était l'activité principale de la récréation. Je méprisais leur suffisance, même si secrètement je rêvais moi aussi d'avoir des Moon Boots.

Une quinzaine de jours plus tard, amaigrie et pâle, Sara sortit de l'hôpital. Après une semaine de convalescence passée chez Oncle Numéro 2 où, par miracle, télévision, radio et clef du jardin firent leur apparition, elle appela un taxi et nous rentrâmes chez nous. Mon bonheur me fit oublier ce séjour claustrophobique durant lequel j'avais néanmoins appris à coudre, préparer la confiture de coing et les galettes aux herbes.

Malgré les menaces journalières de la Savak, poursuivant sa mission antigonesque de femme d'opposant politique, Sara tenait à ce que nous intégrions notre appartement situé au rez-de-chaussée. Elle savait que bientôt un autre événement, forcément terrible, nous en chasserait, mais en attendant nous devions faire front. Nous, la famille de Darius Sadr, qu'un journaliste étranger avait récemment surnommé « Le Sakharov d'Iran ».

« Il n'y a aucune raison d'avoir peur de ces chacals, mes chéries. C'est eux qui devraient avoir peur de nous ! » lança-t-elle quelques heures plus tard, en dressant les vieux matelas de nos lits d'enfants contre les fenêtres des chambres. Tenez-vous bien, ces matelas sur lesquels nous avions pissé copieusement étaient destinés à absorber les balles que lesdits chacals risquaient de nous tirer dessus au milieu de la nuit !

Nous étions toutes les quatre sur le balcon et mes sœurs l'aidaient. Incrédule, je les regardais faire. Comment ces épaves allaient-elles nous protéger ? Comment Sara pouvait-elle croire qu'à leur vue les Savakis se décourageraient et partiraient tranquillement finir leur nuit ? Si j'étais Savaki – je les imaginais musclés et armés comme les tueurs dans les films américains que Darius adorait –, j'enjamberais le balcon, dégagerais ces saletés et viderais mon chargeur. J'étais sur le point d'ouvrir la bouche pour lui faire part de mes réflexions quand Mina, visiblement empreinte des mêmes doutes que moi, m'envoya un coup de coude dans le ventre. Le regard noir qu'elle me jeta – *tu ne vois pas que ça la rassure, espèce de débile !* – me fit taire sur-le-champ.

Je continuai à observer ma mère achever son œuvre dérisoire, emplie de peur. Avant qu'elle ne révèle la probabilité que nous puissions finir nos vies criblées de balles, jamais cette pensée ne m'avait effleurée. Que notre appartement soit sous surveillance : oui. Que nos parents soient arrêtés et emmenés dans les geôles secrètes du régime : oui. Que Darius parte à une de ces réunions politiques et ne rentre plus jamais : oui. Mais pas notre mort. Désormais, chaque fois que mon regard tombait sur les fenêtres obstruées de la chambre que je partageais avec Mina, l'angoisse hurlait en moi comme une bête sauvage. Je ne dormais plus. Je gardais les yeux ouverts toute la nuit, me crispant au moindre bruit et priant Dieu, non pas pour qu'Il nous épargne – le chaos terrestre me semblait hors de sa portée –, mais pour que les balles nous atteignent toutes en même temps. Seigneur, faites que ma mère, mes sœurs et moi mourions ensemble !

Pour vous parler de l'altercation de Sara avec Général Rahmani, il faut d'abord que je vous présente Barthelemy Schumann.

Né à New York, militant de gauche, journaliste, Barth Schumann avait été expulsé des États-Unis dans les années 60 pour sa participation active aux mouvements de protestation contre la guerre du Vietnam. Exilé à Londres, proche de Bertrand Russell, Schumann arriva en Iran pendant la Révolution. Comme nombre de journalistes occidentaux, il prit contact avec Darius qu'il interviewa à plusieurs reprises.

Mais contrairement aux autres, il se débrouilla pour résider dans notre quartier, vint chez nous régulièrement, resta déjeuner et dîner. Certains après-midi, il m'emmenait dans les rues en effervescence de Téhéran, m'utilisant comme traductrice. Notre étrange duo, lui le grand roux aux cheveux longs et moi la petite brune aux cheveux courts, ne manquait pas de faire se tourner les têtes. Quand il était pris à partie, que les gens lui criaient au visage « *US Go Home* », il me demandait d'expliquer son combat acharné contre l'impérialisme américain. Je faisais de mon mieux et bon an mal an la situation s'arrangeait. De fait, une relation privilégiée se tissa entre nous, d'autant qu'il n'avait pas d'enfant et semblait le regretter. Plus tard, en novembre 1979, lorsque l'ambassade des États-Unis fut prise d'assaut par les étudiants iraniens et que les archives furent rendues publiques, l'hypothèse que Schumann fût un espion américain devint suffisamment plausible pour qu'il soit viré du pays avec interdiction d'y revenir.

Une interview réalisée par Bart fut diffusée sur la BBC le 24 août 1978; le sujet en était: «Comment le général Mansour Rahmani arriva chez Darius Sadr et le menaça de mort, vu à travers les yeux de sa fille de sept ans, témoin de la scène.» Vous ne l'avez certainement pas entendue.

Elle fut enregistrée sur un petit dictaphone le matin même, alors que je prenais mon petit déjeuner chez nos voisins, les Nasr – d'où le bruit de couverts qui masque par moments nos voix –, et envoyée dans la foulée à la BBC pour être intégrée à l'émission consacrée à la Révolution iranienne.

Quelques semaines après L'ÉVÉNEMENT, Schumann m'envoya une copie dupliquée sur une cassette audio TDK, accompagnée d'une lettre pleine de compassion pour me demander de lui accorder une nouvelle interview (il disait travailler pour une radio alternative américaine basée à Toronto).

Je n'ai pas répondu à sa demande et n'ai écouté la cassette que des années plus tard, une seule fois, à l'occasion d'un déménagement. Je vais néanmoins essayer de vous la transcrire.

B. Schumann : Est-ce que tu peux m'expliquer ce qui s'est passé hier ?

K. Sadr : En fait j'étais avec ma mère à la maison quand on a entendu des bruits au bout de la rue, là-bas… Il y avait plein de gens qui poussaient des cris, qui criaient des… des…

B. Schumann : Des slogans ?

K. Sadr : Oui c'est ça, des slogans.

B. Schumann : Qui étaient ces gens ?

K. Sadr : Je ne sais pas… Des gens qui manifestaient.

B. Schumann : Et pourquoi au bout de ta rue ?

K. Sadr : Parce que c'est là que vit Général Rahmani.

B. Schumann : Les gens manifestaient devant la maison du général Rahmani, c'est bien ça ?

K. Sadr : Oui. Au début on ne savait pas pourquoi ils étaient là, mais un homme a frappé à notre fenêtre et ma mère a ouvert. Il était photographe. Il voulait se cacher chez nous parce qu'il était poursuivi par la police. Ma mère m'a dit de cacher ses appareils photo dans la machine à laver. C'est lui qui nous a expliqué ce qui se passait.

B. Schumann : Tu étais donc seule avec ta mère.

K. Sadr : Mes sœurs sont chez une amie et mon père est parti hier. Ma mère avait très mal à la tête. Elle était allongée dans sa chambre quand on a entendu les bruits.

B. Schumann : Que s'est-il passé ensuite ?

K. Sadr : Le photographe est venu avec nous dans le salon… Puis on a frappé à la porte. Ma mère m'a demandé d'aller ouvrir. Avant, j'ai regardé par le judas, mais quelqu'un avait mis son doigt dessus. J'ai regardé ma mère qui m'a dit de ne pas avoir peur et d'ouvrir. J'ai ouvert la porte. Général Rahmani était devant moi, un pistolet à la main. Derrière lui un soldat tenait un garçon par les cheveux. J'ai commencé tout de suite à pleurer. Rahmani s'est mis à genoux devant moi et il m'a dit : « Ne pleure pas, je ne vais pas te faire de mal, c'est ton connard de père que je vais tuer. » Après il s'est levé, il a pointé son colt vers la photo de mon père. Ma mère a commencé à se disputer avec lui... (long blanc)

B. Schumann : Qu'est-ce qu'elle lui a dit ?

K. Sadr : Elle a agrippé son uniforme et a crié : « Personne ne va tuer mon mari ! » Rahmani a mis son colt sur sa tempe et a crié : « Alors c'est toi que je vais tuer ! » Il a dit que mon père avait envoyé des gens pour le tuer, lui et sa famille. Ma mère criait qu'il disait n'importe quoi... Que mon père est un journaliste, pas un meurtrier.

B. Schumann : Et toi, qu'est-ce que tu as fait ?

K. Sadr : J'avais peur... Je me suis glissée entre les jambes du soldat et j'ai couru chercher notre voisin, monsieur Nasr. Je lui ai dit de venir parce que Rahmani allait tuer ma mère. Il est venu et il a essayé de le calmer. Rahmani était très énervé, il n'arrêtait pas de crier. Il repoussait ma mère, mais elle ne le lâchait plus. Elle était accrochée à lui. Il a foncé vers la porte. Elle est tombée par terre. Il l'a traînée devant la porte. Madame Nasr a couru pour la relever. Moi je suis allée dans la cuisine prendre un couteau et j'ai couru dans la cour pour l'empêcher de revenir. Monsieur Nasr m'a attrapée et m'a enlevé le couteau.

B. Schumann : Et que s'est-il passé ensuite, on m'a dit que Rahmani était mort ?

K. Sadr : Oui. Les gens l'attendaient juste devant la grille, au bout de la cour. Monsieur Nasr lui a demandé de ne pas sortir, mais il ne l'a pas écouté. Dès qu'il est sorti, ils se sont jetés sur lui et ils l'ont... (silence) je ne sais pas comment dire.

B. Schumann : Lynché…

K. Sadr : Ils l'ont traîné jusque devant chez lui, il y avait du sang partout dans la rue. Monsieur Nasr a mis sa main devant mes yeux pour m'empêcher de voir. Puis il m'a ramenée chez nous. Ma mère était allongée sur le canapé, il y avait plein de gens autour d'elle. Une voisine est arrivée et a crié : « Ça y est, il est mort ! Il est mort ! » Ma mère a commencé à pleurer en disant qu'il avait des enfants, qu'il n'aurait pas dû mourir. Puis une femme est venue lui montrer sa main pleine de sang et c'est là qu'elle est devenue… folle…

B. Schumann : Elle est allée à l'hôpital ?

K. Sadr : Oui. Une ambulance est venue et ils l'ont emmenée…

3

Les multiples fuites de Darius Sadr (épisode 1)

Le brouhaha typique signalant l'arrivée d'un médecin s'élève du couloir. Peut-être Docteur Gautier…

Dans un même mouvement, nous tournons la tête vers la porte, en alerte, comme des animaux en cage qui sentent une présence. Personne. Quelques secondes passent. Des soupirs s'élèvent, certains ostentatoires. Puis des bruits de chaises impatients, des échanges de regards agacés. Une fois de plus, je sors de ma poche mon téléphone portable pour regarder l'heure. Cette fois, je le jette dans mon sac rempli à ras bord de toutes sortes de papiers et d'objets inutiles. Curieusement, la perspective d'y faire le ménage m'est plus désagréable que le fait de devoir remuer tout ce fatras pour trouver ce que je cherche. Comme toujours, je me dis que j'aurais dû prendre le temps de le ranger dans la poche intérieure, elle-même débordante. Comme toujours, il est trop tard.

Vous avez sans doute remarqué : depuis la prolifération des téléphones portables, une ligne imaginaire sépare les gens en âge de procréer. D'un côté, ceux qui affichent sur leur écran la photo de leur progéniture et attendent la première occasion pour la tourner vers vous, sourire attendri suivi d'un «Tiens, t'as vu?» qui se veut spontané. De l'autre, ceux dont le fond d'écran est neutre, ou bien orné de la photo de leur animal de compagnie, d'un paysage cartepostalesque photographié en vacances. Autrement dit du trivial, du banal, rien qui dégage une impression de mouvement, de participation à la marche du monde (bien entendu, il se trouve toujours quelques-uns pour brouiller les pistes avec la photo des neveux ou nièces). Tous ceux qui sont dans cette salle, coincés dans l'attente, les doigts noués sur les cuisses et le regard agité, font partie de la seconde catégorie, avec le violent espoir de passer dans la première. Chaque fois que je me retrouve ici, je suis troublée par la certitude rare d'être face à des inconnus et d'en connaître pourtant le désir le plus brûlant, le plus intime. Je sais leurs angoisses, les discussions dans la cuisine jusque tard dans la nuit, les élans d'espoir, les découragements, les bouffées de solitude au milieu de la rue. Je sais que chacune de ces femmes, et peut-être même chacun de ces hommes, est capable de donner un rein ou son âme au diable pour avoir un enfant. Moi y compris. Je dis «même ces hommes», parce que, ne serait-ce que par la façon craintive dont elles entrent ici, les femmes semblent en souffrir davantage. Pas seulement à cause du temps qui passe et détruit à la hache leur système reproductif, mais de l'image que leur renvoie la société.

Lors de notre premier rendez-vous, Docteur Gautier nous avait expliqué que la pression sur les femmes sans enfant était terrible. «Nous acceptons encore assez mal qu'une femme n'ait pas d'enfant. Nous ne lui octroyons pas vraiment ce droit.» Elle-même avait trois enfants: «mais j'aurais aimé me sentir suffisamment libre pour les faire plus tard». Le but inavoué de ces réflexions était de me préparer au fait que la procréation médicalement assistée pouvait être un processus long et douloureux. Il était donc impératif que je me libère de cette pression extérieure pour augmenter mes chances – sachant que la possibilité de tomber enceinte par insémination est de l'ordre de quinze pour cent, auxquels s'ajoutent dix pour cent en cas de fécondation in vitro (phase déclenchée uniquement après l'échec des six tentatives autorisées par la loi). Contrairement à ce que Docteur Gautier s'imaginait, je ne ressentais aucune pression, mais j'acquiesçais. J'acquiesçais à tout ce qu'elle disait de peur de me trahir. Ne voyait-elle vraiment rien? me demandais-je abasourdie à chaque consultation tandis qu'assise de l'autre côté du bureau, le visage empreint d'un voile vert à cause des néons incrustés dans le faux plafond, Françoise Gautier remplissait les éternelles cases de notre dossier.

Peut-être aurais-je ressenti cette pression si mes parents étaient encore là? Pas de la part de Darius, non. Darius ne se souciait pas de ces questions très subalternes à ses yeux. Seuls les événements politiques et les interrogations philosophiques animaient Darius Sadr, lui faisaient relever la tête de son journal qu'il fermait partiellement sans jamais l'abaisser. Nous vivions à côté de lui, grandissions, mangions, réussissions des examens, ouvrions la porte d'entrée, tombions malades, obtenions des diplômes, fermions la porte d'entrée sans qu'il s'en aperçoive. Nos anniversaires ne le concernaient pas, nos chagrins ne le concernaient pas. Il avait la tendresse brutale, nous tirait la joue, nous grattait le dos avec énergie, puis d'un coup se désintéressait de nous pour attraper un livre. Vers l'âge de six ans, alors que je l'entendais parler du matérialisme historique, sujet de l'essai sur lequel il travaillait alors, j'ai commencé à m'intéresser à l'économie pour attirer son attention. J'ai d'abord dévoilé mes réflexions sur un monde débarrassé de l'argent à Sara, un après-midi de retour de chez le dentiste, certaine qu'elle en parlerait le soir même à mon père. Dès le lendemain et durant les semaines qui suivirent, Darius me convoqua dans la salle de bains et m'expliqua, tout en se rasant, les théories de Marx et d'Engels sur l'économie et l'histoire. Les premières minutes, il faisait attention à son vocabulaire, mais très vite son esprit s'échauffait, son débit s'accélérait, sa voix prenait de l'ampleur et les phrases s'enchaînaient aussi complexes et abstraites que dans une langue étrangère. Comme je ne l'écoutais pas vraiment, je l'observais avec envie manier le blaireau et le rasoir, essayant d'enregistrer la technique pour m'en servir quand je serais grande. Vous voilà sans préambule face à la grande schizophrénie muette au creux de laquelle se déroula mon enfance. En résumé, et avant d'autres développements ultérieurs, je savais que j'étais une fille, mais j'étais sûre qu'en grandissant je deviendrais non pas une femme, mais un homme.

Plus tard, nous avons compris que le détachement de notre père, qualifié par Leïli de *comportement autistique*, n'avait rien à voir avec l'amour qu'il nous portait. Il n'avait tout simplement pas le goût du quotidien et s'en tenait à l'écart avec une aisance déconcertante.

En revanche, si Sara était encore… (encore quoi?), elle aurait été redoutable avec moi, oui même avec moi, comme elle l'avait été avec mes sœurs. Avant même qu'elles décident de se marier, alors qu'elles commençaient à peine à fréquenter de potentiels gendres, Sara avait lancé sa machine infernale.

«Mais qu'est-ce que vous attendez pour faire des enfants, on peut le savoir? Vous n'allez quand même pas passer votre vie au restaurant à vous regarder dans le blanc des yeux, si? Dans quinze, vingt ans, vous regretterez d'avoir gâché toutes ces années!»

À cette époque, je n'étais pas à Paris pour assister à ses assauts, mais mes sœurs me les ont racontés si souvent que je pourrais décrire chaque scène. Pour Sara, la vie de couple, le mariage, la sexualité ne valaient rien en soi. Ils n'étaient que des étapes consensuelles, des marchepieds obligatoires, pour accéder à cet étage supérieur de l'existence qu'était la maternité.

D'ailleurs, en parlant de maternité, je me souviens d'une des nombreuses conversations que j'ai eues avec Bibi, la vieille servante édentée d'Oncle Numéro 2. Bien qu'ayant passé une grande partie de mon enfance avec elle, je ne comprenais pas toujours ce qu'elle disait. Osseuse comme la carcasse d'une chauve-souris, le dos arqué, des seins oblongs qui lui tombaient sur le ventre, Bibi avait inventé une langue à elle, étrange, embrouillée, mélange de persan et de dialecte mazandarani, arrosée de litres de salive qui gonflaient dans sa bouche et qu'elle avalait d'un coup comme un œuf dur. Mais nous avons eu cette conversation tant de fois que j'ai fini par combler les trous.

« T'as pris la brosse, gamine ?

– Oui, tiens Bibi.

– Assieds-toi là, devant moi, si tu veux que je te brosse les cheveux. Pas par terre imbécile, sur le tabouret !

– Il me fait mal aux fesses.

– M'en fous ! Le sol est aussi sale que la bave d'un impie. Regarde-moi ça, pfffff… Plus la force de laver, gamine… » (Long soupir bruyant.) Bibi ressemble de plus en plus à son squelette, il est temps qu'elle déguerpisse.

« Mais arrête de dire ça ! Je n'ai pas envie que tu meures, Bibi.

– Faut bien que je m'en aille faire de la place pour tes petits. C'est comme ça qu'il se débrouille le Tout-Puissant, Il en enlève un et remet un autre à sa place. Sinon, même Lui se perd dans ses comptes, comme ton oncle, le Numéro 5… Sacré tête en l'air celui-là !

– Tu crois que j'aurai plein d'enfants ?

– Sûr ! D'abord, t'auras des jumeaux. Vu ta ressemblance avec ta grand-mère, tu vas pas y couper. Des jumeaux... Puis deux autres, une fille et un garçon. Quatre petits, tu es bénie !

– (ravie) Comment tu sais tout ça ?!

– Je le sais, c'est tout. Contente-toi de me croire. Quand tes petits seront là, tu passeras me voir au cimetière avec des pâtisseries et des pêches pour me féliciter. Et tu prendras les gosses avec toi pour leur présenter la vieille Bibi. Promis ?

– Promis ! »

Un interne passe enfin la tête. Indifférent au retard accumulé, il lance un nom dans l'air confiné et moite de la salle d'attente et s'éclipse. Aussitôt, le couple assis dans le fond, comme piqué par une aiguille dans le flanc, se lève. Il glisse à petits pas le long de la rangée, se rue vers la porte, de peur sans doute que l'interne ne change soudain d'avis et les renvoie à leur place. Tandis que le couple disparaît dans le couloir, la tension due au passage du médecin se dissout dans l'épaisseur du silence et chacun se replie à nouveau sur lui-même.

Puisqu'il est très difficile de meubler l'attente, permettez-moi une comparaison. Si nous étions en Iran, cette salle, à l'heure qu'il est, ressemblerait à un caravansérail. Des discussions et des confidences fuseraient dans tous les sens. Chacun serait au courant de la vie de ses voisins. Ils trouveraient plusieurs connaissances communes, voire des liens de parenté, échangeraient adresses et numéros de téléphone portable (dit *mobile*). Quelques hommes, après avoir parlé politique et s'être mis d'accord sur le fait que le pays n'avait pas plus d'avenir qu'une fosse septique, partiraient au restaurant du coin chercher à manger pour tous. Bientôt ils reviendraient, suants et tonitruants, avec des marmites remplies de riz fumant et de brochettes de viande, des assiettes en carton et des couverts en plastique. Prenant aussitôt la situation en main, les femmes s'organiseraient pour servir, et on mangerait si bruyamment que la prochaine entrée de l'interne passerait totalement inaperçue.

L'Iranien n'aime ni la solitude ni le silence – tout autre bruit que la voix humaine, même le vacarme d'un embouteillage, étant considéré comme silence. Si Robinson Crusoe était iranien, il se laisserait mourir dès son arrivée sur l'île et l'affaire serait réglée.

Cette tendance à bavarder sans fin, à lancer des phrases comme des lassos dans l'air à la rencontre de l'autre, à raconter des histoires qui telles des matriochkas ouvrent sur d'autres histoires, est sans doute une façon de s'accommoder d'un destin qui n'a connu qu'invasions et totalitarisme. Comme Shéhérazade usant de la parole pour venir à bout de la vengeance sanguinaire du Roi Shahryar envers les femmes du royaume, l'Iranien se sent enfermé dans le dilemme existentiel et quotidien de «parle ou meurs». Raconter, conter, fabuler, mentir dans une société où tout est embûche et corruption, où le simple fait de sortir acheter une plaquette de beurre peut virer au cauchemar, c'est rester vivant. C'est déjouer la peur, prendre la consolation où elle se trouve, dans la rencontre, la reconnaissance, dans le frottement de son existence contre celle de l'autre. C'est aussi l'amadouer, le désarmer, l'empêcher de nuire. Tandis que le silence, eh bien, c'est fermer les yeux, se coucher dans sa tombe et baisser le couvercle.

La démocratie et la justice sociale, la possibilité de s'appuyer sur une administration pour régler les problèmes, ont sans doute leur part dans le fait que le Français ne sent pas le besoin de se rapprocher, de communiquer, de lancer son filet plus loin que sa mare habituelle. Il reste fermé sur lui-même, protégeant sa tranquillité et son espace vital avec la même hargne qu'une poule ses œufs. J'agis comme cela moi aussi. Je me rétracte à l'approche d'inconnus ; je me contente d'un bonjour murmuré quand je rencontre un voisin. L'enfant volubile et liante que j'étais est devenue une adulte parisienne avec un visage fermé chaque fois qu'elle sort de chez elle. Je suis devenue, comme sans doute tous ceux qui ont quitté leur pays, une autre. Un être qui s'est traduit dans d'autres codes culturels. D'abord pour survivre, puis pour dépasser la survie et se forger un avenir. Et comme il est généralement admis que quelque chose se perd dans la traduction, il n'est pas surprenant que nous ayons désappris, du moins partiellement, ce que nous étions, pour faire de la place à ce que nous sommes devenus.

Dehors le temps a viré au gris ardoise. Une pluie glacée se déverse maintenant sur la ville comme une punition. Je ferme les yeux. La fatigue comme souvent me tombe dessus d'un coup, à un moment incongru où il est impossible de m'allonger et dormir.

Je ne sais pas qui a commencé à les désigner par des numéros. De 1 à 6. Toujours est-il que nous les appelions toujours ainsi entre nous. Quand nous nous adressions à eux, nous disions *Amou Djan*, Cher Oncle, avec une politesse mielleuse toute persane.

Mon père était devenu Oncle Numéro 4 après avoir porté pendant des années le surnom d'*Amou Farançavi*, Oncle Français. C'était à l'époque où il était célibataire et vivait dans l'une des dépendances de la maison d'Oncle Numéro 2. Il était alors pour les plus jeunes un personnage mystérieux et intrigant qui évitait les réunions familiales et se tenait à l'écart des conciliabules orchestrés par Saddeq durant lesquels le comportement des nièces – sourcils épilés, port du jean, tendance à raccourcir les jupes, fréquentations désobligeantes – était abondamment commenté et critiqué par les frères Sadr. D'ailleurs, son absence de ce qu'il appelait «la chasse aux sorcières» lui valut plus tard, quand il devint plus sociable, la reconnaissance éternelle de ses nièces.

Le premier surnom de mon père lui venait d'une décennie passée à Paris après avoir fui un mariage arrangé par Mère avec une de ses cousines. Mais cette fuite-là n'était pas la première...

Le récit des fuites de Darius commence en Égypte, en 1946. L'Égypte où son père, Mirza-Ali Sadr, l'avait envoyé pour entamer des études de droit alors qu'il était déjà en première année d'économie à l'université de Téhéran. Il était le seul de la fratrie à avoir le privilège de partir étudier à l'étranger. Car même si ce garçon taciturne/impénétrable, enfermé depuis l'enfance dans la pénombre d'une chambre à lire alors que ses frères se chamaillaient dans la cour, était pour son père une énigme, il le tenait pour le plus brillant de ses enfants. Celui qui porterait haut le nom des Sadr qui, par ailleurs, en avait bien besoin.

Après quelques mois passés au Caire chez un avocat iranien ami de son père, tandis que l'attrait de la ville et l'ivresse de la liberté commençaient à lasser ses sens, Darius se souvint combien il détestait son père. Il prit alors conscience qu'il avait commis une terrible erreur en acceptant de partir là où Mirza-Ali voulait, faire les études que celui-ci avait décidées pour lui et dépenser son argent sans compter. Mais avant d'aller plus loin, laissez-moi vous expliquer, à grand renfort de flash-back, le pourquoi de cette haine.

Nous voilà donc un matin de mai 1944, à Qazvin, ville où vivait Mirza-Ali et sa famille, à mi-chemin entre Mazandaran et Téhéran. Tandis que les effets de la Seconde Guerre mondiale – pénurie, inflation, pauvreté – se font sentir à travers tout le pays, quelque part dans le monde, Américains et Soviétiques négocient discrètement les concessions pétrolières iraniennes en véritables voyous. Sur la place centrale, un garçon de cinq ans aux vêtements sales et déchirés s'avance vers Mirza-Ali. L'allure d'une vedette de cinéma, habillé à la mode *faranghui* (occidentale), un feutre noir incliné sur son crâne à moitié chauve, Mirza-Ali vient de sortir d'une réunion importante avec les notables et les religieux de la ville. L'objet de la réunion : la nécessité de restaurer la coupole endommagée d'un des monuments sacrés de Qazvin, le Peyghambariyeh, mausolée de quatre prophètes juifs qui avaient prédit l'avènement du Messie.

Entamant l'interminable séquence des au revoir, les hommes ne remarquent pas le petit garçon qui se faufile entre leurs jambes. Maintenant, de sa petite main crasseuse, il attrape un pan de la veste de Mirza-Ali et tire dessus avec force.

« Baba, baba, donne-moi un toman. Baba *Djan*, s'il te plaît… »

Dans le silence qui suit la voix éplorée du gamin, le mot « baba » par lequel n'importe quel enfant de ce pays désigne son père résonne comme une interrogation. Croyant à une farce, Mirza-Ali saisit son oreille et s'emporte. « Va mendier ailleurs, sale petite vermine ! » Mais c'est alors que son regard croise celui de l'enfant.

Arrêt sur image.

Zoom avant sur le visage déformé de colère de mon grand-père. Observez bien ce qui se joue dans son regard bleu. Quelque chose trouble la surface. Quelque chose qu'un seul mot, par exemple « stupeur », ne peut décrire. C'est une émotion incongrue, tourmentée, qui mérite une de ces constructions à rallonge de la langue allemande que les Persans éclairés, comme Mirza-Ali, ont découverte au début de la guerre quand Reza Shah se rapprocha de Hitler. Un collage hybride qui associerait « stupeur » avec « violence », « vérité » avec « dépit ». Pour saisir la confusion qui habite Mirza-Ali, quittons maintenant le champ – son regard bleu – pour nous tourner vers le contrechamp : les yeux de l'enfant. D'immenses yeux bleus remplis de larmes…

Mais pas n'importe quel bleu. Le bleu du ciel de Najaf dont l'éclat turquoise se reflète miraculeusement dans les yeux de Mirza-Ali depuis sa naissance. Mirza-Ali, le seul des onze enfants de Rokneddin Khan et Monavar Banou à avoir les yeux de cette couleur. Et à être né à Najaf*.

Quarante-six ans auparavant, Rokneddin Khan, nommé à la tête du grand bazar de Qazvin, s'était rendu à Najaf pour lier des relations solides avec les marchands de Bagdad, réunis en congrès dans cette ville. Certain que la présence de sa famille – son épouse Monavar Banou, enceinte de sept mois, et ses dix filles – était un atout important, il avait tenu à l'avoir avec lui. Pour impressionner davantage encore ces fameux marchands, il fit un don incroyablement généreux au clergé de la ville, à charge pour celui-ci de le distribuer aux pauvres et aux démunis (ce que bien entendu, il se garda de faire).

Quelques jours avant de rentrer à Qazvin, alors que Rokneddin Khan terminait fièrement ses affaires, Monavar Banou fut prise de terribles douleurs dans le bas du dos et le temps de s'allonger, son utérus, aussi entraîné qu'un ouvrier à la chaîne, expulsa sa charge encombrante. Double miracle ! Non seulement le bébé était ENFIN un garçon, mais (là, le cœur de Monavar Banou se liquéfia d'Amour) il avait les yeux bleus. Attention, pas n'importe quel bleu, et sur ce point Monavar Banou fut intraitable jusqu'à la fin de sa vie : le bleu turquoise de ce bout de ciel qui, tel un voile de bonté, protège le mausolée d'Ali (que la Paix soit sur Lui et

---

* Aparté « Wikipédia ». Najaf est une ville sainte d'Irak où se trouve le tombeau d'Ali, cousin et gendre de Mohammad, fondateur du chiisme. Troisième lieu saint chiite (derrière La Mecque et Médine), c'est là que s'exila un certain Ayatollah (le rang le plus élevé dans le clergé chiite) Rouhollah (son prénom, signifiant Âme de Dieu) Khomeini en 1964, après s'être opposé violemment à la « Révolution Blanche » du Shah. Khomeiny quitta Najaf en 1978 pour Neauphle-le-Château. Vous vous en souvenez certainement.

Sa descendance) et derrière lequel, Monavar Banou en était sûre, se trouvaient les portes du Paradis.

Il n'en fallait pas plus pour convaincre Monavar Banou que son fils, prince aux yeux de Lumière, était un cadeau personnel du Tout-Puissant pour la remercier de sa fidélité, de sa patience, de sa droiture et d'un certain nombre d'autres qualités dont elle se voyait soudain pourvue.

De retour à Qazvin, elle prit une décision capitale : ne plus avoir d'enfant. Car elle ne voulait plus que son corps, touché par la grâce éternelle, redevienne un objet trivial dans lequel Rokneddin Khan se déchargerait comme dans un urinoir. À celles qui osaient plaider la cause de son mari, elle répondait : « Eh bien, que Monsieur se débrouille avec ses démangeaisons, moi j'ai une vie à mener ! » Cette vie se résumait en deux mots : Mirza-Ali.

À partir de ce jour, Monavar Banou devint l'attachée de presse de son fils. Elle mit en place une stratégie efficace pour faire du Petit Ali un enfant vénéré. Je ne connais pas toutes les subtilités de son plan. Tout ce que je sais, et que je tiens des récits d'Oncle Numéro 2, se résume en deux axes principaux (ceux d'entre vous qui connaissent les rites chiites et sa martyrologie exacerbée comprendront facilement le pourquoi de ses choix).

Le premier consistait à ne sortir l'enfant que les jours fériés saints où processions et lamentations envahissaient la ville. La ferveur du peuple était alors si brûlante que toute manifestation liée à Ali tournait aussitôt en passion. Debout, sous le soleil poussiéreux de Qazvin, Monavar Banou regardait avec jubilation les hommes se précipiter vers son bébé, l'admirer, le toucher, puis d'un coup le soulever de terre, le dresser vers le ciel, comme un héros victorieux revenu d'une guerre lointaine. Comme un Roi.

Le second avait lieu les lundis. Pourquoi les lundis? Parce que Monavar Banou en avait décidé ainsi. Tous les lundis donc, Petit Ali recevait, dans une chambre de la demeure familiale aménagée par sa mère, malades et handicapés. Dès l'aube, ces infortunés venus parfois des villages les plus reculés de la région faisaient la queue devant la porte de la maison de Rokneddin Khan dans l'espoir d'embrasser les yeux divins de l'enfant et d'obtenir guérison. Les plus désespérés, les pères portant leurs enfants mourants dans les bras, les jeunes touchés par la paralysie ou la cécité, s'accrochaient à ses vêtements et lui réclamaient d'une voix suppliante le don ultime: sa salive. Oh! Une toute petite lichette de rien du tout, Petit Ali Khan, avec vos doigts, là, juste sur le front! Petit Ali jetait alors un coup d'œil discret à sa mère, cachée derrière une porte entrebâillée, pour quérir son assentiment. Si Monavar Banou clignait des yeux, l'enfant mouillait deux doigts et les passait sur le front de l'infortuné. Si Monavar Banou faisait les yeux ronds, il marquait son refus en baissant le regard.

Plus tard, quand Monavar Banou mourut à moitié folle, quand l'innocence quitta le corps de Mirza-Ali, il mit fin de lui-même, et avec autorité, à ces pratiques fanatiques. Pour autant, il n'oublia pas qui il était, la place qui était la sienne au sein de la société de Qazvin. Il s'octroya un rôle à mi-chemin entre le Sage et le Justicier. Celui qu'on appelle pour régler un différend entre commerçants, apaiser une querelle entre communautés. Celui dont on cherche les conseils concernant les affaires de la ville. À vrai dire, les Qazvinis conservèrent à son égard un respect et une crainte qui n'avaient rien de terrestre. Personne ne remettait en question son aura, personne n'osait le contredire de peur d'attirer les foudres du Tout-Puissant. La vie était déjà tellement dure... Personne... Jamais... Jusqu'à ce que ce petit vaurien fasse son apparition dans les rues de Qazvin.

En ce jour de mai 1944, tandis que Mirza-Ali continue de tordre l'oreille du gamin, il sent monter en lui la peur de celui qui vient d'être pris la main dans le sac. Pas la peine de tergiverser : des yeux pareils ne pouvaient sortir que de ses entrailles ! D'un coup, il lâche l'oreille de l'enfant et le pousse vers le sol. Le gamin hurle de douleur et Mirza-Ali se hâte vers sa maison. Les hommes présents ne perdent rien de la scène. Si tant est qu'ils aient quelques doutes sur la paternité de Mirza-Ali, si tant est qu'ils n'aient pas remarqué la couleur des yeux de l'enfant, la violence inattendue de Mirza-Ali parle d'elle-même.

Maintenant, le gamin court derrière lui et crie de plus belle : « Baba, baba *Djan* ! » Sa voix fluette aux accents déchirants de sincérité s'accroche aux molécules d'air et traverse les rues. La voilà qui glisse le long des fêlures des murs, sous la fente des fenêtres, à travers les portes entrebâillées. La voilà qui pénètre les intérieurs. Tous les intérieurs, même la pièce calfeutrée où Nour s'enferme tous les matins, pour s'adonner à un plaisir solitaire découvert depuis peu : la lecture. Malgré la difficulté que cela représente pour une femme sans instruction, Nour lit avec passion les romans abandonnés par Darius.

Bientôt, aucun Qazvini n'ignorera que Mirza-Ali Sadr a eu un fils avec une prostituée, une de ces pauvres filles possédées par les djinns et rejetées vers les quartiers malfamés du sud de la ville. Bientôt, des voix s'élèveront pour affirmer que ce gamin ne doit pas être son seul coup fourré : combien d'autres qui, n'ayant pas les yeux bleu turquoise comme preuve, se tiennent à carreau ? Tiens, à ce propos, Ali (que la Paix soit sur Lui et Sa descendance) avait été fidèle à Fatima jusqu'à sa mort, n'est-ce pas ? Pas d'escapade à droite et à gauche, pas de petits bâtards lâchés dans la nature ! Ce Monsieur Sadr ferait mieux de revoir ses prétentions à la baisse ! Il n'est rien du tout en fait, vaut moins que Mahmoud l'Épicier, devenu veuf avec cinq enfants et toujours pas remarié.

D'un coup, comme un vêtement neuf qui se salit et perd de son éclat, Mirza-Ali perdit son aura. Toute l'œuvre de la pieuse Monavar Banou fut anéantie par un gamin des rues que sa mère envoyait chaque jour aux trousses de son fils pour lui réclamer de l'argent.

La situation devint intenable pour Mirza-Ali. Non seulement cette vermine lui collait au derrière, mais les hommes ne le saluaient plus comme avant, ne se levaient plus à son passage, et pire, se mettaient à jacasser dès qu'il avait le dos tourné. Comme il était extrêmement croyant, Mirza-Ali n'avait aucun doute sur le fait que c'était Dieu Lui-même, Le Redoutable, L'Intraitable, qui lui avait glissé ce garçon dans les pattes pour le punir. Mais le punir de quoi ? S'être aventuré dans les bas-fonds de la ville ou bien donner dans l'idolâtrie depuis sa naissance ? Allez savoir…

Trois semaines plus tard, un matin tôt, alors que l'enfant l'attendait déjà sur le trottoir, Mirza-Ali, au lieu de le fuir, s'avança vers lui. Le gamin ouvrit la bouche pour débiter sa litanie, mais Mirza-Ali lui ordonna de se taire. Il saisit son menton et leva son visage sale vers lui. Il voulait vérifier une dernière fois la couleur de ses yeux avant d'agir. Un instant, la même émotion complexe l'envahit. Ses six fils avaient les yeux bleus, mais bleus comme ceux de Nour. Aucun n'avait hérité de cette nuance, aucun. Et il fallait que ça soit ce morveux, ce moins-que-rien ; minuscule comme la fourmi qui se glisse dans la trompe de l'éléphant et le met à genoux… Énervé, il lâcha le menton tremblant du gosse comme s'il lui brûlait les doigts. « Je vais marcher devant toi et tu me suis en silence, compris ? » Incrédule, le gamin acquiesça. Mirza-Ali inclina son chapeau pour éviter de croiser les regards éberlués qui ne manqueraient pas de ponctuer sa traversée de la ville jusqu'au bureau du notaire. En poussant la porte, il savait que la moitié de Qazvin serait bientôt collée aux fenêtres (maudits soient ces gens !).

Il reconnut officiellement Abbas – c'est ainsi qu'il dit qu'il s'appelait – et demanda qu'on lui établisse des papiers à son nom. C'est un homme humilié qui signa le registre du notaire, un roi déchu obligé de laver son honneur en public. Il chassa la goutte de sueur qui perlait à son front et prit son chapeau. Dans un sursaut d'orgueil, il pensa qu'il n'en restait pas moins ce que les Britanniques appelaient un *gentleman*. Parfaitement ! Qu'ils traînent son nom dans la boue, le méprisent, l'insultent, mais ils ne pourraient jamais dire qu'il n'avait pas été juste envers celui qui devint, par sa seule décision, son septième fils. Sur le seuil de la porte, Mirza-Ali confia discrètement au notaire une enveloppe pleine de billets pour subvenir aux besoins de l'enfant jusqu'à ses dix-huit ans.

Dans l'après-midi, quand Mirza-Ali rentra chez lui, une autre surprise l'attendait. Son quatrième fils, Darius, débarquant dare-dare de Téhéran, faisait les cent pas dans la cour, un revolver à la main.

Dès l'instant où il avait appris la nouvelle de l'existence de cet enfant, fou de rage, Darius avait subtilisé l'arme de son frère aîné – Oncle Numéro 1, alors sergent dans l'armée de terre – et s'était précipité à Qazvin pour tuer Mirza-Ali.

Darius ne parlait jamais de cet épisode, pas plus qu'il ne parlait de son père. C'est pourquoi ses émotions, alors qu'il guettait dans la cour le bruit des pas de Mirza-Ali, me demeurent aussi inaccessibles que le trait noir qu'il avait tiré sur cette moitié de lui-même. Consciente d'être un tantinet simpliste, je dirais néanmoins que le désir d'éliminer ce père inaccessible et rude était en lui depuis toujours. En bon enfant de la psychanalyse, vous me direz que ce que je résume là n'est rien d'autre qu'un complexe d'Œdipe mal négocié. Bien que les théories freudiennes n'aient jamais traversé le détroit du Bosphore pour atteindre l'Orient, j'admets que cette lecture est tout à fait plausible dans le cas de Saddeq, arrivé la veille pour consoler Mère. Mais pas pour Darius.

Darius, je pense, détestait son père pour lui-même. Parce qu'il incarnait l'aveuglement et la crainte, la ruine de ce bien précieux qu'est la pensée. Il le haïssait tout autant qu'il haïssait la religion dont Mirza-Ali était le premier des représentants. Toute sa vie, d'abord par ses lectures, puis par son engagement politique et son réveil révolutionnaire, il combattit des êtres comme lui, des figures autoritaires/conservatrices dont l'action principale consistait à protéger leur pouvoir en maintenant les peuples dans une hiérarchie sociale sclérosée et l'ignorance absolue d'un autre monde possible. À plusieurs reprises, je l'ai entendu dire que la religion, comme la tyrannie, asséchait la capacité d'analyse dans le but d'imposer un unique sentiment : la peur. « La peur est leur seule arme et la révolution consiste à la retourner contre eux », insistait-il avec conviction.

La révélation de la trahison de Mirza-Ali envers Nour, considérée par ses fils comme une femme muselée, sacrifiée, donnée en pâture à une famille de demeurés mystiques, n'était sans doute que l'occasion attendue par Darius pour mettre à exécution son fantasme morbide : les débarrasser enfin de ce menteur, ce faux sage, ce charlatan, aussi fourbe et hypocrite qu'un mollah.

Ce jour-là donc, Mirza-Ali entra dans la cour et Darius pointa son arme vers lui.

Ne pouvant pas vous décrire les sentiments de Darius, je vais vous parler de Mère.

Entrons dans la pièce qui lui servait à la fois de salon et de chambre. Une pièce aux multiples fenêtres dont l'une donnait sur la cour. Enfermée entre ces quatre murs, à pleurer dans les bras de Saddeq, Nour entendit des éclats de voix et aussitôt tendit l'oreille. Elle reconnut la voix rauque et sèche de son mari, mais elle mit quelques secondes à reconnaître celle de son Darius, tant elle n'était pas habituée à ce que l'un de ses fils élève la voix à la même hauteur que celle de leur père. Elle se tourna vers Saddeq.

« On dirait que… ?

– Oui, dit-il désarçonné, c'est bien lui. Dieu seul sait ce qu'il est capable de faire… »

Mère se leva d'un bond et sécha ses larmes. Elle savait mieux que personne ce que ce fils insoumis ressentait. C'était son visage qu'elle guettait chaque fois que l'envie prenait à Mirza-Ali de convoquer les six garçons dans la cour, tel un colonel en inspection. Alors que ses frères se soumettaient à l'exercice sans rechigner, Darius prenait place entre eux comme une bête qu'on emmène à l'abattoir. Il gardait la tête baissée jusqu'à ce que le bout de la chaussure paternelle écrase ses orteils et l'oblige à la relever. La douleur tremblait dans son regard, mais son visage restait étrangement impassible. Furieux, Mirza-Ali continuait à appuyer – et plus il appuyait, plus la colère gonflait dans la poitrine de Mère – jusqu'à ce que la douleur cède et que les larmes coulent sur les joues du petit insolent. Outre la colère, une sorte de panique s'emparait de Mère. Si ce garçon arrivait à supporter à ce point la souffrance, s'il était capable de faire face sans flancher, qui sait ce qu'il pourrait faire une fois adulte. Des années plus tard, debout derrière la fenêtre de la cuisine, Sara éprouverait ce même sentiment en suivant des yeux

Darius, une enveloppe contenant sa première lettre ouverte au Shah sous le bras...

Mère débula dans la cour et s'interposa entre l'arme et Mirza-Ali. Elle aurait voulu ne pas pleurer, mais la seule vue de Darius eut raison de sa volonté.

«Ne fais pas ça! implora-t-elle. Je t'en prie mon garçon... Ne fais pas ça. Si tu appuies sur cette gâchette, tu deviendras un criminel... Tu finiras en prison et...»

Tandis que les mots se bousculaient dans la tête de ma grand-mère, sans véritable effet sur son fils, un télescopage inattendu s'opéra à l'arrière de son cerveau. Elle localisa d'un coup l'origine de l'angoisse qui lui tordait les tripes. Elle avait ressenti la même en lisant ce livre aux pages abîmées remplies d'annotations trouvé dans les affaires de Darius. C'était Darius qu'elle avait vu dans ce personnage torturé. Darius qui était... Qui pouvait devenir...

«Tu veux quoi? Finir comme Raskolnikov?» hurla-t-elle.

La surprise d'entendre sa mère prononcer ce nom fut telle que le bras de Darius s'affaissa. Soudain, la réalité prit une nouvelle dimension. Maintenant, il la fixait. Non plus la mère impuissante et docile, mais la femme qui avait lu Dostoïevski, en avait déchiffré patiemment chaque phrase, s'était cultivée en silence. Cette femme-là avait, à n'en pas douter, assez de ressource pour se dresser seule devant son mari. Elle n'avait plus besoin de son fils pour la défendre. Dans leur regard collé l'un à l'autre, long de plusieurs minutes, circula une variation surprenante de discours et de révélations, de fierté et d'encouragement, tout ce que cette femme et ce jeune homme, cette mère et ce fils, ne s'étaient jamais dit et ne se diraient jamais.

Le bruit des pas de Mirza-Ali, que tout le monde avait oublié, interrompit la scène.

«Où allez-vous? demanda Nour d'une voix sèche.

– Je rentre!» répondit Mirza-Ali, haussant ses sourcils broussailleux comme pour marquer la vacuité d'une telle question.

«Très bien. Moi, je pars m'installer à Téhéran avec les enfants. Bibi viendra avec moi.»

Voilà, c'était dit.

Maintes et maintes fois en imaginant cette situation, Nour avait vu le ciel s'assombrir et tourner à l'orage, les arbres s'arracher du sol, la terre se fissurer de toutes parts. Elle avait vu la maison trembler et tomber en ruine comme un jouet, entendu des hurlements se propager sur des kilomètres. Mais là, rien ne se passa. Le monde était paisible, ancré dans son équilibre millénaire. La lumière dense de l'été éclairait chaque chose avec la même générosité que la minute précédente. La brise faisait murmurer les feuilles du pommier. Mère sentit comme une bouffée glacée d'oxygène lui monter à la tête et la lui faire tourner. Elle se sentait incroyablement vivante, avec l'impression étrange d'être nue. Elle ne fit pas attention aux trois paires d'yeux qui la fixaient. Lentement, elle traversa le jardin, entra dans sa chambre et disparut. Mirza-Ali était toujours dans la cour, pétrifié, fixant la silhouette de Nour absorbée par les ténèbres de cette maison de malheur.

Après une année de silence, Mirza-Ali convoqua Darius à Qazvin. Installée dans une maison à Téhéran, à quelques rues de celle que partageaient ses fils, Mère insista pour qu'il aille le voir. Le temps de la réconciliation était venu et Darius devait faire un pas vers son père. Elle demanda à Oncle Numéro 1 d'intervenir, de convaincre son frère. Finalement, après une série de discussions, de supplications et de réunions, Darius céda.

Bien sûr, personne n'a jamais su ce qui s'était passé lors de cette rencontre qui ne dura pas plus d'une demi-heure. La seule phrase que Darius daigna prononcer à son retour fut: «Je pars faire des études de droit en Égypte.

– Mais tu fais déjà des études ici! lança Mère pour qui l'Égypte était aussi loin que la lune.

– C'est vrai, mais je pars. Je quitte ce pays.»

Et nous voici de retour en Égypte, spectateurs d'un Darius qui regrettait amèrement sa décision. Il haïssait son père, oui il le haïssait, et n'avait aucune raison de rester dans ce pays.

Une nuit, alors que l'avocat iranien chez qui Mirza-Ali avait envoyé son fils et sa famille dormaient à poings fermés, Darius ramassa ses affaires, ouvrit doucement la fenêtre de sa chambre, lança son sac dans le parterre d'azalées et sauta. Dans un cabaret du centre-ville, il trouva un chauffeur de taxi assez ivre pour accepter de le conduire sur-le-champ à Alexandrie où il prit le premier bateau en partance pour l'Italie. Darius resta dans cette Europe ruinée par la guerre où tout était à reconstruire. Il voyagea de pays en pays, travailla comme ouvrier dans des ports, des gares, des chantiers, avec le sentiment conquérant de pouvoir enfin mettre ses théories progressistes en pratique.

Chaque jour, il prenait plaisir à voir ses muscles se développer, la peau de ses mains durcir, son regard s'aiguiser. Chaque jour, il se réjouissait de sentir dans sa chair ce que le mot «prolétariat» signifiait, avec la conscience que lui, le fils de bourgeois, avait le loisir de quitter cette misère alors que ses compagnons y laisseraient sans doute leur peau. Pour l'instant, il était avec eux, l'un d'eux. Le soir, à peine son repas terminé, il reposait son corps engourdi par le travail et songeait aux serviteurs de la maison paternelle bien plus qu'à ses frères. Hosseini Tête-de-Mule, le Petit Ibrahim, Djavad-Ali le Turc… Il avait passé sa vie entière à leurs côtés sans les connaître. Sans savoir combien ils étaient payés, si même ils l'étaient. Sans se demander où ils reposaient leur tête. Cette injustice-là, perpétuée de génération en génération. Cette folie de se croire supérieur. Lentement s'immisçait en lui le sentiment qu'il avait une dette envers eux, un devoir à accomplir.

4

Les multiples fuites de Darius Sadr (épisode 2)

Le grincement d'une chaise me fait ouvrir les yeux. J'ai dû m'assoupir pour avoir l'impression désagréable d'être d'un coup tirée à la surface. Je change de position sur mon siège, prenant soin de ne pas faire tomber le tube. Je me redresse, rassemble en moi toute la vigilance disloquée dans ces minutes passées à sombrer. Quelle heure est-il ? Je n'ai pas le courage de sortir mon téléphone portable pour regarder l'heure. Souvent la nuit, quand je sens que le sommeil m'enveloppe enfin (vers quatre heures quarante-cinq en général), il me reste encore la certitude agaçante que n'importe quel bruit m'empêchera de dormir. Ce bruit, aussi lointain et faible soit-il, aura, je le sais, la même intensité qu'un concert de Metallica. Alors, craignant de sursauter à peine endormie, je garde les yeux ouverts jusqu'à l'aube. Je vous entends d'ici : essaie les boules Quies, idiote ! Mais vous croyez quoi ? Les boules Quies génèrent d'autres problèmes, à commencer par la sensation paniquante d'être coupée du monde. Et s'il arrivait quelque chose ? Et si la vie s'arrêtait quelque part ? Pour dormir, il faut non pas se reposer, mais se déposer, comme la lie au fond d'une cuve de vin. Autant dire que je suis loin d'une telle confiance en ce monde.

Je n'ai pas mis longtemps à repérer l'origine du grincement. Le couple assis devant moi depuis des heures est, lui aussi, sur le point de franchir la porte. Leur empressement, la façon agacée dont la femme pousse l'homme pour sortir en premier, sent la nervosité du premier rendez-vous. Maintenant, vous le savez, tous les visages tournés vers eux se détournent d'un mouvement synchrone et se referment, semblables aux maisons d'un lotissement dont soudain les lumières s'éteignent.

Un nouveau couple, plutôt mal agencé, prend aussitôt la place de celui qui vient de sortir. La femme est d'une blondeur alarmante, le visage cramé d'UV, les lèvres brillantes. L'homme, peut-être indien, est engoncé dans un costard-cravate sombre comme pour un enterrement. Il jette un coup d'œil mal à l'aise autour de lui, s'assoit sur le bord de la chaise prêt à s'enfuir. Pragmatique, sa femme sort une petite bouteille d'eau de son sac, puis un sandwich enveloppé dans un film transparent et les lui tend. Je me dis aussitôt que si elle a pris soin de lui faire un sandwich avant de venir, c'est que c'est lui qui est stérile. À peine cette déduction a-t-elle traversé mon esprit que je songe à une réflexion de Sara au sujet d'un couple de voisins, les Hayavi, mariés de longue date, mais sans enfant. «Bien sûr que c'est lui qui est stérile. Si c'était elle, il aurait divorcé depuis longtemps!» Voilà toute la condition de la femme iranienne esquissée en deux phrases.

Je me souviens, quand j'ai eu les oreillons, j'ai gardé scrupuleusement le lit comme le médecin de quartier appelé en urgence me l'avait ordonné.

«Tu dois rester au lit pour pouvoir donner de beaux enfants à ton mari, tu comprends? Si tu bouges, tu peux devenir stérile.

– Ça veut dire que je ne pourrai plus avoir d'enfant ?

– Oh oui ! Et je ne le souhaite à aucune femme, tu sais. » Terrifiée par cette mise en garde qui faisait directement écho aux propos de Sara concernant les Hayavi, je refusai même de me lever pour aller me brosser les dents. Plus tard, j'appris que la stérilité ne survient que chez l'homme qui contracte les oreillons à l'âge adulte à cause d'une inflammation des testicules.

J'observe un temps le nouveau couple, jusqu'à ce que la femme lève les yeux sur moi. Gênée, je détourne rapidement le regard vers la vitre, comme si la vitesse du mouvement pouvait effacer les minutes passées à les détailler sans raison.

Dehors, le monde continue sa course folle. Des cigarettes s'écrasent sur les trottoirs humides, des vitres se tapissent de buée, des corbeilles de pain atterrissent sur des tables. Trois stations de métro plus au sud, ma mère dort devant le journal télévisé, sans doute assommée par les sédatifs. À l'autre bout de la ville, Leïli, terriblement en retard sur son emploi du temps, est avec un patient qui a accepté de sauter l'heure du déjeuner pour enfin consulter. Dans une petite maison de la banlieue ouest, Mina, assise à son bureau, son thé vert à droite et ses cigarettes à gauche, prépare ses cours au département histoire de la Sorbonne ou fait des recherches pour un essai sur Louis Massignon. Aucune d'elles ne sait que je suis assise là, à attendre…

J'imaginais que cette étape, contrairement aux autres – consultations, examens, analyses, résultats –, serait rapide. Comme si, arrivée à ce moment crucial de l'aventure, on devait être récompensée. Bravo d'avoir été consciencieuse, disciplinée, docile. Bravo d'avoir tenu bon. Vous avez gagné le droit de ne plus vous asseoir dans la salle d'attente avec ceux qui sont à des stades antérieurs du processus. Maintenant vous pouvez frapper à la porte, entrer, ouvrir les jambes et recevoir les milliers de spermatozoïdes sortis de l'hibernation et prêts à remonter des courants obscurs pour se lancer dans la bataille.

Nos sociétés organisent habilement l'attente. Des gens font la queue des nuits entières pour le dernier modèle d'un ordinateur, des tickets de concert, des jeux vidéo, des articles soldés. Nous attendons le premier du mois devant les guichets de la RATP. Nous attendons devant les universités, à la caisse du supermarché, au téléphone, dans n'importe quelle administration. Au sud de la Méditerranée, devant les ambassades occidentales, les queues s'allongent dès l'aube pour un visa. Ailleurs, c'est la pénurie ou la guerre qui fait son travail. L'attente est un phénomène progressif et sournois, une activité en soi. Et pendant que nous attendons, par nécessité, besoin, désir ou mimétisme, nous ne nous révoltons pas. La ruse consiste à détruire chez les individus leur énergie, leur capacité à réfléchir, à s'opposer. Les réduire à des objectifs instantanés, aussi fugaces qu'une jouissance. Quand je dis ce genre de choses, mes sœurs poussent un soupir agacé. «Tu exagères!» Elles appuient sur le «x» comme sur une pédale de frein censée couper court à mon délire. Elles préfèrent que nous parlions le moins possible de société et de politique, que nous nous en tenions aux histoires de famille, aux études et activités culturelles des enfants. Mes parents ont épuisé leurs quotas de tolérance quant à ces sujets.

Octobre 1948. Darius a vingt-trois ans. Les épaules carrées et les mains calleuses, une petite valise achetée à Hambourg à la main et un paquet de Lucky Strike sans filtre dans la poche, le voilà de retour sans prévenir. Un taxi le dépose devant la maison d'Oncle Numéro 2. Il sonne. Bibi ouvre la porte et lui apprend sans préambule la mort de son père.

« Une crise dans le cœur à ce qu'on dit… C'est malheureux, mais enfin ce n'est pas comme si Monsieur n'avait pas bien vécu ! »

Darius tombait en pleine cérémonie du quarantième jour, la fin officielle du deuil, une période où toute la famille se réunit une dernière fois avant de laisser l'âme du défunt rejoindre le lieu décidé par le Tout-Puissant. Il affronta d'un coup toute la tribu, occupée à grignoter des sucreries et à boire du thé amer en attendant le festin du soir. Côté maternel, on se le passa comme un ballon, on le serra fort et on lui colla des baisers sonores sur les joues. Côté paternel, les tantes au teint livide et aux yeux aussi sombres que des graines de pastèque l'ignorèrent. Elles avaient décidé qu'il était la cause principale numéro deux de la mort de leur frère. La numéro un étant bien entendu Nour, cette garce qui maintenant présidait la cérémonie en veuve silencieuse et s'était coupé les cheveux aussi court qu'un garçon.

Quelque temps après son mariage, encouragée par de nouvelles connaissances parmi les femmes les plus en vue de Qazvin, Nour avait laissé Mona la Coiffeuse lui couper sa longue chevelure d'adolescente. N'appréciant pas du tout que sa jeune épouse prenne une telle liberté, Mirza-Ali lui avait interdit de recommencer. Elle n'avait plus jamais coupé ses cheveux. Quand le téléphone sonna et qu'on lui apprit la mort de son mari, elle envoya aussitôt Bibi chercher une paire de ciseaux. Celle-ci protesta.

« J'ai déplumé des milliards de poulets, Madame *Djan*, mais des cheveux…

– On s'en fiche ! Coupe ! »

Bibi coupa. À droite, à gauche. À gauche, à droite. Sous ses mains tremblantes, la géographie vallonnée et escarpée de sa Mazandaran natale apparut sur la tête de Mère. Face au désastre, elle fut obligée d'appeler Sanam la Coiffeuse qui n'eut d'autre choix que de dégainer la tondeuse. À présent, Nour exhibait sans réticence ses cheveux courts.

Le soir même, en présence des autres frères, Oncle Numéro 1 présenta son héritage à Darius sous la forme d'un chèque au montant exorbitant, qu'il refusa.

« Mais qu'est-ce que tu veux que nous fassions de cet argent, Darius ? » demanda Oncle Numéro 1, agacé par ce frère qui à force d'orgueil affichait une insupportable ingratitude.

Resté proche de son père par affection, mais aussi à cause d'un sens exacerbé du devoir, Oncle Numéro 1 estimait qu'il avait mérité plus que lui de finir ses études à l'étranger. D'autant qu'il avait fait du droit avec l'ambition de devenir juge. Mais leur père ne l'avait pas choisi et voilà ce qu'il récoltait.

« Faites-en ce que vous voulez. Donnez-le à Bibi, elle saura très bien quoi en faire, répondit Darius allumant une Lucky Strike. Tiens, d'ailleurs je vais le lui donner moi-même.

– Tu divagues, mon frère ! s'exclama Oncle Numéro 2 qui arracha le chèque des mains d'Oncle Numéro 1. C'est bon, on ne parle plus de cet argent, je m'en charge. »

C'est ainsi qu'Oncle Numéro 2 ouvrit un compte où il déposa le chèque. Vingt-six ans plus tard, la veille de notre départ d'Iran, il retira l'argent, en donna une partie à Sara et nous envoya le reste en France par petits bouts.

Si vous vous demandez si Abbas Sadr a eu lui aussi droit à son héritage, je vous répondrai à travers Bibi.

« Bibi ? »

Assise sur son petit tabouret, un plateau en cuivre blanc sur les genoux, Bibi fait le tri des grains de riz : « Hum…

– Il est devenu quoi, Abbas ?

– Abbas ? Quel Abbas ?

– Ben Abbas… Notre (longue hésitation) oncle…

– Ne prononce jamais ce nom dans cette maison, gamine ! Si ton oncle t'entendait, il te laverait la bouche avec du vinaigre, puis une de ses migraines le clouerait au lit pendant des semaines avant qu'il meure de chagrin !

– Je sais… Mais il n'est pas là.

– Où il est encore passé ?

– Je ne sais pas… Sur la tombe de Mère ?

– On n'est pas vendredi…

– Si, on est vendredi.

– Je ne me souviens même plus quel jour on est, comment veux-tu que je me souvienne de ce qui est arrivé à ce… (Raclement de gorge.) Que Dieu me préserve de prononcer son nom !

– Tu ne te souviens vraiment plus ?

– Sûr que je me souviens !

– Alors dis-le-moi. »

Bibi me fixe comme pour voir si mon âme est suffisamment pure pour supporter des confidences aussi dangereuses. Sa bouche mastique la salive emmagasinée à l'intérieur. Elle pose difficilement le plateau sur le sol, étend sa jambe qui fait un bruit de tirelire qu'on secoue.

« Si tu répètes un mot de ce que je vais te dire, UN SEUL, je te mets du poivre sur la langue et je te la coupe.

– Je ne dirai rien. Je te jure, je te jure… Pas un mot. »

(Longue hésitation durant laquelle Bibi gobe bruyamment sa salive.)

« *Ey baba !* Qu'est-ce que tu me fais faire ! Allez, ferme la porte, gamine. »

J'obéis. Bibi me fait signe de m'asseoir près d'elle. Elle approche son visage du mien avec sérieux, comme si elle s'apprêtait à me révéler le code secret de la bombe atomique. Quand elle parle, je sens les longs poils de son menton qui me frôlent la joue.

« Quand ton grand-père – que le Tout-Puissant fasse de son âme ce qu'elle mérite – est mort, ton oncle, le Numéro 1, est parti à Qazvin retrouver ce... (Raclement de gorge pour éviter de prononcer le prénom interdit.) Il était devenu un gaillard et vivait seul depuis la mort de sa pauvre mère... Ton oncle Numéro 1 lui a donné sa part d'héritage et lui a dit, tu sais comment il est, aussi franc que les couilles d'un chien entre ses pattes (elle imite l'intonation ampoulée d'Oncle Numéro 1) : "Certains de mes frères – il pensait à tes Oncles Numéro 2 et Numéro 6 – ne t'accepteront jamais, alors le mieux, vois-tu, c'est que tu t'en ailles."

– C'est vraiment ce qu'il lui a dit ?!

– Qu'est-ce que j'en sais, tu crois que j'étais là ?

– Et après ?

– Ton oncle lui a acheté un billet d'avion et oust, parti à l'autre bout du monde...

– Quel bout du monde ?

– Celui qu'on dit qui s'appelle *Amirika* !

– Il est parti en Amérique ?!

– C'est ce que je viens de dire.

– Et il fait quoi là-bas ?

– Qu'est-ce que tu veux qu'il fasse, c'est un Sadr... Il secoue son petit tuyau et fabrique des enfants. »

Maintenant que tous ses frères étaient mariés et pères de famille, Darius s'installa chez Mère à Téhéran et les saisons passèrent. Il devint membre du parti Toudeh, le parti communiste iranien, se rendit assidûment aux réunions, organisa des débats, puis claqua la porte quand il comprit à quel point les dirigeants du Toudeh étaient inféodés à l'URSS. Il rassembla quelques amis autour de lui et jeta les bases d'un nouveau parti, proche de Mohammad Mossadegh. Il lança un mensuel culturel et entama l'écriture d'un roman-fleuve dans la veine de *Moisson rouge* de Dashiell Hammett découvert en Europe.

Les neurones en effervescence, impatient de changer le monde et désirant plus que tout qu'on lui fiche la paix, Darius disait oui à tout ce que Mère voulait. C'est ainsi qu'elle lui soutira son consentement au mariage sans qu'il s'en aperçoive. Puis elle se rendit chez un de ses frères à Mazandaran et lui demanda la main de sa fille cadette, Guila, pas franchement une beauté, mais suffisamment docile pour faire l'affaire. De toute façon, Nour n'avait pas le temps de chercher hors du cercle familial la perle dont rêve toute mère pour son fils. Elle voulait caser Darius au plus vite avant qu'il ne se perde dans ce bourbier qu'il appelait *politique*. Elle avait peur qu'il devienne un de ces subversifs chevelus qui se cachent dans les forêts et fomentent insurrections et attentats; qu'il soit le prochain à se porter volontaire pour tuer le Shah[*].

Pour ne pas l'effaroucher, Mère tint Darius loin des préparatifs du mariage et ne le prévint de la date qu'une semaine avant la cérémonie, un matin au petit déjeuner. Darius hocha la tête, alluma une cigarette et retourna à son écriture. Perplexe, Nour le regarda s'éloigner et se tourna vers Bibi.

« Tu crois qu'il a compris ? »

Bibi fit une moue des plus sceptiques et haussa les épaules.

« Qui sait ? Il est aussi fermé que la chatte d'une vierge !

– Ah, les Sadr… » lâcha Mère dans un long soupir.

---

[*] Je vous rappelle qu'une tentative d'assassinat de Mohammad Reza Pahlavi avait eu lieu le 4 février 1949 à son arrivée à l'université de Téhéran dont on célébrait le dixième anniversaire. Le Shah reçut deux balles, une dans la joue et l'autre dans le dos, mais aucun organe vital ne fut touché. En revanche, son assassin, Nasser Fakhr-Araï, qu'on disait aussi bien du Toudeh que proche du clergé, fut tué sur-le-champ. Suite à cet épisode, le parti Toudeh fut interdit jusqu'en 1950 et le Shah changea la Constitution pour se donner plus de pouvoir au détriment du Parlement.

Selon Oncle Numéro 2, le jour du mariage, Darius resta calme jusqu'à midi. Son silence coutumier n'inquiétait personne. Après le déjeuner, occupée à l'organisation de la soirée, la famille s'était dispersée, le laissant seul. À seize heures quinze tapantes, quand Oncle Numéro 1, Oncle Numéro 3 et Oncle Numéro 6 vinrent le chercher pour l'accompagner à la salle où devait avoir lieu la cérémonie des vœux, Darius n'était plus là. Son armoire était vide. Une lettre était posée en évidence contre *Les Frères Karamazov*. Oncle Numéro 1 l'ouvrit et la lut à voix haute. Toute une feuille pour trois malheureuses phrases : *Dites à Mère que je ne peux pas. Je pars. Je vous ferai signe.* Ni excuse ni regret.

Darius s'était à nouveau volatilisé.

Quelques mois plus tard, le 16 août 1953, une autre fuite ébranla le pays. Le Shah partit vaillamment quelques jours à Rome, laissant la CIA, conjointement avec le MI6 britannique, exécuter l'opération Ajax et renverser le gouvernement nationaliste et populaire de Mossadegh. Avec nos yeux d'aujourd'hui, un tel événement n'a sans doute rien d'insolite. Mais en ce début des années 50, ce coup d'État fomenté par une Amérique au sommet de sa paranoïa antisoviétique et désireuse d'asseoir sa position stratégique dans la région semblait presque invraisemblable. En quelques jours, des casseurs déguisés en militants communistes plongèrent Téhéran dans un effroyable chaos. Des attentats ciblés, des affrontements meurtriers, des manifestations violentes. Les rues furent mises à feu et à sang et le 19 août, une unité militaire entra dans la ville et en prit le contrôle. Mossadegh fut arrêté et sa maison pillée. Dans la foulée de leur victoire, les Américains mirent la main sur le pétrole iranien et Nelson Rockefeller affirma à Eisenhower : « Nous avons le contrôle total du pétrole iranien. Désormais, le Shah ne peut prendre

aucune décision sans consulter notre ambassadeur. » Haha!
Qui tient le pétrole tient le monde n'est-ce pas? *It's not perso-nal ok, it's just business!*

Bouleversé par ce scénario de film de gangsters tourné grandeur nature dans son pays, Darius, qui se trouvait maintenant à Paris, hésita à rentrer. S'il rentrait, tôt ou tard il se retrouverait dans les griffes de Mère. Il envoya des télégrammes, demanda des nouvelles, mais repoussa son retour.

Finalement, il resta onze ans à Paris et obtint un doctorat de philosophie à la Sorbonne. Il publia un hebdomadaire de six feuillets en persan et passa un accord avec le kiosquier de l'avenue des Champs-Elysées qui le vendait aux étudiants iraniens en échange d'un pourcentage. Il vécut au numéro 4 de la rue Huyghens à Montparnasse, fit du café Le Gymnase à l'angle du boulevard Raspail son bureau, rencontra Sartre, Ionesco, Mauriac, Beckett, assista à la représentation du *Sacre du printemps* chorégraphié par Béjart, vit des quantités de films américains, suivit Maria Casares dans la rue, joua aux échecs les dimanches après-midi au jardin du Luxembourg, écrivit un essai de plus de huit cents pages sur la dictature communiste, attrapa des poux, perdit des cheveux, et sans doute tomba amoureux.

C'est une photo qui le fit revenir à Téhéran. Un portrait d'elle que Mère lui envoya et que Leïli possède toujours, en noir et blanc, rectangulaire, au contour dentelé. Les cheveux attachés, deux traits profonds qui partent de chaque côté des ailes du nez et rejoignent les coins de sa bouche, Nour a la tête légèrement penchée à gauche et regarde l'objectif. Ses yeux, aux paupières tombantes, sont clairs et sincèrement mélancoliques, comme la flamme d'une bougie qui en rétrécissant prévient qu'elle va bientôt s'éteindre. Le revers de la photo est noirci par une écriture serrée. Avec le temps, l'encre noire a viré au bleu foncé et les lettres se sont épaissies, formant des petites taches. Seuls quelques mots restent lisibles, les fragments d'un amour qui tente d'attendrir l'objet aimé : ... *que tu me regardes... les jours... Sans le vouloir... vieillis en ton absence.* Ce retour marqua la fin des longues disparitions de Darius par-delà les frontières ; pour autant, il garda toute sa vie l'habitude de fuir. Il s'éclipsait des dîners, laissant Sara se débrouiller avec les hôtes. Il s'échappait des réunions politiques et soudain le téléphone sonnait au milieu de la nuit pour prévenir qu'il n'était plus là. Il sortait acheter un paquet de cigarettes et revenait des heures plus tard. Une part de lui a toujours été un exilé. Un solitaire au sein de la foule. Rassembleur, mais s'excluant lui-même du rassemblement. Réfléchi, mais se lançant dans les épreuves quand d'autres choisissent de traverser leur vie avec prudence. En guerre contre la routine, Darius était taillé pour le corps à corps des combats que personne ne voulait mener. Le mariage n'en faisait pas partie, et pourtant...

Ils furent présentés l'un à l'autre en 1963, par Seroge Artavezian, un Arménien de Qazvin, ami de longue date de Darius et professeur de mathématiques au lycée où Sara Tadjamol enseignait l'histoire et la géographie.

Seroge avait repéré cette fille dont la mère était arménienne et dont le corps, élancé et mince, était en contradiction avec son visage, aussi oriental qu'une miniature de l'époque safavide. Sara Tadjamol était enthousiaste et enjouée, riant de bon cœur dans la salle des profs, sympathisant avec tout le personnel du lycée. Taillé comme un haltérophile, la moustache jaunie par la nicotine, divorcé, Seroge n'osait même pas imaginer qu'une fille comme Sara puisse passer une heure en tête à tête avec lui. En revanche, elle pourrait apprécier l'élégance de son ami Darius, journaliste au quotidien *Keyhan*, si indécrottablement célibataire que ses amis avaient parié plusieurs centaines de tomans sur qui lui présenterait la fille qui aurait raison de sa vie dissolue.

Seroge organisa un dîner avec deux autres couples chez Souren, un restaurant situé dans une maison de maître fréquenté quotidiennement par Darius. Bâti par un prince Qadjar parti en exil après l'accession au pouvoir de Reza Shah, le lieu avait été racheté par deux frères arméniens d'Isfahan qui en avaient fait un club au style anglais, avec un restaurant au rez-de-chaussée, un vaste fumoir et une salle de jeu à l'étage. Tous étaient au courant des intentions de Seroge, sauf Darius.

«Darius *Djan* (trente-huit ans, complet bleu marine, chemise blanche et cravate mauve, cheveux gominés, une tache d'encre sur le majeur de la main droite), je te présente Sara Tadjamol, dit Seroge avec enthousiasme. Sara *Djan* (vingt-cinq ans, jupe pied-de-poule au-dessus du genou, col roulé noir en coton aux manches courtes, cheveux coupés à la mode *NathalieWoodi*), je te présente Darius Sadr.»

Ils se serrèrent la main, en se regardant droit dans les yeux puisqu'ils faisaient exactement la même taille (1m72).

Des années plus tard, quand leurs enfants, fascinés comme tout enfant par ce moment incroyable/insaisissable que constitue la rencontre de leurs parents, les interrogeront, Darius dira qu'il avait beaucoup aimé ses jambes – membres auxquels il fut sensible chez toutes les femmes – et la simplicité avec laquelle elle avait commandé de la salade avec son plat. Sara dira qu'elle avait toujours voulu épouser un chauve aux yeux bleus. Darius n'était pas encore chauve, mais le haut de son front dégarni laissait supposer l'imminence de la calvitie.

Bien sûr, ces brèves explications, enveloppées dans la pudeur d'une génération de Persans à mille lieues de la révolution sexuelle, ne permettaient pas de comprendre comment soudain ils en étaient arrivés à se fréquenter ; lui, le célibataire endurci, elle, la jeune femme qui refusait tous les prétendants envoyés par les marieuses les plus expérimentées de sa famille. Pourquoi avait-il accepté de la revoir ? Comment l'avait-elle joint après cette soirée ? Qu'est-ce qu'ils s'étaient dit ? Toujours est-il que visiblement ils s'étaient plu, là, assis l'un en face de l'autre, enveloppés par l'odeur des *pakievski* de poulet, la spécialité de Souren.

Grâce aux progrès de la science, nous savons désormais que l'attirance entre les êtres est en partie due à une machine hormonale déclenchée au moment de la rencontre. Un processus complexe qui tient autant à la chimie moléculaire qu'à des dizaines d'autres manifestations et projections aussi inconscientes que réelles. Mais nous savons sans savoir. Une part du mystère demeure, sur laquelle nous pouvons spéculer sans fin. Est-ce que l'esprit de Darius a vu en cette jeune femme aux yeux aussi noirs que les siens étaient bleus celle qui l'aiderait enfin à se débarrasser de ses habits de bourgeois intellectuel pour devenir un révolutionnaire ? Une femme qui resterait toujours à ses côtés et traverserait des frontières pour lui... Est-ce que l'esprit de Sara avait senti que cet homme ferait de son existence une vie singulière à raconter dans un livre, un livre qui deviendrait un best-seller à Téhéran tandis qu'elle-même se consumerait en exil ? Peut-être...

Plus tard, quand Sara proposa à Darius de rencontrer sa mère et ses frères (elle avait perdu son père à l'adolescence), Darius entendit à nouveau le bruit des menottes que l'on vous accroche aux poignets, les mains dans le dos.

« Je pense qu'il n'y a pas d'urgence... Je peux tout aussi bien les rencontrer au mariage. »

Voilà comment, pour échapper à l'horreur d'une présentation officielle à la famille, Darius Sadr tomba de Charybde en Scylla et prononça le mot fatidique ! Heureusement, Sara n'avait jamais été le genre de fille à rêver d'une demande en mariage spectaculaire, genou au sol et main sur le cœur. Au contraire. Que l'un des événements les plus importants de sa vie, celui auquel on l'avait préparée depuis l'enfance, autour duquel on avait brodé tant d'histoires, ait lieu dans une voiture, avenue Roosevelt, devant la porte de la maison de Seroge Artavezian qu'ils attendaient pour aller dîner, était en parfait accord avec ce qu'elle espérait de l'existence. Derrière l'effet de surprise se propagea en elle l'impression grisante de se trouver soudain sur la crête de la modernité. D'être existentialiste. *SimonedeBeauvoirienne.* Non, elle n'était pas le genre de fille à rêver d'une demande en mariage romantique, néanmoins elle n'allait pas non plus faire semblant de n'avoir rien entendu.

« D'accord, alors envoie s'il te plaît tes frères voir ma famille (sous-entendu : envoie tes frères, que je ne connais toujours pas, demander ma main à ma mère).

– Cela me semble une bonne idée », conclut Darius.

Un mois et demi plus tard, ils se marièrent. La veille, Seroge Artavezian, à deux doigts de gagner le pari de l'année, passa la nuit chez Darius. Le lendemain, il ne le quitta pas d'une semelle et l'accompagna en fin d'après-midi chez Oncle Numéro 2 où avait lieu la cérémonie des vœux. Saddeq avait tenu à cette organisation afin de pouvoir sortir Mère par la porte du jardin, et lui éviter une nouvelle humiliation, au cas où Monsieur Le Phénomène (prononcé *Môsio Lô Fénôman*) déciderait une nouvelle fois de disparaître. Après la cérémonie, Darius, qui avait refusé dîner et fête, emmena Sara dîner en tête à tête dans un delicatessen ouvert récemment au centre-ville.

Ainsi naquit le couple le plus moderne de la famille.

D'une ponctualité maladive – manie, pas toujours avantageuse, héritée de Sara –, ce matin, je suis arrivée dans le bureau de la secrétaire à neuf heures vingt-cinq, cinq minutes avant l'heure du rendez-vous. J'ai passé la demi-heure précédente à la cafétéria, située à l'entrée de l'hôpital. J'ai bu un café, épluché le journal acheté au kiosque devant l'arrêt du bus 91. À neuf heures vingt, j'ai abandonné le journal sur le comptoir en formica pour rejoindre, au fond d'une allée remplie de voitures, le bâtiment balafré par les échafaudages. Encore une fois, il n'y avait aucun ouvrier au travail. À ce rythme-là, les travaux risquaient de ne jamais se terminer.

Après avoir mis mon dossier à jour et rempli quelques cases sur l'ordinateur, la secrétaire m'a donné un papier et demandé d'aller au CECOS (Centre d'étude et conservation des œufs et du sperme humain) chercher les paillettes de sperme. À mon air incrédule, elle a deviné que j'ignorais où il se trouvait et me l'a indiqué. Sans doute croyait-elle qu'en toute logique j'avais accompagné Pierre donner son sperme. La pensée qu'à cette époque je ne le connaissais pas encore ne l'avait pas effleurée.

Le CECOS est situé au sous-sol du bâtiment principal de l'hôpital dont l'entrée donne sur le boulevard du Port-Royal. L'endroit est plutôt vaste, éclairé aux néons et meublé comme le hall d'accueil d'une antenne de Pôle emploi. Excepté quelques affiches qui invitent au don des cellules reproductrices, rien ne laisse deviner que derrière ces murs, chaque jour, des spécialistes en blouse blanche recueillent, triturent, conditionnent, réfrigèrent, répertorient, emmagasinent sperme et ovocytes destinés à êtres implantés dans l'antre chaud d'un ventre de femme pour se transformer, dans le meilleur des cas, en vie humaine.

Alors qu'une infirmière vérifiait mon passeport, la carte d'identité de Pierre et la procuration signée de sa main qui me permettrait de récupérer ses paillettes, je regardais les affiches. «Donnez-leur l'espoir de devenir mères – DON D'OVOCYTES», disait l'une d'elles sur fond de portraits de plusieurs femmes de races différentes agencés en mosaïque. Sur une autre, un jeune couple de profil se tenait par la main: «Un bébé serait la plus grande preuve d'amour que Patrick pourrait offrir à Éléonore – DON DE SPERME». Le même couple, cette fois de face: «Vous souhaitez leur faire un don de spermatozoïdes? Rien de plus simple!» À qui s'adressaient ces slogans? J'imagine mal des curieux venir faire un tour au CECOS le soir après le travail ou les samedis après-midi, pour se détendre. Tous ceux que la stérilité ou la maladie conduisaient chaque jour jusque-là auraient peut-être préféré des affiches de cinéma ou des reproductions de tableaux afin d'oublier un peu leurs entrailles.

Je dis *peut-être*, car je n'en sais rien. Je ne suis pas dans leur cas.

Pierre m'a envoyé un texto hier soir pour me dire qu'il ne serait pas là aujourd'hui. Il devait accompagner un collègue sur un chantier difficile en dehors de Paris. *Te laisse procuration et carte d'identité dans ta boîte aux lettres tôt le matin. Si je pouvais me débrouiller autrement crois-moi je le ferais… Courage plein et biz. P*

À vrai dire, j'ai été soulagée, je n'avais aucune envie qu'il vienne. J'ai toujours préféré traverser seule les moments charnières de la vie (le mot «épreuve» me paraît soudain très pompeux, même si c'est sans doute celui qui convient). Sentir de la sollicitude ou de la compassion me gêne au plus haut point. J'ai l'impression, peut-être à tort, d'être obligée de donner le change, ressentir des émotions que je ne ressens pas. C'est une des raisons qui rend le mariage au-dessus de mes forces.

J'ai attendu une quarantaine de minutes avant que la même infirmière m'appelle et me tende un tube semblable à celui qu'utilisent les laboratoires photo pour les grands tirages. Je n'avais pas réfléchi à la façon dont le sperme, lavé et décongelé (je le répète, tant cela me paraît encore incroyable...), allait m'être présenté. Le tube était discret. J'aurais pu me promener des heures avec sans éveiller la curiosité. Ceux d'entre vous qui m'ont croisée ce matin aux alentours de dix heures quarante-cinq, traversant le boulevard du Port-Royal, puis la rue Saint-Jacques, se sont peut-être imaginé que j'étais photographe professionnelle. Des adolescents attirés par la vie palpitante des artistes m'ont peut-être enviée, comme j'avais envié les types en noir debout derrière les tables de mixage des salles de concert que je hantais dans ma jeunesse.

5

Vagin et autres nouveautés

Parfois, au milieu de la foule parisienne, assise dans un café ou sur le strapontin du métro, au cœur d'un siècle guidé par la technologie et les machines, je me surprends à penser que ma grand-mère est née dans un *andarouni* et a été propulsée dans ce monde au-dessus d'une bassine de terre. Je suis la petite-fille d'une femme née au harem. Ma vie a commencé là, au milieu de cette ruche d'épouses prêtes à se massacrer pour être celle qui passerait la nuit avec le Khan. Là, au moment où la Mort et la Vie s'étaient violemment cognées l'une à l'autre, poussées par un vent insensé venu des plaines de Russie, dans les cris et le sang, les entrailles explosées d'une gamine de quinze ans, les corps minuscules des jumelles orphelines de mère, emmaillotés dans un tissu blanc et présentés à Montazemolmolk, tellement habitué à choisir ses femmes qu'il en avait choisi une et détruit d'un coup son enfance. Là, sur la terre prospère de Mazandaran bordée par un lac immense, trait d'union entre deux pays, aujourd'hui en charpie mais autrefois Empires. Un lac issu d'un très ancien océan, l'océan Paratéthys, si grand qu'on l'appelle mer. La Caspienne. Poissonneuse, complexe, dont le bleu s'était glissé dans le regard d'une génération, puis s'était distillé dans la suivante (tiens, un joli prénom pour une fille, Caspienne...).

Avec le temps et la distance, ce n'est plus leur monde qui coule en moi, ni leur langue, leurs traditions, leurs croyances, leurs peurs, mais leurs histoires. Si c'est moi qui ai retenu le mieux les récits d'Oncle Numéro 2 et les conversations avec Bibi, si c'est moi qui les ai emmenés par-delà les frontières comme des trésors cachés, me les récitant la nuit longtemps après avoir quitté l'Iran, allongée sur un matelas au pied du canapé-lit où dormaient Leïli et Mina pour ne pas les oublier, si j'ai essayé de les préserver, et même si j'ai échoué, et même si je les ai laissés couler dans les profondeurs de ma mémoire, si c'est moi qui tente encore de les déterrer, c'est peut-être parce qu'il était écrit quelque part qu'un jour je serais seule dans un hôpital en travaux de *Pârisse*, à quatre mille deux cent cinquante-trois kilomètres de Mazandaran, un tube de sperme sur les genoux.

Après la naissance de Leïli, Darius décida qu'il ne voulait plus d'autre enfant.

Non. Ce n'est pas de cette façon qu'il faut que je commence.

Je devrais plutôt commencer comme ceci: Darius n'a jamais voulu d'enfant. Seulement, quand il réalisa que pour la femme qu'il avait épousée, le mariage n'avait d'autre but que l'enfantement, il consentit à en faire un.

La naissance de Leïli, onze mois après leur mariage, lui fit découvrir qu'il pouvait éprouver de la joie à être père. Comme il n'était pas homme à laisser sa femme tout faire, il changea les langes, se réveilla la nuit et prépara des purées de pomme de terre. Il s'extasia de voir sa fille grandir et marcher, se réjouit d'entendre des mots se former dans sa bouche, des phrases se construire, puis des questions se formuler. Si je devais utiliser une comparaison pour tenter de définir le rapport de Darius avec la paternité, je dirais qu'elle se révéla comme une de ces attractions qui excitent la foule à la Foire du Trône (*Luna Park* pour les Iraniens), mais qui d'emblée ne vous tente pas. Pourtant, on vous y traîne de force et vous cédez. Vous en descendez plutôt enthousiaste, admettant que vous vous étiez trompé, cela valait vraiment le coup, mais de là à y retourner... D'autant que, si vous êtes Darius Sadr, des attractions autrement plus stimulantes vous interpellent de toutes parts. La guerre du Vietnam et l'intensification des bombardements sur le Nord, la réélection de Nasser et la chasse aux Frères musulmans; et en Iran, rien de moins que l'assassinat du premier ministre Hassan Ali Mansour devant le Parlement et l'accession au pouvoir de «l'homme à la pipe», Amir Abbas Hoveyda.

Sara ne céda pas. Leïli venait d'avoir quinze mois et le désir d'un autre enfant tournait à l'obsession. Sa contre-attaque s'intensifia sous forme de monologues quotidiens.

Tous les matins, tandis qu'à peine assis à la table du petit déjeuner le visage de Darius disparaissait derrière le journal, ou *Le Nouvel Observateur* qu'il recevait de Paris, Sara se lançait dans une de ses tirades gonflées d'émotion. Et peu importe que Darius ne lui réponde pas. Qu'au mieux, il lui jette un coup d'œil accompagné d'un demi-sourire moqueur, reléguant son désir d'un second enfant au rang d'un caprice sympathique, un truc fantasque, que certes les femmes ressentent, mais franchement, si elles réfléchissent deux minutes, ne tient pas la route. Peu importe qu'il l'ignore, elle continuait.

Des semaines entières, les arguments de Sara se heurtèrent au silence obtus de Darius... Jusqu'à ce matin du 20 janvier 1966. Regardez bien le portrait en noir et blanc qui fait la une du journal *Keyhan* et se superpose au visage caché de

Darius : celui d'une femme autoritaire, d'une veuve à la peau sombre, au sourire rare et aux cheveux barrés de la mèche blanche la plus célèbre du XXᵉ siècle.

Ce matin-là, loin de Téhéran assoupi sous la neige, Indira Gandhi entamait sa première journée en tant que premier ministre du pays qui avait renvoyé les Anglais chez eux à coups de pied dans le derrière. Une femme premier ministre à la tête d'un pays de près de cinq cents millions d'habitants ! Un événement considérable ! Inouï !

L'Historique et le Domestique se fondirent l'un dans l'autre et Darius baissa d'un coup son journal. Il pointa son regard assombri sur Sara.

« Pourquoi tu veux un autre enfant ? Indira Gandhi est fille unique, tu sais ! »

Chaque fois que ma mère racontait cette anecdote, elle riait à gorge déployée. Les larmes coulaient de ses yeux et les mots, broyés par son rire, sortaient en miettes de sa bouche. Ses amies riaient avec elle, s'arrêtant à la malhonnêteté des hommes qui utilisent n'importe quel expédient pour embrouiller leurs épouses et n'en faire qu'à leur tête. Mais le rire de Sara n'était pas de la même nature. Il était traversé non par la fatalité originelle qui domine les relations homme/femme, mais par une tendresse amusée. Personne à part elle ne comprenait l'adorable subtilité de l'affirmation de Darius. La couche d'espoir, cachée sous la mauvaise foi, qui disait : *Peut-être avons-nous engendré Indira Gandhi ?* Et si Leïli cessait d'être fille unique, son avenir ne serait-il pas gâché et avec lui celui de l'Iran ? Et juste en dessous, une autre couche, teintée d'égoïsme et relevée d'un soupçon d'avertissement : *Je ne suis pas encore Jawaharlal Nehru, l'illustre père d'Indira, mais j'ai besoin de toute mon énergie pour le devenir et certainement pas d'un autre enfant !*

Alors, tandis qu'Indira mettait en place sa Révolution Verte pour libérer son pays du joug des puissances étrangères et lui garantir l'autosuffisance alimentaire, Sara décida qu'elle devait elle aussi œuvrer pour son indépendance.

Puisque comme à tout homme la nature ne lui avait accordé qu'un strapontin au fond du train de la reproduction et que l'affaire lui échappait, Darius se désintéressa de cette deuxième grossesse. Quand le ventre de Sara commença à s'arrondir, il fut nommé éditorialiste du quotidien *Keyhan* et ses journées au bureau se rallongèrent. En plus, il entama l'écriture d'un essai sur la Palestine et Israël («cette enclave occidentale en Orient», disait-il) et rythma sa vie sur la marche du monde.

Parfois, au milieu de la nuit, quand Sara, chaque jour plus ronde et plus cernée que la veille, lui apportait une tasse de café, Darius faisait semblant de ne rien remarquer. Elle s'accrochait au conseil que son beau-frère, Oncle Numéro 1, lui avait glissé en aparté le jour de son mariage. «Darius est un cheval fou. Il faut de l'entêtement et du courage pour l'apprivoiser, mais une fois amadoué, vous verrez j'espère qu'il est d'une fidélité exemplaire.» Sara s'était demandé pourquoi ce «vous verrez j'espère». Qu'est-ce que cela signifiait? Allait-elle rater son mariage et divorcer? Quand elle apprit à mieux connaître Oncle Numéro 1, elle comprit que son souci maladif de sincérité virait constamment à la maladresse. Toujours est-il que ce conseil s'avéra très utile quand il fallut supporter l'indifférence de Darius et son désintérêt pour cet enfant à qui elle parlait souvent de son père pour qu'il sache au moins qu'il en avait un.

Soir après soir, mois après mois, assis à la table du salon, une Camel sans filtre entre les doigts, Darius noircissait des pages et des pages avec le stylo Pentel récemment commercialisé en Iran. Au même moment, dans leur chambre, Sara, nauséeuse et blême, se débattait en silence avec les aléas de sa grossesse. L'année 1967 fut suffisamment riche en événements pour que Darius ne se couche que rarement avant l'aube. Bombardement de Hanoi, guerre des Six Jours, mort de Che Guevara, élection de Nicolae Ceausescu à la présidence du Conseil d'État en Roumanie, guerre du Biafra, révolte kurde en Iran, mort de Mossadegh dans son exil d'Ahmadabad…

Quand elle apprit la nouvelle de la mort de Mossadegh, Sara passa la journée du 5 mars à pleurer, aussi bien sur l'homme que sur le pays qui l'avait perdu. Puis elle se rendit chez sa mère, qui faisait la même taille qu'elle enceinte, pour lui emprunter une robe noire. Le 6 mars 1967, Sara arriva au lycée en deuil. On se précipita vers elle. « Mon Dieu Mon Dieu, qui est mort Sara *Djan* ? – Mossadegh », dit-elle avec évidence. Elle fit son cours sur le Grand Homme ; raconta la nationalisation du pétrole, le coup d'État organisé par Américains et Britanniques, puis le simulacre de procès où Mossadegh, en signe de contestation, arriva en pyjama, et la condamnation à finir ses jours dans sa maison d'Ahmadabad surveillée par la Savak. La journée finie, Sara rentra chez elle. Le soir, alors qu'elle faisait dîner Leïli, le téléphone sonna. Elle décrocha. Une voix d'homme lui dit sans préambule : « Si tu recommences ton cirque demain, on va être obligé de s'occuper de toi. – J'enseigne l'histoire, répondit Sara le cœur battant, toute l'histoire. – Eh bien si tu veux continuer, puis rentrer tranquille chez toi et donner à manger à ta fille, choisis bien ce que tu enseignes ! » Et l'homme raccrocha.

La naissance prématurée de Mina, l'après-midi du 25 octobre 1967, délivra Darius d'un dilemme qui le torturait depuis des semaines : écrire ce qu'il pensait de la cérémonie grotesque et ruineuse du couronnement et se faire virer du journal, ou bien donner sa démission.

Le lendemain, un jeudi, avait lieu le sacre de Mohammad Reza Pahlavi et de sa femme Farah Diba. Un quart de siècle après avoir succédé à son père Reza Shah, le Roi avait estimé qu'il était temps de passer à la vitesse supérieure de la mégalomanie et devenir, le jour même de son anniversaire, *Shahanshah*. Roi des Rois. Et pas seulement *Shahanshah*, mais aussi *Aryamehr*, Soleil des Aryens. *Shahanshahé Aryamehr*.

Depuis un mois, Téhéran, arrosé par le soleil bienveillant de l'automne, se préparait aux festivités. Lavée, pomponnée, débarrassée de ses mendiants aux feux rouges, de ses vendeurs à la sauvette, de ses chiens errants, de ses embouteillages névralgiques, la ville ressemblait à une matrone maquillée comme une pute pour un mariage. Elle divulguait la laideur terrifiante qui d'habitude se fondait parfaitement dans le chaos et la crasse. À chaque coin de rue, veillant virilement sur l'ordre, policiers et militaires faisaient tourner les matraques dans l'air épaissi par la peur. Dans les salles de classe surchargées, l'apprentissage d'un nouveau chant, l'Hymne du Couronnement, précédait les leçons. Tous les matins, alignés dans les cours face au drapeau, le menton haut et les bras raides le long du corps, les petits Persans le récitaient avec passion. *Vive notre Empereur sans qui le pays n'a pas d'avenir. Que Dieu le rende éternel !*

Si vous avez vu sur vos écrans de télévision les images en noir et blanc transmises de ce côté-là du monde, vous n'avez pas pu rater les immenses portraits du Shah, de sa femme et de leur fils aîné, le Prince héritier, entourés de guirlandes de lumière et multipliés à l'infini sur les artères principales de Téhéran. Peut-être vous êtes-vous dit que les sourires étudiés avaient plus à voir avec la terreur qu'avec l'amour. Peut-être n'avez-vous pas ressenti de la grandeur, mais la construction artificielle d'un mythe ; tentative démesurée pour se poser en égal de Cyrus le Grand, fondateur conquérant de l'Empire perse. Peut-être avez-vous ri en vous souvenant des portraits de Staline ou de Mussolini, le même torse bombé, la même surhumanité. Ha ha! Ils en sont encore là ces Iraniens, coincés dans les oripeaux des années 40! Quoi qu'il en soit, vous n'avez pas pu rater la réplique géante de la couronne impériale dressée sur une estrade; les *Téhéranis*, minuscules comme des Playmobil, le nez au ciel, l'air de ne pas comprendre ce qui leur arrivait. Et là, tout en bas de l'écran, là, au milieu des voitures, votre œil a sans doute été surpris par ce taxi furieux qui fonce vers le nord de la ville pour se débarrasser le plus vite possible de son encombrant colis. Affolé et nerveux, le chauffeur a pris soin de fermer toutes les vitres. Mais si la caméra pouvait se glisser à l'intérieur et s'attarder sur Sara Sadr avachie sur la banquette arrière, le souffle court et le ventre haut comme le mont Damavand, vous l'auriez entendue, aussi clairement que ce pauvre chauffeur implorant le Tout-Puissant d'assommer cette folle qui allait lui attirer des ennuis; vous l'auriez entendue lâcher un chapelet d'injures en direction de la couronne grotesque. Le genre d'insultes qui fusent dans les ruelles malfamées des quartiers populaires de Téhéran, grasses comme des mollards, vives et brûlantes comme la lame qui lui lacérait les reins.

Une demi-heure plus tôt, Sara avait perdu les eaux au milieu du salon. Elle entrait alors dans le huitième mois et, malgré sa surprise, elle avait pris son temps, appelé un taxi et confié Leïli à la voisine, refusant, malgré l'insistance de cette dernière, de prévenir Darius.

Pendant ce temps, enfermé dans son bureau devant une page blanche, Darius allumait chaque cigarette avec le mégot de la précédente. Article ou démission? Démission ou article? Il hésitait toujours. Aucun des deux ne lui épargnerait la surveillance permanente de la Savak, et à terme, pour une raison inventée de toutes pièces, l'arrestation, la torture et sans doute la mort. Ce sort, subi par certains de ses amis *mossadeghis*, ne pouvait pas être le sien. Il avait quelque chose de plus important à accomplir avant. Quoi ? Il ne le savait pas encore. Mais ça ressemblait à... à un coup de feu. Un uppercut. Une grenade balancée dans l'air putride de la répression. Il le sentait dans ses muscles, dans ses paupières rendues douloureuses par la réflexion et le manque de sommeil. Si lui, le rejeton de deux familles honteusement riches, élevé dans l'insouciance de l'avenir, gavé de livres, docteur en philosophie de la Sorbonne, ne le faisait pas, si lui n'arrachait pas le rideau rouge et insolent de l'Empire pour dévoiler l'infection nauséabonde, qui le ferait ?

Il ruminait ses pensées, toujours les mêmes depuis quelque temps. Il se rappela que ce matin, son reflet dans le miroir de la salle de bains lui avait paru étrangement mûr. Bien sûr, il avait vieilli, la quarantaine s'était installée et avait creusé çà et là ses sillons, mais il y avait autre chose. Une impression singulière se dégageait de lui ; une solidité, une confiance, une volonté gonflée à l'intérieur. Comme s'il était enfin prêt à entrer dans l'âge d'homme. Maintenant, assis derrière son bureau, ne sachant quoi faire – article ou démission ? –, il se demandait s'il n'allait pas se laisser pousser la barbe, en plus de la moustache, pour marquer cette nouvelle étape. Il en était là quand le téléphone sonna.

À son arrivée à l'hôpital, Sara fut aussitôt transportée en salle d'accouchement.

Elle devait être la première femme dans tout Téhéran à franchir seule la porte du service obstétrique de l'hôpital Aban. Toutes les autres arrivaient perdues au milieu d'un troupeau en délire, qui leur tenant le bras, qui épongeant leur front, qui portant les valises... Le tout dans une cacophonie de disputes, sur le prénom, la date de la circoncision, le nombre d'invités. Le monde moderne et l'angoisse de la mort avaient supplanté la bassine d'antan, mais la comédie de l'accouchement restait la même. L'enfant était condamné à naître au milieu de sa tribu, dans ses querelles, son amour et ses névroses, histoire de savoir dès le départ à quoi s'en tenir.

La solitude de Sara intrigua les infirmières. Était-elle veuve? Avait-elle fugué? Avait-elle échappé à une catastrophe? Elles trouvèrent dans son dossier deux numéros de téléphone. Un premier à côté duquel son gynécologue-obstétricien, le docteur Mohadjer, avait noté de son écriture sinusoïdale « maison ». L'autre était sans indication. Elles désignèrent l'une d'elles, la plus douce et la plus diplomate, pour appeler. Comme personne ne répondit à « maison », elles essayèrent l'autre numéro.

Tel un coup de hache, la sonnerie du téléphone brisa le silence enfumé du bureau de Darius. Il sursauta. Toutes ses interrogations se figèrent dans l'air avant d'être aspirées par l'horripilant bruit. Maugréant, épuisé, il décrocha.

« Allô?

– Bonjour, monsieur.

– Bonjour, madame.

– Dites-moi… vous connaissez Sara Sadr?

– Oui, c'est ma femme. Qu'est-ce qui se passe?

– Elle accouche, monsieur, elle est toute seule. Sans vouloir vous offusquer monsieur, ça ne se fait pas… »

Tiré hors des eaux tumultueuses du conflit intérieur, Darius abandonna la page blanche, arracha sa veste au portemanteau et se précipita dehors. « Ma femme accouche… Que l'un de vous écrive l'éditorial de demain! »

Écoutez maintenant le galop du cheval fou qui, comme l'avait prédit Oncle Numéro 1, commence à ralentir… Voilà Darius, arrivant à la maternité après la bataille, le nez collé

96

à la vitre de la nursery réservée aux filles. Il repère, surpris et bouleversé, sa deuxième fille, Mina. Emmaillotée dans un linge blanc, Mina a comme voisine une dizaine de minuscules Farah qui n'auront jamais de doute sur l'origine de leur prénom. Darius la fixe, lui sourit, la remercie en pensée. Il ne voulait pas d'elle et voilà qu'elle lui sauve la mise. Un ange gardien cette petite ! Onze ans plus tard, quand Mina lui sauvera à nouveau la vie, vomissant sur un militaire dont le pistolet sera pointé sur sa tempe, Darius se souviendra de cet après-midi.

Le lendemain, tandis que penchés au-dessus du berceau de Mina, attendris et amusés, Sara, Darius et Leïli commentaient la forme des oreilles, du nez, de la bouche, du menton, et cherchaient des ressemblances, au palais du Golestan, dans un élan bonapartiste, le Shah se couronna lui-même. Puis il se saisit de la couronne créée par Van Cleef & Arpels avec les joyaux du trésor impérial perse et la déposa sur la tête de sa femme, à genoux devant lui. Une fois les couronnes posées sur les têtes, les postérieurs désormais impériaux s'installèrent l'un à côté de l'autre sur le Trône du Paon. Cent un coups de canon furent tirés annonçant l'avènement d'une nouvelle ère. Les chants des muezzins s'élevèrent de tous les minarets de la ville, histoire de mettre Dieu dans le coup de la décadence en marche.

Le faste prit fin. Les journalistes étrangers quittèrent le pays et reviendraient quatre ans plus tard, en octobre 1971, à l'occasion des fêtes encore plus grandioses et ruineuses de Persépolis aux allures de péplum hollywoodien. Mendiants et chiens envahirent les rues. La vie reprit son cours. L'éclat du printemps chassa jusqu'au souvenir de l'hiver. Les saisons se succédèrent, puis les années. Richard Nixon devint le trente-septième président des États-Unis d'Amérique, Neil Armstrong marcha sur la lune, la France pleura le général de Gaulle. L'essai de Darius Sadr intitulé *Les Arabes et Israël* fut censuré et retiré des ventes. Sara Sadr fut convoquée au ministère de l'Éducation nationale et réprimandée. Motif : lecture de *Monsieur le Président* de Miguel Angel Asturias en classe. L'inspecteur notifia dans son dossier qu'à la prochaine insubordination, sa classe lui serait retirée et qu'elle serait mutée dans l'administration. Ce qui arriva, quelques années plus tard. Tous ces événements, et bien d'autres, ont été notés en détail dans les deux journaux que Sara écrivait pour ses filles ; deux cahiers qu'elle remplissait à tour de rôle certains soirs, après la correction des copies.

Leïli a maintenant six ans et Mina quatre. Elles ont les cheveux châtain clair, couleur de dattes à peine mûres. Les yeux de Leïli, verts à la naissance, sont devenus noisette. Ceux de Mina sont à peine plus sombres. Elles ressemblent à leur mère : visage triangulaire, bouche en forme de bourgeon de rose, petite bosse à la naissance du nez. Leïli, d'une intelligence terrifiante, sait déjà lire et écrire en français et en persan, récite des poèmes de Khayyam et Rumi, bat son père aux échecs. Mina, bien moins douée, l'admire en silence et la jalouse à coups de larmes.

Darius s'est laissé pousser la barbe. Elle est taillée comme celle de Trotsky et rappelle par sa couleur claire la blondeur ancienne de ses cheveux. Associée à ses yeux bleus, la barbe lui donne l'air d'un étranger, un intellectuel européen ou américain en visite en Orient. Le soir, en rentrant du journal, quand il s'arrête devant les vendeurs ambulants pour acheter des amandes fraîches, ils lui balancent des mots en anglais, avec la joyeuse habileté du cabotin qui cherche le pourboire. «*How much, Mister ?*», «*Very fresh !*» Darius aime guetter cette expression de surprise qui altère leur visage quand il leur répond en persan.

«*Irani ?!!*

– *Irani!*» Darius sourit, savourant l'instant.

C'est comme une barrière infranchissable qui cède. Soudain, ces vendeurs cessent d'être des laissés-pour-compte d'une société inégalitaire, sortis des bidonvilles du sud de la ville, debout toute la journée, la peau tannée par le soleil et le froid, à faire des courbettes pour quelques pièces, pour devenir, quelques secondes seulement, des citoyens comme lui, parlant la même langue que lui. Darius s'attarde. Ils échangent quelques mots, entrecoupés de sourires et de mimiques amusées. La courbette vient inévitablement, et le charme se brise, quand il leur fait signe que c'est bon, ils peuvent garder la monnaie.

En rejoignant sa voiture, son cornet humide d'amandes fraîches à la main, Darius pense contrat social, logements sociaux et allocations familiales. Son esprit l'emmène en France, sa démocratie et son service public. Le Shah s'est moqué du monde avec sa Révolution Blanche* entreprise à coups de publicité et d'autocongratulation alors que l'argent du pétrole est détourné par millions. Quelle supercherie ! Quelle arnaque ! Vouloir occidentaliser une société sculptée dans la misère et l'oppression est une ânerie de couloirs du Palais, de la poudre de perlimpinpin jetée d'un balcon pour faire spectacle. La justice et l'égalité, la sécurité et la confiance, modernisent de fait, Darius en est certain. Pas besoin de Révolution Blanche et de discours solennel. Qui irait prier à la mosquée quand son enfant tombe malade s'il a la sécurité

---

* Nom donné à une série de réformes entreprises par le Shah en 1963 et encouragées par les États-Unis afin de moderniser l'Iran et en faire une puissance économique et militaire. Les effets positifs de certaines réformes – l'alphabétisation ou le droit de vote des femmes – ont été aussitôt contrebalancés par d'autres phénomènes : la pauvreté, l'exode rural, la hausse des prix. Mais surtout la corruption, la répression, les privilèges accordés aux conseillers militaires américains et l'absence de démocratie. La Révolution Blanche se heurta à de nombreux opposants, dont le clergé chiite. Le chef de cette opposition religieuse, Rouhollah Khomeiny, fut arrêté en 1964 et envoyé en exil.

sociale et un hôpital à proximité ? Qui s'accrocherait à la robe des mollahs s'il a une administration pour l'écouter ? Qui se permettrait de voler l'argent du pétrole par tonnes s'il est désigné au suffrage universel ? Seulement voilà, personne ne veut d'une démocratie. Pour le moment, ce qui éclate le Shah c'est mener sa politique autoritaire, créer l'armée la plus puissante du Moyen-Orient et se faire chouchouter par les Américains, hilares de voir leurs fabricants d'armes se relever de la dépression post-Vietnam et compter les dollars. À chacun ses courbettes.

En octobre 1970, la famille Sadr emménagea dans le premier lotissement d'appartements fonctionnels et modernes destiné à la classe moyenne aisée, construit près du centre-ville. L'ensemble avait été baptisé du nom incongru de *Mehr*, «Tendresse». Trois bâtiments de quatre étages, espacés les uns des autres par deux grandes cours. Chaque appartement possédait un balcon et un emplacement de parking. Ceux du rez-de-chaussée jouissaient en plus d'un petit jardin. À cette époque, seuls quelques-uns avaient trouvé acquéreurs.

Depuis qu'ils avaient décidé de quitter leur location du cinquième étage et d'acheter un appartement avec une chambre supplémentaire pour Mina, Sara en avait visité plusieurs à *Mehr*. Elle hésitait encore entre ceux du dernier étage (points positifs, luminosité et calme, point négatif, escalier) et ceux du rez-de-chaussée (point positif, jardin, points négatifs, bruit et baie vitrée ouverte sur l'extérieur). Incapable de prendre une décision, Sara demanda un jour à Darius de l'accompagner.

«Mais enfin Sara, décide par toi-même ! Tu es une femme libre, autonome, tout à fait capable de choisir l'appartement dans lequel tu veux vivre.

– Tu crois que si j'arrivais à me décider, je te demanderais de venir avec moi ? »

Silencieux pendant toute la visite qui dura plus de deux heures, Darius ne put échapper aux interrogations de Sara une fois seule avec lui dans la cour.

« Tu comptes dire quelque chose ou pas ?

– Qu'est-ce que tu veux que je te dise ?

– Lequel tu préfères Darius *Djan*, c'est pour ça qu'on est là non ?

– Je ne sais pas... Prenons celui du quatrième étage, suggéra-t-il.

– Ce qui veut dire que les filles vont se retrouver à nouveau avec des voisins en dessous et qu'elles ne pourront pas courir sans les déranger.

– Alors celui du rez-de-chaussée...

– S'il y a un voleur, c'est pour nous, tu en es conscient ?

– On ne sera pas les seuls au rez-de-chaussée...

– Les choses n'arrivent qu'une fois, tu le sais bien ! »

Ils auraient pu continuer encore longtemps, Darius impatient, Sara insistante, si une jeune femme aux cheveux châtain clair et aux yeux verts, un sac de provisions dans la main, n'avait entendu leur conversation.

« Nous habitons au rez-de-chaussée (Darius et Sara se tournèrent vers elle). Je ne sais pas si on vous l'a dit, mais nous avons un gardien qui habite dans le troisième bloc. Il fait deux rondes par nuit et ferme les grilles d'entrée à clef. Au fait, je ne me suis pas présentée... Je m'appelle Mina, Mina Nasr.

– Mina ! Comme notre fille ! s'exclama Sara. Nous avons deux filles, Leïli et Mina.

– Moi aussi j'ai une fille, Marjane, elle vient d'avoir sept ans.

– Comme Leïli ! Vous habitez à quel numéro ?

101

– Au numéro 17.

– Eh bien nous prendrons le numéro 18», décida Sara.

S'il existe un phénomène inexpliqué et formidable que l'on pourrait résumer en un coup de foudre amical, il venait d'avoir lieu entre Sara Sadr et Mina Nasr (qui deviendra très vite la Grande Mina en opposition à la Petite Mina). Je laisse Sara et la Grande Mina continuer leur conversation sous le regard soulagé de Darius et j'ouvre une parenthèse à propos de l'amitié des Sadr et des Nasr.

La Grande Mina était (est toujours) mariée à Ramin, ingénieur en électronique, féru de technologie et de gadgets, aussi scientifique que Darius était intellectuel. Les années passant, d'autres enfants naquirent et les deux familles devinrent si liées qu'elles n'en formèrent plus qu'une. Elles passaient la plupart de leurs soirées ensemble, soit en couple à aller au restaurant et au cinéma, soit avec les enfants. Peu à peu, elles invitèrent d'autres voisins, formant une communauté soudée, désordonnée et bruyante[*].

Ramin inventa un système pour que les portes d'entrée des deux appartements s'ouvrent aussi bien de l'intérieur que de l'extérieur de façon à ce que les enfants puissent circuler sans être obligés de sonner. Les enfants avaient l'impression sécurisante d'avoir deux mères et deux pères. Une mère brune, Sara, qui travaillait, savait consoler et écouter. Une autre, châtain, blonde ou parfois rousse, la Grande Mina, qui ne travaillait pas et organisait des jeux et des goûters gigantesques. Le parallèle entre Darius et Ramin était moins évident, d'autant que Darius se reposait sur Ramin

[*] Pour faire une analogie vous permettant de visualiser d'emblée l'ambiance générale, je dirais que *Mehr* ressemblait à une sorte de Wisteria Lane de *Desperate Housewives*, les meurtres en moins, mais, dans la dernière saison, la Révolution en plus.

pour tout ce qui relevait des apprentissages du quotidien. Faire les lacets, comprendre les exercices de mathématiques et de physique, réparer un objet, gonfler une chambre à air. Passionné de cinéma et de séries télévisées, c'est surtout le soir que Darius passait du temps avec eux. Il s'asseyait à leurs côtés devant la télévision, regardait les vieux films américains des années 50, les westerns, *Columbo* ou bien *Le Riche et le Pauvre*, et leur racontait des anecdotes relatives aux acteurs, même les plus obscurs, dont il citait une grande partie de la filmographie. Là, je peux lire l'étonnement dans vos yeux : les Iraniens connaissaient *Columbo*?! Dites-vous qu'à partir du moment où les États-Unis mettent une main autoritaire sur la politique d'un pays, de l'autre ils lui fourguent toutes sortes de produits militaires, industriels, culturels ou alimentaires. Ce n'est pas de la rigolade l'impérialisme ! Les Iraniens connaissaient non seulement *Columbo*, *Ma sorcière bien-aimée*, *La Petite Maison dans la prairie*, *Peyton Place* (inconnu des Français), *Days of Our Lives* (idem), mais captaient CBS, buvaient du Coca-Cola, mangeaient du KFC, roulaient en Chevrolet et baisaient sur des matelas Simmons.

Au milieu des années 70, la vis de l'amitié était si définitivement serrée entre les Nasr et les Sadr qu'elle résista aux événements qui secouèrent cette décennie.

Un fameux printemps, Ramin revint d'un congrès à Londres avec un appareil étrange/intrigant capable de lire des films réduits à des bandes lisses et enfermées dans d'énormes cassettes. Le magnétoscope. Il brancha l'appareil à leur téléviseur, puis passa l'après-midi à mettre en œuvre le bricolage sophistiqué qu'il avait imaginé dans l'avion : tirer un câble de l'appareil, le faire glisser le long du mur en brique qui séparait leur appartement de celui des Sadr, et le brancher au téléviseur des Sadr de façon à ce que les deux familles puissent regarder en même temps le film.

Le soir même, après un dîner chez les Nasr, Ramin écourta la soirée et demanda aux Sadr de rentrer chez eux et d'allumer la télévision. Puis il réunit les enfants dans le salon, leur expliqua que s'ils allaient tout de suite au lit et s'endormaient, ils auraient droit le lendemain à *La Mélodie du bonheur* en boucle.

Une demi-heure plus tard, dans un mouvement simultané, Sara et la Grande Mina éteignirent la lumière des chambres des enfants, puis celle du couloir, et entrèrent dans leur salon respectif. Chacune s'approcha de son mari, assis confortablement sur le canapé, un verre de whisky à la main. De l'écran s'échappait le son d'une musique douce au piano. Le film était lancé.

Au générique, des images de Paris, un matin ensoleillé. La caméra passe maintenant au-dessus des toits (le cœur de Sara se serre d'amour pour cette ville et Darius sourit, reconnaissant Montmartre), glisse le long d'un immeuble et s'arrête sur une fenêtre. Cut sur la même fenêtre, vue de l'intérieur. Une femme, cheveux courts et immenses yeux bleus, en peignoir, quitte la fenêtre et revient dans la chambre. Au-dessus de son lit, une grande photographie en noir et blanc d'une femme nue recroquevillée sur elle-même (les deux couples tressaillent légèrement). Plan moyen sur la femme qui descend les escaliers en sautillant et entre dans un salon baigné d'une lumière orangée. Tandis qu'elle regarde son courrier, le titre du film s'affiche en jaune dans une typographie ronde et inhabituelle. *Emmanuelle.*

Toute la journée du lendemain, en prise avec des senti-ments troublants et inconfortables, sonnées comme après une gueule de bois, Sara et la Grande Mina s'évitèrent. Elles ne savaient comment aborder ce qui s'était passé la vieille : le film, le prolongement de son effet jusque dans leur lit, la cer-titude que de l'autre côté de la cloison, au même moment...

Le surlendemain, elles firent comme d'habitude. Elles se retrouvèrent pour un thé après le petit déjeuner et discutèrent de choses et d'autres. Mais leur façon de se regarder et de se parler avait changé. Elles étaient à la fois plus distantes et plus proches, moins familières et plus intimes. Liées à jamais par un secret aussi insensé qu'un crime.

Durant les années qui suivirent, les années de Révolution, les Nasr demeureraient le mur contre lequel les Sadr s'adosseraient pour ne pas tomber. Fin juillet 1980, un mois avant le début de la guerre Iran-Irak et le bombardement de l'aéroport Mehrabad par l'armée irakienne, les Nasr émigrèrent aux États-Unis, laissant les Sadr affronter seuls la tempête ravageuse de cette nouvelle décennie.

Fin du flash-forward. Retour à l'emménagement des Sadr à *Mehr*.

Trois chambres, une petite cuisine, un salon-salle à manger avec de larges verrières qui s'ouvrent sur un balcon. Face au balcon, le petit jardin. Dieu merci, il y a des toilettes dans l'entrée pour les invités et d'autres dans la salle de bains pour la famille. En temps normal déjà, le fait de partager ses toilettes avec des étrangers dégoûte Sara, mais depuis quelque temps la moindre odeur lui est devenue totalement insupportable. Car personne ne le sait encore : Sara est enceinte d'au moins quatre semaines.

Cette fois – alors qu'Indira vient d'être reconduite avec une majorité absolue dans ses fonctions, cumulant les portefeuilles de l'Intérieur, de l'Information et de l'Énergie – Sara n'a même pas pris la peine d'en parler à Darius.

Celui-ci apprit la troisième grossesse de Sara au Fumoir, un club réservé exclusivement aux hommes. Il s'y rendait chaque premier jeudi du mois en compagnie de ses amis médecins rencontrés durant ses années de jeunesse à Paris.

105

L'un d'eux, le docteur Farzin Mohadjer, marié à une Française, était le gynécologue le plus en vue et le plus séducteur de Téhéran. Il suivait Sara, comme on le sait, la Grande Mina, les épouses de tous ses amis et la totalité des femmes de la classe moyenne et aisée du pays. Outre ses diplômes obtenus en France, qui lui avaient assuré dès son retour au pays natal une solide réputation, ce qui l'avait rendu célèbre était l'utilisation du mot français *vagin* pour désigner cette partie intime de l'anatomie féminine que la Persane, pudique et réservée, ne nommait jamais. Tout en lui laissant son mystère marécageux, la distance créée par la langue avait doté l'Organe Caché d'une aura scientifique qui avait miraculeusement gommé l'interdit millénaire. Débarrassé de sa vulgarité crue et nauséabonde quand il était cité en persan, le voilà libre de remonter à la surface et d'exister.

C'est ainsi que le mot *vagin* – avec ses variantes persanes *vâjan*, *vâdjan* ou *vadjin* – fit une entrée remarquable dans le vocabulaire des Iraniennes et devint un mot à la mode. Très vite, il déborda du cercle fermé de la classe aisée pour atteindre la classe moyenne et les couches inférieures. Le prononcer donnait l'impression valorisante et exotique d'être européenne, autrement dit tout à la fois érudite, élégante et moderne. Allez savoir pourquoi, cela leur faisait le même effet que quand elles prononçaient Yves Saint-Laurent, ou plutôt *Ive San Lôren*.

La bouche pleine de pâtisseries et de pistaches au safran, les femmes parlaient entre elles de leur *vagin*; d'abord en gloussant et en rosissant, puis avec naturel. Elles se confiaient, donnaient des détails sur sa taille et sa souplesse, s'apitoyaient sur les dégâts causés par les accouchements successifs. Peu à peu, prenant de l'assurance, elles glissèrent vers les frontières clandestines, dévoilèrent la manière dont il réagissait, ce qu'il préférait, attendait, espérait, mais avec le sérieux de savants échangeant leurs appréciations sur les possibilités d'une matière perfectible. Tant qu'elles parlaient de leur *vagin*, gardant les maris et leur instrument dans le hors-champ des convenances, elles ne parlaient pas de leur sexualité, vous comprenez. Elles prenaient soin de rester dans la zone grise de l'observation empirique, à des kilomètres de leur mariage, de la moiteur nocturne de leur chambre à coucher, là où elles pouvaient être libres sans risquer rumeurs, colportages et déshonneurs. Maniant à merveille l'art persan de l'hypocrisie, elles veillaient à ce que pas un souffle de ce vent libertaire ne se glisse dans l'oreille conservatrice de leur mari. Qui sait de quoi un homme est capable s'il apprend ce qui se trame dans la tête et le bas-ventre de la population féminine qui habite sous son toit? Mieux valait les laisser continuer leur vie, comme toujours en parallèle, engoncés dans la certitude confortable de tout maîtriser.

Tendons l'oreille vers une discussion entre Darius et Oncle Numéro 3. Nous sommes le vendredi soir et les retrouvailles hebdomadaires des Sadr ont lieu chez Oncle Numéro 5. Avant d'aller plus loin, laissez-moi vous présenter Oncle Numéro 3.

Oncle Numéro 3 était un homme anxieux, instable, toujours pressé et sujet aux aigreurs d'estomac. Quand il marchait, il donnait l'impression que c'était sa tête, et le magma sombre qui bouillait à l'intérieur, qui faisaient avancer son corps massif et non ses pieds. On aurait dit qu'il se tenait lui-même en laisse. Il avait d'immenses yeux bleu clair, mais son regard restait à l'intérieur, à la recherche de quelque chose qui semblait perpétuellement lui manquer. Dans les réunions familiales, il s'asseyait toujours au bord des chaises, son manteau posé à ses côtés. D'un coup, parfois même avant que le dîner ne soit servi, il se levait, marmonnait quelques formules de politesse et disparaissait vers la porte d'entrée. Sa femme et ses cinq enfants, impuissants face au tumulte qui s'emparait soudain de lui, couraient à sa suite. Son attitude singulière faisait l'objet de toutes sortes de plaisanteries, mais on en restait là. Personne ne se risquait à la décrire de peur que l'affaire devienne vraiment sérieuse. Leïli avait essayé *lunatique*, mais seulement dans une conversation entre elle et Mina.

Darius avait une sympathie particulière pour ce frère qui le précédait et avec qui il avait partagé plus qu'avec les autres. Il était le seul qu'il appelait et voyait en dehors de la fratrie, tentant sans doute d'apaiser cette étrange angoisse qui l'habitait, selon lui, depuis l'enfance.

Ce vendredi soir, Darius rejoignit Oncle Numéro 3 dans le jardin où il s'était isolé depuis un bon moment. Sans dire un mot, Darius lui proposa une cigarette. Oncle Numéro 3 lui demanda de but en blanc :

« Tu dois savoir toi, ça veut dire quoi *vâdjan* ? »

Surpris, Darius crut qu'il avait mal entendu.

« Quoi ?

– *Vâdjan...* ou un truc dans le genre.

– Où tu as entendu ce mot ?

– J'ai surpris une conversation entre mes filles. Shirin disait à ses sœurs : "Si ton *vâdjan* est prêt, ça ne fait pas mal du tout." (Soupir, suivi de mouvements de tête agacés.) Je ne sais pas ce qu'elles complotent encore et à vrai dire je m'en fiche, j'ai juste peur que ça arrive aux oreilles de Saddeq... »

Oncle Numéro 3 faisait allusion à la fois où Oncle Numéro 2, rentrant chez lui après une soirée, avait aperçu Shirin en compagnie d'une bande de jeunes agglutinés autour de quelques motos. Visiblement, Shirin était dans les bras d'un garçon bien plus âgé qu'elle. Dans le schéma dramaturgique d'Oncle Numéro 2, « être dans les bras d'un garçon dans la

108

rue » était l'équivalent exact de « coucher avec un garçon à même le bitume sous les yeux de l'humanité entière ». Dès le lendemain, Saddeq convoqua ses frères, se lançant dans une diatribe aussi longue qu'enflammée : l'honneur bafoué de la famille... les Sadr humiliés... la risée de tout Téhéran... notre rang dans le monde... Conclusion : Oncle Numéro 3 devait toutes affaires cessantes punir sévèrement sa fille et, le cas échéant, lui trouver un mari avant qu'il ne soit trop tard. Trop lâche pour contredire son frère, mais trop désabusé pour affronter sa fille, Oncle Numéro 3 demanda à un de ses fils de ne pas lâcher sa sœur d'une semelle.

Darius avait trop de respect pour les libertés individuelles pour se mêler de ces histoires. D'autant qu'il se réjouissait que la génération de Shirin se révolte contre ces bêtises et se lance dans l'aventure de la vie avec désinvolture. Le voilà donc en flagrant délit de mensonge pour protéger sa nièce :

« Ne t'inquiète pas, *vagin* ça veut dire les règles. Shirin devait expliquer cette... voyons voir... cette transformation physiologique à ses sœurs. »

Oncle Numéro 3 tira une longue taffe, déconcerté. « Je pensais que les règles c'était *période* ! C'est comme ça que Mariam (sa femme) appelle ce truc depuis quelque temps... »

Période étant bien entendu l'autre singularité linguistique introduite par Docteur Mohadjer dans la langue persane.

« *Vagin, période*, c'est la même chose mon vieux... C'est la même chose ! » dit Darius en éclatant de rire.

En rentrant, tandis qu'affalées les unes sur les autres, nous dormions sur la banquette arrière, Darius continuait de rire en rapportant cette discussion à Sara.

Ce premier jeudi du mois de novembre, comme d'habitude retenu par un accouchement, le docteur Mohadjer, enveloppé dans son manteau en cachemire, arriva en retard au Fumoir. L'assemblée, chauffée par le whisky écossais et surplombée d'une épaisse couche de fumée, s'agitait autour du backgammon. Confronté à un adversaire malchanceux, Darius était en verve. Il caressait sa barbe, prenait son temps pour lancer les dés, plaisantait, réclamait à boire, se moquait du hasard, riait. C'est au milieu de l'un de ces rires amples et sonores que la main du docteur atterrit sur son dos. « Félicitations mon vieux ! » Pas besoin d'en dire davantage. Quand Mohadjer félicitait un homme de la sorte, c'est que la machine était enclenchée.

D'un coup, le cerveau bouillonnant de Darius s'assécha. Son rire se figea, révélant jusqu'à ses amygdales.

Le silence se fit autour de lui. Tous fixèrent son visage avec l'impression étrange qu'il avait été mis sur pause. Le phénomène était si fascinant que le médecin en chacun d'eux se réveilla aussitôt. Le neurologue tenta une analyse ; le psychiatre le contredit ; l'ORL se souvint du cas d'un Juif de Shiraz ; le cardiologue l'allongea. Il fut transporté à l'hôpital.

Une demi-heure plus tard, paniquée, Sara courait dans le hall de l'hôpital Aban où Mohadjer l'attendait. Affolée, elle s'était jetée dans un taxi pieds nus, prête à aborder la question de l'attaque cérébrale de front. Pas la peine d'être dans le déni. Elle donnerait sa démission, resterait avec lui aussi longtemps qu'il faudrait. Et tant pis si les filles le voyaient souffrir, il mourrait à la maison. Elle avait trente ans, à un an près l'âge auquel sa mère était devenue veuve. La vie était ainsi faite, il fallait accepter son sort, comme sa mère avait accepté le sien, avec abnégation et dignité.

Pourtant le visage de Docteur Mohadjer, qui maintenant se stabilisait devant ses yeux, ne reflétait aucune inquiétude. Aucun signe d'une catastrophe à venir n'altérait ses traits séduisants. Après deux accouchements et des dizaines de consultations à scruter ce visage, à essayer de deviner derrière chacune de ses expressions, chacun de ses silences, les mots qui n'étaient pas dits, Sara le connaissait par cœur. Et là, sous le battement des néons de ce hall surpeuplé, aussi irréel qu'un décor de cinéma, elle pouvait certifier que la petite torsion de la bouche de Mohadjer était davantage due à un désagrément, comme la digestion difficile d'un cornichon trop aigre, qu'à une préoccupation sérieuse.

« Je suis désolé Sara, je pensais qu'il savait pour ta grossesse. »

Son regard sombre se teinta d'une lueur furtive de reproche qu'il laissa filer parce que ce n'était ni le lieu ni le moment d'en parler.

Plongée dans le noir, la chambre de Darius était habitée par un silence respectueux comme celui d'une chambre d'enfant. Allongé sur le lit, une perfusion de Valium dans le bras, Darius gardait la bouche et les yeux fermés.

Mortifiée, Sara s'assit à côté de lui et prit doucement sa main. À son réveil elle ne couperait pas à la discussion. Peut-être même à une dispute. Et c'était mérité. En huit ans de mariage, ils ne s'étaient jamais disputés.

Sara détestait les conflits, les échanges qui fusent, les cris. Ces sons perfides qui se ruent chez les voisins pour les prévenir que ça y est, ça barde de l'autre côté des murs. Vous pouvez penser qu'elle était soucieuse de son image, mais ce n'était pas tout à fait de cet ordre. Elle avait surtout peur, une fois la dispute terminée, de ne plus retrouver ce qu'ils étaient, leur densité initiale. Comment revenir en arrière, s'asseoir à nouveau ensemble sur le canapé quand les enfants sont couchés, à bavarder et manger des oranges envoyées de Mazandaran ? Comment affronter l'entourage, arriver aux réunions hebdomadaires des Sadr et reprendre leur place parmi les autres ? Et surtout : comment éviter une nouvelle dispute ? Alors elle s'arrêtait toujours avant que le ton monte. Non pas au bord du précipice, mais à des kilomètres, quand elle pouvait encore faire demi-tour et, au cas où un miroir serait placé derrière elle, se regarder dedans. Elle se faisait penser à un cheval qui soudain, les naseaux en feu, flaire l'obstacle, baisse la tête et part à reculons. Des années plus tard, quand Mina entrerait dans l'adolescence, elle se dirait que ce trait de caractère qu'elle considérait jusque-là comme une sagesse innée n'était en fait qu'une faiblesse sans grand intérêt.

Les doigts de Darius, le bout froid comme un glaçon, bougèrent légèrement dans la main de Sara. Elle pensa en essuyant ses larmes que s'il pouvait, il les retirerait d'un coup et pointerait la porte de l'index, lui demandant de quitter la chambre sur-le-champ. Mais une petite pression d'une tendresse inattendue vint la surprendre.

6

Les dieux de la génétique

Une odeur d'eau oxygénée s'échappe d'un médecin qui traverse le couloir et s'étiole dans l'air. Elle me rappelle les cours de biologie en sixième. Le miroir du microscope que je ne parvenais pas à incliner de façon à réfléchir la lumière de la lampe sur les particules sombres écrasées entre deux lames collées par un liquide nacré. Il faut dire que dès le début du cours je m'engourdissais. Terrifiée, je disparaissais à l'intérieur de mon corps.

Les cours de biologie m'étaient totalement inaccessibles cette année-là, l'année où nous sommes arrivés en France. J'étais confrontée à un monde que je voyais, touchais, mais ne savais pas nommer. Des quantités de mots, des quantités de noms, me manquaient. Fleurs, arbres, oiseaux, reptiles, organes. Des mots que l'on apprend en grandissant dans un pays, que la langue réserve à ceux qui se baignent dedans et dérobe à ceux qui s'y trempent de temps à autre. Des mots de balades les dimanches après-midi, de colonies de vacances, de week-ends à la campagne. Des mots de vies paisibles ; des vies qui appartiennent à ceux qui la vivent. J'en connaissais certains en persan, mais même dans ma

113

langue la plupart me manquaient. Aujourd'hui, ce vocabulaire que j'appelle ironiquement «botanique» est chez moi du niveau de celui d'un enfant, et encore, un enfant de la ville. Je l'ai peu développé. Par paresse sans doute. Ou bien pour me souvenir de cette gamine perdue/muette au-dessus de qui se penchait la professeure à la peau de craie pour incliner le miroir avec une rapidité à la fois humiliante et libératrice.

Cette cicatrice qui traverse mon vocabulaire est ma seule coquetterie, mon unique résistance face à, disons, mes efforts d'intégration. J'emploie cette expression par commodité, parce qu'elle vous parle, même si, biberonnée dès l'enfance à la culture française, je ne me sens pas concernée par le sens qu'elle véhicule. D'ailleurs, puisque nous en parlons, je trouve qu'elle manque de sincérité et de franchise. Car pour s'intégrer à une culture, il faut, je vous le certifie, se désintégrer d'abord, du moins partiellement, de la sienne. Se désunir, se désagréger, se dissocier. Tous ceux qui appellent les immigrés à faire des «efforts d'intégration» n'osent pas les regarder en face pour leur demander de commencer par faire ces nécessaires «efforts de désintégration». Ils exigent d'eux d'arriver en haut de la montagne sans passer par l'ascension.

À part ça, le concept me renvoie immédiatement à mon adolescence et à la musique. À *Disintegration*, le huitième album de The Cure (1989), d'une noirceur incandescente, dont les textes, que j'ai passé des heures à traduire, furent sauvés par Robert Smith de l'incendie de sa maison, et à *Integration* (1990), un coffret qui contient les quatre singles de l'album.

La psychologue apparaît sur le seuil et appelle un couple. Elle lance son nom dans un murmure respectueux comme pour ne pas nous déranger. Nous levons les yeux vers elle et elle se laisse regarder, les mains dans les poches d'un gilet en laine, avec l'indifférence de l'habitude.

Le temps que le couple rassemble ses affaires et la rejoigne, la psychologue jette un coup d'œil vers la salle et me reconnaît. Elle me sourit comme à une bonne élève qu'elle retrouve avec plaisir et dont la présence ici, avec ce tube sur les genoux, lui est en partie due.

Nous avons donc réussi.

Nous avons totalement berné notre monde.

« Le docteur Gautier n'est pas encore là, me dit-elle, mais elle ne va pas tarder. »

Sa voix est comme dans mon souvenir, rassurante. Je hoche la tête, avec un sourire qui laisse croire que « oh, ce n'est pas bien grave, ne vous inquiétez pas… ». Je présume que je suis en droit de pousser quelques soupirs pour signifier mon agacement, mais je ne peux pas lutter contre ce sourire affable/policé qui se précipite hors de moi. Ceux qui connaissent des Iraniens savent de quel sourire je parle, aussi reconnaissable qu'un tapis d'Isfahan. S'il existe un dieu du Mensonge, de l'Entourloupe et de l'Hypocrisie, il doit être à tous les coups persan et drôlement résistant, caché dans un coin de notre cerveau, prêt à bondir pour nous rappeler qui nous sommes et d'où nous venons au cas où nous aurions l'idée sournoise de l'oublier. En imaginant que je me désintègre à cent pour cent et m'intègre au point de paraître aussi française que Catherine Deneuve, croyez-moi, il sera quand même là. Je ne serai jamais assez française pour donner dans la franchise frontale, la râlerie démonstrative, un « il y en a marre ! » bien placé. Chez moi, ça sort aussi, mais en décalé ; ruminé et amplifié.

« Bonne chance », me lance la psychologue avec un sourire entendu, avant de suivre le couple dans le couloir.

Mes lèvres remuent un merci inaudible, mais sincère.

En tournant la tête vers la salle, je constate que tous les regards sont dirigés vers moi. Ça y est, ils ont compris : je suis la gagnante du jour, celle qui a franchi toutes les épreuves qualificatives et va bientôt arracher le ruban rose ou bleu de la ligne d'arrivée. Maintenant, ils savent ce que sera ma vie dans les heures, les jours, les semaines à venir. L'angoisse, l'attente, l'interprétation hasardeuse du moindre signe physique. Pas besoin de l'avoir vécu, il suffit de faire un tour sur Internet – et ceux qui sont ici n'ont pas seulement fait un tour, mais des séjours prolongés. Il existe des kilomètres de témoignages et de discussions, souvent écrits dans un français proche d'un champ de ruines, remplis de détails parfois pornographiques, sur la phase post-insémination.

Je bouge sur ma chaise, mal à l'aise. Je pense à Anna qui doit être dans le car qui les ramène, elle et son groupe, de Prague, sans doute en train de dormir. Hier au téléphone, je lui ai demandé de ne pas m'appeler. «C'est moi qui t'appellerai quand ça sera fini. – D'accord», a-t-elle répondu. Et je peux compter sur Anna, émotionnellement à l'exact opposé de Sara, Leïli et Mina, pour tenir parole.

Alors que chacun rentre dans sa coquille, je me lève discrètement pour aller à la cafétéria.

Nous avons vu cette psy en novembre, il y a deux mois. En fait, nous aurions dû avoir ce rendez-vous en mai, mais il avait été déplacé par trois fois à cause des travaux, puis des vacances d'été. Entre-temps, j'avais fait tous les examens médicaux nécessaires et nous avions revu le docteur Gautier plusieurs fois afin qu'elle analyse les résultats. Logiquement, la consultation psy devait précéder les examens. Son appréciation sur la solidité du couple, la légitimité de notre désir d'enfant et notre capacité à être parents, étaient les conditions obligatoires pour la poursuite du protocole. Mais face au retard accumulé, Docteur Gautier avait, en accord avec sa hiérarchie, décidé d'inverser le processus.

En mai, à l'initiative de Pierre, nous avions établi une liste de nos goûts, défauts, qualités, de nos habitudes, nos peurs, nos ambitions, et tout ce qui constituait notre quotidien. Nous nous étions retrouvés au café et la séance avait duré tout l'après-midi. Nous ressemblions à deux apprentis malfaiteurs qui envisagent minutieusement un casse qu'ils sont les seuls à estimer d'envergure. Ou bien à un couple se préparant pour un jeu télévisé où il faut répondre à des questions improbables et intimes pour gagner un week-end en Croatie.

Plus nous avancions dans notre entreprise, moins la liste semblait importante. Ce qui était important était la complicité qu'elle avait créée. Si comme prévu le rendez-vous avait eu lieu deux jours plus tard, nous aurions été extraordinaires. Un numéro parfaitement rodé. Des improvisations brillantes. Le week-end en Croatie décroché haut la main. Mais il fut repoussé et la liste resta dans mon sac jusqu'à ce matin de novembre où je l'ai sortie pour la glisser dans la poche de mon manteau comme une antisèche.

Situé au premier étage, son bureau était petit et impersonnel, éclairé par la lumière terne de l'extérieur. C'était une de ces journées d'automne aussi opaques que du fer-blanc, où la nuit semble enfermée dans le jour. Le froid qui s'était glissé à l'intérieur, mêlé à l'odeur piquante d'un détergent, donnait l'impression de se trouver à proximité des réfrigérateurs d'un supermarché. En nous serrant la main, elle s'était excusée : «On m'a installée ici depuis une semaine, à cause des travaux… Vous en avez entendu parler je suppose, ça chamboule toute notre organisation!» Elle avait la main glacée et le sourire facile. C'était la première fois que j'avais affaire à une psychologue et, dans mon appréhension, je l'avais naïvement imaginée sèche et autoritaire, alors qu'elle affichait un visage accueillant, celui de quelqu'un qui ne veut pas faire de mal, mais estime avoir un rôle important à jouer.

« Vous avez donc vu le professeur Stein il y a... à peu près quatorze mois, et votre premier rendez-vous avec le docteur Gautier a eu lieu... (bruit de pages qui se tournent) six mois après, c'est bien ça ? »

La psychologue ôta ses lunettes accrochées à une chaîne et leva les yeux de notre dossier. Tout en nous regardant, elle lâcha les lunettes qui rebondirent sur son imposante poitrine emprisonnée dans un pull-over grenat à grosses mailles.

Nous hochâmes la tête au même moment. Nos chaises, séparées d'un bon mètre, faisaient face à son bureau dépouillé. Avant de m'asseoir, je m'étais demandé si les autres couples rapprochaient les chaises, ne serait-ce que dans un élan naturel, afin d'être plus près l'un de l'autre, soudés dans l'épreuve. Est-ce que ce rapprochement était un signe qu'elle avait l'habitude de noter ? Les avait-elle éloignées autant exprès ?

Dans le doute je n'avais rien fait, mais une fois assise je pris soin de tourner mon corps vers Pierre, espérant que cette position suffirait à donner une indication positive sur notre relation.

Je m'attendais à ce qu'elle attaque sur le mariage, comme Stein et Gautier. « Quand est-ce que vous allez vous marier ? » était l'interrogation sur laquelle j'avais concentré tous mes efforts. Hors de question d'improviser et de prendre le risque de se faire épingler. J'avais répété ma réponse le matin devant le miroir, puis dans ma tête durant le trajet. Si je franchissais ce premier palier avec le sentiment d'avoir été convaincante, le reste serait plus évident. Je devais : garder ma voix dans les graves, parler doucement, articuler, contrôler ma respiration et éviter de trop bouger les mains. (À l'adolescence, ma passion pour Lauren Bacall m'avait conduite à acheter son livre, *Par elle-même*, aux Puces de Saint-Ouen. Dans le chapitre consacré à son arrivée à Hollywood et sa rencontre avec Howard Hawks pour le rôle de Slim dans *En avoir ou pas*, elle explique que Hawks l'avait conduite sur les collines de Hollywood et l'avait obligée à jouer la colère en gardant la voix grave. Selon Hawks, dès que les femmes ressentaient une émotion, leur voix basculait automatiquement dans les aigus. J'ai retenu le conseil et je m'en sers souvent, avec plus ou moins de succès.)

Il faut dire que parler à voix haute avec des inconnus est pour moi un supplice, sauf quand je bois. Parfois à la boulangerie, le fait de devoir rajouter « pas trop cuite » me plonge dans une confusion telle qu'à la dernière seconde je me ravise. Si les mots se jettent quand même au-dehors, cela ressemble à un bredouillis inaudible, ce qui est encore pire puisqu'on me demande inévitablement de répéter. Souvent au restaurant, je me contente d'un « pareil », prenant le même plat que la personne qui m'accompagne. Bien que très méfiante quant aux raccourcis psychologiques, je dois néanmoins avouer que je connais l'origine de cette peur, que, je précise, je ne ressens pas en persan. Elle remonte à l'époque de notre arrivée en France où à chaque fois que j'ouvrais la bouche on me faisait remarquer que j'avais un accent.

« T'as un accent, tu viens d'où ? »

Merde, ça recommence !

« Iran, murmurais-je alors, craintive et fataliste.

— Ah... »

Long silence durant lequel je voyais dans les yeux de mon interlocuteur que son Iran à lui était situé quelque part entre l'Arabie saoudite et le Hezbollah libanais, une contrée imaginaire d'intégristes musulmans dont je devenais soudain la représentante.

Puis, une fois le constat de l'accent établi, le mécanisme se déclenchait. On relevait mes fautes de conjugaison et mes maladresses grammaticales, que soudain je ne manquais pas de commettre. On parlait plus lentement, ponctuait les références à un livre, un homme politique, une publicité d'un «tu ne connais peut-être pas, mais…». Croyez-moi, personne ne rate l'étranger. Personne ne résiste au plaisir poisseux de gratter là où il y a différence. La langue est assurément le moyen le plus facile de le coincer, de l'enserrer, jusqu'à ce que sa façade de normalité acquise de longue lutte craquelle et pendouille sur son corps embarrassé. Pour tenter d'échapper à ce sadisme ordinaire, très tôt j'ai glissé vers le silence, laissant la musique envahir mon cerveau et le laver à grandes eaux. Avec les années, j'ai constaté que le silence transformait mon étrangeté en mystère, et ce mystère en attirance, ce qui est toujours bon à prendre. Et tandis que ma séduction factice grandissait, ma voix s'enfonçait dans ma gorge comme dans un tombeau. Mais arrive un jour comme celui de novembre où il faut être prête à regarder les gens droit dans les yeux et faire preuve d'un minimum de densité, n'est-ce pas? Parler, s'exposer, dire, se raconter, à défaut de la vérité, avec l'aisance et l'habileté d'un imposteur.

La psychologue regarda Pierre et sans se départir de son sourire demanda – et ce fut sa première question:

«Comment allez-vous?»

Je n'arrivais toujours pas à savoir si sa gentillesse était sincère ou bien une ruse pour nous arracher des confidences.

Quoi qu'il en soit, manifestement la date de notre mariage ne l'intéressait pas. Je fus à la fois soulagée et déçue de ne pas pouvoir me débarrasser de mon explication.

«Je vais bien, répondit Pierre le sourire en banane et les paumes tournées vers le plafond comme s'il était le type le plus cool de la terre. J'ai envoyé mes derniers résultats au docteur Gautier. (Chose que j'ignorais, mais que je décidai immédiatement d'évacuer de mon esprit. Après tout avais-je besoin de le savoir?)

– Oui, c'est ce que je viens de voir. En tout cas vous avez l'air de bien supporter le traitement.»

Pierre hocha la tête, presque flatté.

Alors que nous devions nous retrouver à la cafétéria une demi-heure avant le rendez-vous, Pierre était arrivé, comme à son habitude, en retard. Quand il avait enlevé son bonnet, j'avais eu un choc. Ses cheveux étaient coupés si court que l'on voyait son crâne. Sans ses boucles noires, si constitutives de sa personne que si j'avais à le dessiner j'aurais commencé par elles, sa tête paraissait ridiculement petite pour son corps aux muscles saillants. Ses yeux, encore plus grands que les miens, semblaient nus, lui donnant l'air d'être perdu dans le monde. Je ne m'attendais pas à ce qu'il m'impose une image inconnue de lui juste avant un rendez-vous censé évaluer notre crédibilité, notre fiabilité. Deux notions qui nous avaient pris un temps fou à mettre en place. J'avais failli lui en faire la remarque, mais je m'étais ravisée. Inutile de créer un malentendu que nous n'aurions pas su gérer à la dernière minute.

Pour oublier mon désarroi, je pensai à mes sœurs, à ce qu'elles diraient si elles le rencontraient. À coup sûr, Leïli rétorquerait avec son tact habituel: «Je n'arrive pas à te comprendre, il est totalement *immature*!» *Immature* était le mot réservé à toute personne passé la trentaine qui s'habillait encore en jean et baskets sans qu'une promenade dans les bois soit prévue sur-le-champ. Mina roulerait ses yeux au ciel pour signifier : « Qu'est-ce que tu veux que je te dise, de toute façon tu n'en fais qu'à ta tête ! »

En entrant dans le bâtiment, alors que Pierre, son bonnet à la main, m'expliquait pourquoi il était en retard (le travail, comme toujours), je me dis que se dégager les oreilles et la nuque, se donner l'allure du soldat prêt à s'engager pour la patrie, était probablement sa manière de signifier combien il était honnête et responsable. Un homme au-dessus de tout soupçon.

Je le regardais répondre aux questions de la psychologue concernant ses résultats d'examens. C'est vrai qu'il allait bien. Ses dents d'une blancheur irréelle lui donnaient un côté juvénile. Il ne fumait pas, buvait peu et désarçonnait les serveurs en commandant un lait-fraise. Depuis le premier jour, j'avais particulièrement apprécié son élégance envers sa maladie. Il ne s'épanchait jamais, ne se plaignait jamais.

« Et vous (la psychologue se tourna vers moi), comment vous vivez cette situation ?

– Quelle situation ? » demandai-je avec un air surpris et une voix aussi grave que si je venais de fumer un paquet entier de Camel sans filtre.

Je savais très bien de quoi elle parlait, mais au moment où elle formula la question, je me dis qu'un peu de naïveté donnerait l'impression que nous avions dépassé depuis long-temps ce genre d'interrogation.

« La séropositivité de Pierre, précisa-t-elle avec un sourire patient.

– J'ai appris à vivre avec… (Regard attendri vers Pierre.) Qu'est-ce que tu en penses ?

– C'est vrai, on se débrouille très bien ! lança-t-il, aussi enthousiaste que s'il parlait de notre dernier stage de canoë-kayak.

– Cela n'a jamais été un frein à votre désir d'enfant ? insista la psychologue. Vous ne vous êtes jamais dit qu'avoir un enfant dans ces conditions pouvait être particulièrement difficile ?

– Bien sûr que si… (Et comment !) Mais en même temps, nous ne pouvons pas nous condamner à ne pas en avoir juste parce que c'est difficile… »

J'étais on ne peut plus sincère, même si je ne pensais pas à la séropositivité de Pierre.

Deux heures plus tard, nous étions toujours avec elle, à bavarder tranquillement. J'avais la sensation agréable que nous avions réussi à trouver une sorte de sérénité. Plus rien n'était grave. La lourdeur des interrogations et des doutes s'était peu à peu estompée dans l'air réchauffé par nos haleines. La pièce semblait plus large, plus aérée. Nous avions enlevé nos manteaux, posés en travers de nos cuisses. Nous ne mentions plus. Nous ne nous regardions plus sans cesse, cherchant l'approbation de l'autre.

La psychologue nous accompagna devant la porte et nous serra la main. Une pression franche, encourageante. Des sourires.

« Alors au revoir. Et n'hésitez pas à prendre rendez-vous tout de suite avec le docteur Gautier pour lancer l'insémination… En ce moment il vaut mieux prévoir, ça bouge tellement !

– On va le faire ! » lança Pierre.

Voilà, c'était terminé. La partie était gagnée.

La légèreté que je ressentis une fois dans le couloir n'était pas uniquement liée à cette certitude. Ni au soulagement d'avoir enfin franchi cette première partie du parcours, après un an et sept mois. Ce que je ressentais était si stupide que j'ai presque de la peine pour moi en y repensant. J'avais tout simplement la sensation joyeuse et éphémère d'être une fille ordinaire, sensation qui ne m'avait pas traversée depuis longtemps.

Et tandis que j'écris, je sens le souffle tiède de Leïli... Sa bouche sèche collée à mon oreille pour éviter que les autres filles, des cousines de multiples degrés, avachies sur les canapés autour de nous, entendent. Pourtant ses mots sont en français, une langue qu'aucune d'elles ne parle. Puisque Leïli utilise cette langue, elle pourrait tout aussi bien me parler à voix haute. Mais non. Ce qu'elle a à me dire doit être doublement caché. Ne doit pas entrer en contact avec l'air. Ne doit pas se mêler à la lumière claire qui réchauffe cette maison posée au creux du monde où je passe mes plus belles vacances. Celles de l'été 1979. Ses mots ne sont que pour moi. Ils pénètrent dans mon corps goutte à goutte. Au début rien de compliqué ni d'extravagant. Le ton est gonflé de reproches, mais cela ne me dérange pas, j'ai l'habitude avec mes sœurs. Et puis soudain ce dernier mot, noir comme la nuit, venimeux, que je ne connais pas, que j'entends pour la première fois et que pourtant je comprends, que pourtant je sens. Si vrai et si tragique à la fois. Le mot qui bouleversa ma vie.

À propos de vie bouleversée, celle de Darius connut un changement de cap avec la troisième grossesse de Sara. Il n'avait jamais désiré de garçon – ni même d'enfants, vous l'aurez compris. Seulement, depuis quelque temps, il avait commencé à imaginer un garçon aux yeux bleus comme les siens, le bleu clair et mouvant de la mer Caspienne. Et tant pis si cette mer, striée de bandes grises, cicatrices laissées par la pêche industrielle et le tourisme sauvage, n'était plus tout à fait bleue. Un fils d'une dizaine d'années à qui il raconterait des choses qu'il ne pourrait jamais raconter à ses filles. Des choses... Il ne savait pas quoi exactement. Mais la différence se sentait dans son rire, dans sa façon d'allumer une cigarette, d'appréhender le monde. Il se voyait mettre la main sur la nuque frêle de l'enfant pour traverser la rue, être attentif à sa musculature et à ses chagrins, à sa façon de bouger les pions du backgammon. Il s'entendait l'appeler « fiston », et parfois « mon bonhomme ».

Au début, il s'en était voulu d'éprouver ce désir tristement arriéré et convenu qui n'était rien de moins qu'une insulte pour ses filles. Et pas seulement pour les siennes, mais pour toutes celles qui étaient nées et naîtraient sur cette terre, dans la vapeur des soupirs et des déceptions, au milieu des adultes à la moue indifférente et résignée. Parce que l'Orient, terre des prophètes et de la misère, leur préférera toujours un garçon ; des bras en plus pour travailler, des dots à économiser, un nom à transmettre. Il s'en était voulu de tomber lui aussi dans ce piège. Il n'en avait pas parlé à Sara, pensant sans doute que cela lui passerait. Avec un peu de volonté, il arriverait à bout de ce caprice. Sauf qu'un jour, il s'arrêta devant une boutique de vêtements et de jouets pour enfants et, sans réfléchir, poussa la porte.

C'était la première fois depuis qu'il était père que Darius se rendait dans ce genre de magasins ouverts récemment dans le centre-ville. Des lieux très à la mode où des vendeuses parfumées/bienveillantes vous suivaient avec patience et devançaient habilement vos envies. À l'intérieur, le temps s'évaporait comme de la fumée.

Une heure plus tard, Darius en ressortit avec des sacs remplis de vêtements bleus, en harmonie avec la couleur des yeux de son fils imaginaire. À la caissière qui lui demanda : « C'est pour offrir ? », il répondit avec une fierté nouvelle : « Non, c'est pour mon fils, Zartocht. » *Zartocht*, Zaratoustra. Il ne sut pas pourquoi Zartocht s'était imposé à son esprit. Il décida de l'appeler ainsi, malgré ce petit quelque chose de prétentieux qu'il lui faudrait sans doute justifier.

Les mois passaient. Le ventre de Sara s'arrondissait et l'espoir de Darius se confirmait. Un coup d'œil à Sara suffisait pour que n'importe quelle femme s'exclame, la mine réjouie : « Oh, mais c'est un garçon ! »

À l'époque, l'échographie n'existait pas en Iran, et d'ailleurs qui avait besoin d'échographie ? Les signes – ferments d'une science empirique peaufinée siècle après siècle à l'ombre d'une société phallocratique – ne trompaient personne. En résumé, une femme (Sara enceinte de six mois) que la grossesse rendait belle portait un garçon. Celle que la grossesse enlaidissait (Sara enceinte de Leïli et de Mina) portait une fille. Je dis « en résumé », car rien n'était annoncé de façon aussi concise. Des fleuves de comparaisons, d'anecdotes et de commentaires précédaient le diagnostic. À cela s'ajoutait toute une série d'autres éléments servant essentiellement à confirmer la prophétie. La forme du ventre (en avant : garçon ; étalé : fille), l'odeur de l'urine (acidulée : garçon ; répugnante : fille), la libido (active : garçon ; à plat : fille). Et si tout cela ne suffisait pas pour affirmer que Sara portait un garçon, sa mère Emma, qui comme toute Arménienne lisait dans le marc de café, avait vu clairement des lignes qu'elle qualifia de *pénisoïdales* se dresser dans les rigoles granuleuses de la tasse de sa fille.

Un seul détail assombrissait cette grossesse idyllique : Sara ne voulait pas de garçon. Car Sara n'aimait pas les garçons. Il lui arrivait même de laisser échapper une grimace dégoûtée quand ses belles-sœurs collaient des baisers sonores sur le crâne suant de leurs garnements. Comment pouvaient-elles regarder ces êtres étranges avec des yeux remplis de fierté comme si l'avenir de l'humanité était entre leurs mains pataudes? Comment arrivaient-elles à les prendre dans leurs bras, serrer leurs corps mal dégrossis contre les leurs? Pour Sara, un garçon n'était que source de chagrin tout au long de la vie. De ses genoux écorchés d'enfant à son mariage avec la première fille qui desserre-rait les cuisses sur la banquette arrière d'une voiture, en passant par l'inévitable cicatrice sous le menton. Pourtant, comme à son habitude, elle ne montra pas ses sentiments et se consola en essayant d'imaginer Darius avec un garçon aux yeux bleus, habillé tout en bleu, perché sur ses épaules. Où était-elle dans cette image? Que faisait-elle? Sans doute en train d'aérer la chambre bleue du gosse infestée d'une odeur aussi lourde que celle d'un bouc.

Mais laissons Sara à sa grossesse et repartons vers Mazandaran. Car il est temps que je vous explique pourquoi Darius désirait tant un garçon aux yeux bleus.

De toutes les filles de Montazemolmolk (en plus du reste, une petite dizaine étaient nées après les jumelles), Nour était l'une des rares à s'être mariée et à avoir eu des enfants. Sa sœur jumelle ne se maria qu'après la mort de leur père, à trente-huit ans. Trois mariages désastreux, dont deux divorces qui la ruinèrent définitivement.

Pour une raison connue de lui seul, Montazemolmolk refusait de marier ses filles. Il recevait les prétendants, dont certains avaient fait le voyage depuis des villes lointaines, les écoutait déballer leurs qualités et leur fortune, hochait la tête à intervalles réguliers, puis les accompagnait à la porte en leur demandant de ne plus revenir. Excédées par l'im-patience de leurs filles, ses épouses le suppliaient de céder.

Elles pleuraient, criaient, lui interdisaient leur couche, mais Montazemolmolk restait inflexible. Quand mon grand-père, Mirza-Ali, entendit d'un cousin éconduit par Montazemolmolk que le vieux Mazandarani avait, paraît-il, une fille blonde aux yeux bleus – plus bleus encore que ceux de Mirza-Ali lui-même –, il fit le voyage jusqu'à Mazandaran pour demander sa main. Montazemolmolk n'eut pas à le reconduire, puisqu'il refusa de le recevoir (on murmurait que Nour était non seulement sa fille préférée, mais qu'il l'aimait plus encore que ses fils).

Insolent et orgueilleux, Mirza-Ali ne se laissa pas faire. Il revint et insista. Revint encore. Envoya des émissaires, des tapis, des colliers en or, des moutons et des chevaux. Bientôt, le bras de fer entre Montazemolmolk et ce Monsieur de Qazvin devint un récit à épisodes qui franchit les murs du domaine, s'aventura dans les montagnes. Se propagea. Le suspense et l'attente donnèrent des idées aux plus crapules. Un jeune serviteur de Montazemolmolk fut soudoyé pour écouter aux portes. Une femme fit semblant de s'être égarée dans la forêt et trouva refuge dans l'*andarouni*. On se divisa en plusieurs groupes pour surveiller la route, on organisa des paris et on retint son souffle à chaque aller-retour du Qazvini. Seule Nour, âgée de seize ans, l'objet de toute cette agitation, se désintéressa de l'affaire.

Elle savait depuis sa naissance, depuis que le Tout-Puissant l'avait choisie pour hériter des yeux de son père et l'avait privée de mère, que son sort ne lui appartenait pas. Alors à quoi bon se préoccuper de ce qui pouvait lui arriver ? D'ailleurs, personne ne l'interrogeait. Elle déplaçait sa beauté étrange de pièce en pièce tel un fantôme égaré et inoffensif. « Dieu m'est témoin, me disait Bibi, avant son mariage, même un poisson accroché à un hameçon avait l'air plus vivant que ta grand-mère ! »

Après s'être renseigné sur la famille de Mirza-Ali et l'intérêt d'une alliance avec celle-ci, Montazemolmolk accepta de négocier*. Il donna l'ordre de préparer l'une des pièces de l'*andarouni*, de sortir les plus beaux narguilés, de dresser une table tape-à-l'œil avec des pâtisseries aromatisées, des corbeilles de fruits et du thé à la cardamome. Puis il fit venir Mirza-Ali afin de lui présenter une douzaine de ses filles, les plus âgées et les plus laides. Quand la porte s'ouvrit, laissant entrer la bande de vierges mal dégrossies, Mirza-Ali sentit un mélange d'excitation et de malaise s'emparer de son bas-ventre et filer vers son cœur. Jamais il ne s'était trouvé avec autant d'inconnues dans la même pièce. Dans tout le pays, la coutume interdisait aux hommes de voir leur future épouse, comme elle interdisait aux femmes de se présenter les cheveux dévoilés. Mais ici, dans ce pays de Cocagne, les mœurs étaient plus libres et les femmes se comportaient avec l'aisance des prostituées que Mirza-Ali, l'Icône aux yeux de Lumière, fréquentait avec autant de discrétion qu'un espion britannique.

Parfumées, épilées, la peau blanchie au yaourt caillé et les yeux cernés de khôl, les prétendantes défilèrent devant Monsieur Qazvini. Elles auraient tout aussi bien pu être nues tant elles avaient l'impression que leur âme, agitée d'émotions complexes, était à vif devant lui. Si Mirza-Ali avait pu entendre leur voix intérieure, il aurait peut-être été ébranlé par ce chœur de supplications et de prières, composé d'un

---

* Depuis les accords de Saint-Pétersbourg de 1907 où Britanniques et Russes s'étaient partagé l'Iran sans prendre la peine d'avertir les intéressés, puis la Révolution constitutionnelle qui dura près de quatre ans et donna naissance au Parlement, Montazemolmolk était inquiet quant à l'avenir. L'époque était à l'insurrection, aux changements structuraux, à l'occupation étrangère. Partagé entre deux grandes puissances, l'État persan était faible, sans moyens, sans armée, parasité par une classe politique oisive et passivement admirative de l'Europe. Qui sait ? se disait-il. Se rapprocher de ces riches Qazvinis, très introduits dans le bazar, pouvait à un moment ou un autre s'avérer utile...

seul mot, d'un seul, qui les contenait tous: «Moi!» Il leur aurait peut-être accordé, ne serait-ce que par politesse, un brin d'intérêt, un sourire, une moue, n'importe quoi, mais quelque chose; quelque chose avec quoi elles auraient pu s'inventer une histoire à se raconter dans la solitude de leur couche jusqu'à la fin de leur vie.

Mais Mirza-Ali, à qui personne n'avait rien refusé depuis l'enfance, comprit très vite le manège de Montazemolmolk et resta aussi froid que les blizzards de Russie. Aucune pâtisserie, aucun thé allongé avec de l'eau pure des montagnes, ne vint à bout de son entêtement. Il voulait la jeune fille aux yeux bleus, un point c'est tout! Où était-elle? Pourquoi n'avait-il pas le droit de la voir? Vexé par le toupet de ce gamin, Montazemolmolk se contenta de le toiser longuement, puis sans dire un mot, quitta la pièce.

Fils et arrière-petit-fils de *bazari*, ce que Mirza-Ali retint de cette mise en scène grotesque et invraisemblable était que le vieux Mazandarani se ramollissait à vue d'œil. À force de céder du terrain, il finirait par lâcher sa meilleure pièce pour moins que sa valeur. Tout ce qu'il avait à faire, comme le lui avait appris sa mère, c'était d'être patient. «Avec la patience, mon petit chou, disait Monavar Banou, tu pourras faire d'un mendiant un Roi.»

Six mois de tractations plus tard, Nour, accompagnée de Bibi, d'une dizaine de servantes et d'hommes de confiance, fut envoyée à Qazvin chez celui qui allait devenir son époux. Ce jour-là, Montazemolmolk, fusil à la main, disparut dans la forêt dès l'aube pour ne réapparaître que le lendemain, le corps ensanglanté d'une biche posé en travers de son cheval. À la surprise générale, il n'accrocha pas la biche à un arbre pour la dépecer et l'envoyer en cuisine pour le repas du soir. Il creusa un trou devant le *birouni* et l'enterra. Quand on rapporta l'anecdote à la vieille Amira, forteresse perdue

130

derrière les volutes de la fumée de l'opium, elle éclata d'un rire méprisant: «Cette biche, c'est la petite aux yeux bleus qu'il n'a pas eu les couilles de garder. Qu'il l'enterre maintenant, comme il m'a enterrée!»

Le voyage à travers les montagnes d'Alborz dura sept jours. Assise sur son minuscule tabouret dans la cuisine de la maison d'Oncle Numéro 2, Bibi me racontait comment tout le long du chemin, les paysans, alertés du mariage par l'écho des montagnes, se précipitaient à leur rencontre. Ils les invitaient chez eux, chantaient et dansaient autour d'un feu de joie, chargeaient leurs chevaux de nourriture et de présents. Les enfants couraient pieds nus derrière le convoi jusqu'à ce qu'un écran de poussière les empêche d'avancer.

Enfermée dans le domaine de son père depuis l'enfance, effrayée par tous ces regards fixés sur elle, Nour gardait les yeux baissés et marmonnait de timides remerciements. Aujourd'hui, je la vois aussi perdue/résignée qu'un papillon dans un filet, mais à l'époque, comme je ne comprenais qu'à moitié le hachis de mots qui sortait de la bouche de Bibi, je comblais les trous avec mon imagination d'enfant en quête d'aventures. J'avais entendu des extraits des *Mille et Une Nuits* déclamés par les voix puissantes des conteurs dans les quartiers populaires du centre de Téhéran et je superposais sur le visage volontaire de Shéhérazade, en route vers la demeure de l'insatiable Roi Shahryar, celui pâle de ma grand-mère que je ne connaissais qu'à travers les photographies en noir et blanc.

Nour, qui n'avait jamais vu ne serait-ce que l'ombre de Mirza-Ali, ne savait pas ce qui l'attendait à Qazvin, ville où chaque jour il lui suffisait de humer l'air rempli d'une substance trouble appelée «pollution» pour se sentir en exil.

Située au pied des montagnes d'Alborz, Qazvin* fut construite par le Roi sassanide Shad Shahpur, qui régna sur la Perse de 240 à 275. Ravagée par les Arabes, détruite par les Mongols, elle fut la capitale de l'Empire safavide au XVIᵉ siècle, avant de perdre de sa splendeur.

En 1911, quand le convoi transportant Nour entra dans Qazvin, la ville avait retrouvé son éclat et affrontait avec confiance l'ère du progrès. Entre deux mosquées, un photographe avait ouvert sa boutique. L'épicier Djafar Agha vendait à l'unité un médicament importé d'Occident, aussi efficace que l'opium, et nommé « aspirine » (prononcé *âspirrin*). Un cinéma était en construction sur la place centrale et l'asphalte commençait à servir de revêtement pour les trottoirs et les rues. Mais les yeux de Nour, qui n'avaient connu que forêts, rivières et montagnes, ne virent que saleté et chaos. L'angoisse qui l'envahit venait de l'absence d'horizon. Pourtant, c'est ici que, selon les termes du marchandage viril dont elle avait fait l'objet, elle devait vivre et mourir.

Près de trente années plus tard, la prostituée qui n'était pas encore née la délivrerait d'un tel destin. En attendant, Nour ne retourna plus sur sa terre natale de Mazandaran. C'est Mazandaran qui – et j'entends le roulement de tambour annonciateur du désastre... – à la faveur d'un hold-up

---

* Aparté qazvini. Vous serez sans doute étonnés d'apprendre que dans tous les pays du Moyen-Orient existe une ville où les hommes ont la réputation d'être homosexuels. En Iran, c'est Qazvin qui est le porte-drapeau de cette tradition tragi-comique. L'homosexualité des Qazvinis est le sel et le poivre de nombreuses plaisanteries dans lesquelles les mollahs ont la part belle. La raison de cette réputation reste obscure. Cela étant, elle n'est pas étrangère au fait qu'Obeid Zakani, célèbre poète satirique du XIVᵉ siècle, anticlérical affirmé, soit né dans cette ville. Quoi qu'il en soit, qui dit « Qazvin » dit « homosexualité » et à force, la légende est devenue, paraît-il, réalité. Si Oncle Numéro 2 était vivant, ses vieilles oreilles, qui pourtant en ont entendu d'autres, siffleraient doucement...

monarchique, dont l'origine fut un coup d'État fomenté à Qazvin, vint à elle.

Attardons-nous un instant sur ce coup d'État dont l'onde de choc se fit sentir jusqu'en 1979 et au-delà. Puisque tout est lié, n'est-ce pas? Puisque, comme criaient les punks, l'Histoire n'est qu'une boucle sans fin à travers le temps, un retour permanent en arrière, un *No Future*... Quand vous aurez fini la lecture de ce chapitre, vous verrez à quel point Mazandaran et Qazvin, Qazvin et Mazandaran, eurent leur importance non seulement dans ma petite histoire, mais dans la Grande. Donc dans la vôtre. Quand il s'agit d'Iran, l'Occident et sa vision hégémonique ne sont jamais très loin, hélas.

Au début des années 20, la Perse, gouvernée par Ahmad Shah Qadjar, un jeune monarque sans envergure, était en décrépitude. Les Britanniques la convoitaient désormais pour son pétrole et l'utilisaient comme base arrière pour déstabiliser l'alliée d'autrefois, la Russie, devenue bolchévique. Dans les forêts de Mazandaran, la rébellion armée contre l'occupation étrangère faisait rage. Ailleurs, la grippe espagnole et la famine avaient fait des dizaines de milliers de morts. L'armée était aussi efficace qu'un pneu crevé ; seule sa division cosaque, autrefois dirigée par les Russes, mais tombée dans les mains britanniques, était opérationnelle.

À l'automne 1920, les Britanniques décidèrent en secret de renverser le gouvernement et de le confier à l'anglophile Seyyed Ziyâ Tabatabaï, leur homme de confiance. Cependant, ils firent de la non-destitution de la dynastie Qadjar, dont le règne centenaire s'essoufflait dans la décadence, l'une des conditions du putsch. En octobre, le général Edmund Ironside arriva à Qazvin où la division cosaque, forte de six mille hommes, était stationnée. Il repéra un certain Reza, jeune militaire charismatique et autoritaire, mais très peu instruit, et lui accorda la direction des opérations. Montazemolmolk connaissait bien ce Reza, né dans une famille pauvre de Mazandaran, qui passait chez lui chercher des chevaux quand la division cosaque sous commandement russe était casernée dans le Nord.

Le 21 février 1921, les hommes de Reza Khan, partis de Qazvin, envahirent Téhéran et prirent rapidement le pouvoir. Nommé *Sardar Sepah* (chef des armées), Reza Khan devint l'homme fort du pays. Quatre ans plus tard, Ahmad Shah le nomma premier ministre avant de partir pour Londres, soi-disant pour raisons de santé, mais en vérité pour ne plus jamais revenir. Craignant comme la peste la presse et les intellectuels, Reza Khan empêcha tout débat et musela ses contradicteurs. Grand admirateur de Mustapha Kemal «Ataturk», il voulut instaurer une République, mais le clergé s'y opposa. Pour se mettre le clergé dans la poche, il renonça à son projet et prit une autre décision : prendre la place d'Ahmad Shah. Pendant ce temps, du nord au sud, les grandes familles, refusant de jouer le jeu d'une succession anticonstitutionnelle, s'allièrent. Les patriarches poussèrent le patriotisme jusqu'à rassembler des hommes et des armes et rejoindre Téhéran afin d'éviter un nouveau coup de force. Parmi eux, Montazemolmolk, qui aurait volontiers tordu le cou de ce morveux de Reza.

Mais, fort du soutien du clergé, Reza Khan obtint facilement du Parlement la destitution des Qadjar et le transfert du pouvoir suprême en sa faveur. Couronné en avril 1926, il devint Reza Shah, le premier Roi de la dynastie des Pahlavi*. Encore une fois intellectuels et nationalistes perdirent face aux militaires, au clergé et aux forces étrangères. La roue

---

* Nom usurpé à une autre famille qui par son étymologie renvoyait à la dynastie des Parthes et consolidait la persanitude du bonhomme.

tournera et l'histoire se répétera avec le coup d'État de 1953 et la destitution de Mossadegh. Elle tournera à nouveau jusqu'à 1979, quand le clergé, dont le plus emblématique représentant était installé à Neauphle-le-Château, s'alliera cette fois directement avec les forces étrangères et prendra le pouvoir.

Le mendiant devenu Roi, Reza Pahlavi, entreprit de moderniser la Perse qu'il rebaptisa Iran, pays des Aryens. Il imposa le port du vêtement occidental aux hommes et fit arracher le voile de la tête des femmes par une milice spéciale. Il rendit obligatoire l'inscription à l'état civil et le choix d'un patronyme (les descendants de Mirza-Ali devinrent les Sadr et ceux de Montazemolmolk, les Montazemi). Il abolit le système féodal, les titres nobiliaires et confisqua les terres des grandes familles.

C'est ainsi que Montazemolmolk, jeté hors de son domaine avec femmes et enfants, atterrit à Qazvin, auprès de sa fille chérie maintenant mère de six enfants. Mirza-Ali n'eut aucun mal à lui trouver une vieille bâtisse, loin du centre-ville, où la tribu s'entassa avec peine. L'opium n'étant plus à portée de main, Montazemolmolk découvrit le whisky anglais qu'il déversait en grande quantité dans sa lourde carcasse pour soigner son désespoir. Tel un danseur soufi, il tournait en rond dans une chambre, composait des poèmes où il était question d'exil et de trahison, et les dictait à celui de ses enfants qui se trouvait dans les parages.

Profitant de la déchéance de leur père et encouragées par leurs mères, ses plus jeunes filles s'enfuirent à Téhéran pour trouver un mari. Selon Oncle Numéro 2, Montazemolmolk ne s'aperçut même pas de leur absence. Quelques années plus tard, apprenant le dénuement dans lequel vivait le vieux Mazandarani, Reza Shah accepta de lui restituer une partie de ses biens et l'autorisa à retourner sur ses terres pour y mourir. Seule la vieille Amira l'accompagna. Maintenant qu'elle pouvait avoir cette crapule pour elle seule, elle n'allait pas s'en priver.

Tandis qu'une voiture, dépêchée par Mirza-Ali, conduit Montazemolmolk et Amira vers la nouvelle gare de Qazvin, faisons une boucle pour revenir à Nour et à son arrivée dans cette ville.

En tant qu'unique descendant mâle, Mirza-Ali Sadr avait hérité de la maison paternelle, une vieille demeure divisée en deux ailes séparées par un jardin. Dans celle où il installa sa jeune épouse vivaient déjà ses dix sœurs ; un gang de bigotes à la face de craie et au regard aussi sombre qu'une grotte.

Les sœurs de Mirza-Ali se détestaient entre elles. Elles se disputaient, se trahissaient, se jetaient des sorts, se poursuivaient dans le jardin avec un balai. Les portes des multiples chambres avaient si souvent claqué que le jour où il hérita officiellement de la maison, Mirza-Ali les fit toutes enlever. La réputation des sœurs Sadr était si désastreuse que malgré l'importance de leur dot, aucune famille n'envoyait ses fils demander leur main. L'arrivée de Nour – l'Intruse, l'Étrangère, l'Ennemie commune – les calma un temps. Habituée à être le souffre-douleur de ses belles-mères, Nour devint naturellement celui de ses belles-sœurs. Mais ce que Nour supportait, Bibi ne le supporta pas. La fille préférée d'Agha Khan traitée comme une chienne des rues, c'était le monde qui marchait sur sa tête !

Malgré les prières de Nour, Bibi alerta Mirza-Ali qui refusa d'intervenir. Hors de question qu'il s'abaisse à régler des problèmes d'arrière-cuisine. Cependant, il ne pouvait pas laisser ses sœurs manquer de respect à sa femme. Après trois jours de réflexion, il trancha : si la montagne ne vient pas à Mohammad, eh bien, c'est Mohammad qui ira à la montagne !

Il rassembla quelques cousins et les envoya chez les notables de la ville, exigeant d'eux de présenter un mari à chacune de ses sœurs. Comme personne n'osait s'affronter à Mirza-Ali de peur d'attirer sur lui et sa famille la foudre du Tout-Puissant, dix prétendants se présentèrent à sa porte avant la tombée de la nuit. Ils étaient loin d'être du premier choix, mais Mirza-Ali s'en contenta. Il serra la main de chacun, les félicitant d'intégrer sa famille. Parmi eux, Ebrahim Shiravan, le fils pataud d'un hôtelier. Retenez bien cette poignée de main, cruciale pour Darius, Sara, Leïli, Mina et moi. Je ne pense pas exagérer en disant qu'à cet instant, tandis que Qazvin se préparait à fêter la fin de l'année 1917, ces deux-là venaient de sceller notre destin.

La perspective du mariage détourna les belles-sœurs de Nour et à nouveau elles se mirent à se jalouser, se détester et s'entretuer.

Personne ne racontait jamais ce que Mirza-Ali avait ressenti en voyant Nour pour la première fois, quand le convoi fit son entrée dans la cour de sa maison. Personne ne savait pourquoi il avait fait des kilomètres et dépensé une fortune pour sortir Nour des griffes de son père. Pourquoi il tenait tant à avoir une femme aux yeux bleus. Il est difficile de croire que mon grand-père, aussi occidentalisé fût-il, avait entendu parler des lois de Mendel et de la transmission des caractères héréditaires. Pourtant d'instinct, il avait su que Nour serait la fabrique idéale où décharger ses gènes pour produire une descendance à son image. Ce que Mirza-Ali ne se priva pas de faire dès que Nour fut installée dans la chambre qui communiquait avec la sienne.

Sans surprise, les dieux de la génétique firent leur travail. Durant douze années, à intervalles réguliers, Nour donna naissance à six fils aux yeux bleus et aux cheveux blonds; phénomène sérigraphique extraordinaire commenté et admiré dans tout Qazvin. Le photographe les photographia et étala fièrement leurs portraits dans sa vitrine. Les femmes les touchèrent comme des archanges. Les hommes prièrent à la mosquée Shahzadeh Hossein pour avoir autant de fils qui leur ressemblent. De l'autre côté des montagnes, Montazemolmolk attendait chaque naissance avec impatience. Chaque paire d'yeux bleus expulsée du ventre de sa fille était une revanche sur la vieillesse et la mort, la promesse que sa légende serait propagée dans le vaste monde. Car le vieillard n'accordait aucune place à Mirza-Ali dans cette œuvre. Il en était le seul artisan. Sans lui pas de Nour, sans Nour pas d'enfants aux yeux bleus. Point à la ligne.

Les yeux bleus devinrent une marque de fabrique, un label, un certificat d'authenticité. Durant les années 60, quand des mots tels que «chromosome» et «gène» firent leur entrée dans le vocabulaire des Iraniens, les frères Sadr continuaient à croire que la couleur de leurs yeux était un attribut divin sans aucun lien avec ces charivaris génétiques. Même Darius, athée et avant-gardiste, ne dérogeait qu'en partie à cette croyance. Ils avaient épousé des femmes aux yeux marron, mais ne comprenaient pas pourquoi ils avaient eu des enfants aux yeux marron. Ils avaient multiplié les enfants comme on réclame justice, jusqu'à en avoir un aux yeux bleus; puis avaient recommencé pour en avoir un second. Nour n'aimait que ses petits-enfants aux yeux bleus. Ceux-là étaient les siens, les autres appartenaient à l'autre famille, celle sans grand intérêt de ses brus.

7

Le destin selon Grand-Mère Emma Aslanian

La période révolutionnaire russe fut l'occasion pour de nombreux cinéastes d'expérimenter et de théoriser l'art cinématographique. Aux alentours de 1921, deux d'entre eux, Lev Koulechov et Vsevolod Poudovkine, effectuèrent une expérience connue sous le nom d'effet Koulechov ou Effet-K, afin d'expliquer le rôle essentiel du montage sur l'esprit humain. Cette expérience démontre que la lecture d'une image dépend d'un contexte, autrement dit de l'image qui la précède et de celle qui la suit. Ainsi un même visage – en l'occurrence le gros plan neutre de l'acteur Ivan Mosjoukine, le regard dirigé vers le hors-champ – suivi d'une assiette de soupe, d'une femme morte dans un cercueil ou d'une petite fille en train de jouer est perçu de trois façons différentes. Prises séparément, ces images ne racontent pas grand-chose, mais de leur proximité naît une intention dramaturgique évidente. Une histoire. Lorsque Koulechov interrogea des spectateurs sur le jeu de Mosjoukine, ils affirmèrent avoir apprécié la justesse de l'acteur pour exprimer tour à tour la faim, la compassion et la tendresse.

Il en va de ces images comme des événements d'une vie. Associés à d'autres, certains événements apparemment anodins se chargent d'un nouveau sens. Ainsi des liens se créent. Des ponts se jettent entre les générations. Des connexions s'établissent quelque part dans l'Univers. Les pragmatiques appelleront ces phénomènes Coïncidence ou Hasard, s'étonneront un temps de leur manifestation, puis passeront leur chemin. Les sceptiques, qui, comme ma grand-mère maternelle Emma Aslanian, flairent l'Univers comme un chien de chasse à la recherche de liens, de raccourcis et de sens, ceux qui croient en une force supérieure qui régit le monde, un Dieu, pas forcément miséricordieux ou protecteur, appelleront cela Destin. Et le destin s'attarda au-dessus de Téhéran le matin du 3 juillet 1971.

À dix heures quarante-cinq, alors qu'elle prenait le thé avec la Grande Mina, Sara sentit une douleur aiguë traverser ses reins. Une demi-heure plus tard, prévenu par la Grande Mina, Darius quittait le bureau à la hâte, décidé cette fois à emmener lui-même sa femme à la maternité. Le ciel d'été était d'un bleu sans partage, avec en son centre un soleil au contour aussi net que le jaune d'un œuf au plat. La chaleur alourdissait déjà l'air. La ville s'enfonçait dans une léthargie indolore, le pouls au ralenti, sèche comme les lèvres d'un mourant. Au volant de sa Peugeot 404 blanche, Darius avait l'impression d'être le seul *Téhérani* à se hâter vers le futur.

Poussons maintenant la porte de la salle d'accouchement de l'hôpital Aban, en plein combat de la délivrance (mot par lequel les Arméniens désignent l'accouchement). Je vous laisse imaginer la bande-son, sachant qu'à l'époque la péridurale non plus n'était pas encore utilisée en Iran. Si nous arrivons en plein milieu de l'action, aux alentours de quatorze heures, c'est parce que jusque-là tout se passait nor-malement. Mais voilà que la tête du bébé glissa des mains du docteur Mohadjer pour repartir à l'intérieur. À l'autre bout du lit, le cri strident de Sara fit trembler les murs.

Alors que Sara agonisait, Mohadjer, le bras enfoncé en elle jusqu'au coude, attrapa enfin le bébé et l'extirpa à grand-peine par le siège. Au premier regard, il pensa qu'il était perdu. Le cordon ombilical l'étranglait. Il était en sang, entièrement couvert de merde verdâtre. Tétanisé, le docteur se demanda qui sauver : l'enfant ou la mère ? Il ferma les yeux. L'angoisse d'annoncer la mort de l'un des deux à Darius lui compressait la poitrine. La science ne lui était plus d'aucun secours. Ni Dieu qu'il avait largué depuis longtemps dans une chambre de bonne entre les jambes d'une Parisienne. Il était seul avec la Mort qui faisait tourner son lasso dans l'air épaissi par l'odeur de sang et de viscères.

C'est alors qu'il sentit (ou crut sentir) l'enfant bouger dans sa main. Il ouvrit les yeux. Le cul couvert de merde le fixait. «Tu m'as tiré dans ce monde, maintenant tu te débrouilles pour me prouver que ça vaut la peine de naître», crut-il entendre. Secoué, Mohadjer revint à lui et obéit. Il s'agita. Attrapa des ciseaux. Détacha le bébé de la mère. Et tenta le tout pour le tout.

Au même moment, exténué par l'anxiété et la tyrannie de la nature qui avait pris possession de l'utérus de sa femme, la chemise humide de transpiration, Darius quitta la salle d'attente et descendit fumer une cigarette.

Il traversa le hall plongé dans un bain de soleil comme dans une friture et rejoignit la cour. Sa Camel sans filtre entre les doigts, le cerveau froissé comme du papier, il s'étira tout en regardant autour de lui à la recherche d'un coin d'ombre où se laisser aller à sa fatigue. C'est alors qu'il vit Oncle Numéro 1 sortir de sa voiture. Suivi d'Oncle Numéro 3, d'Oncle Numéro 5 et d'Oncle Numéro 6.

Croyant qu'ils étaient venus le soutenir, reconnaissant, Darius se précipita à leur rencontre. Il était trop tendu, trop empli d'émotions, pour se souvenir qu'aucun d'eux n'avait été présent aux accouchements de Sara. Lui-même n'avait jamais assisté à la naissance de ses vingt-six neveux et nièces. La tradition voulait que ça soit la famille de la femme qui se rue à l'hôpital, pas celle de l'homme. Et en matière de traditions, ses frères donnaient dans l'excellence (sauf Oncle Numéro 6, rusé et menteur, toujours à tortiller pour sauver la face). D'ailleurs, dès que le regard de ses frères, assombri par une étrange inquiétude et la lumière accablante de l'été, se posa sur lui, son élan disparut. Une angoisse familière et primitive le relia d'un coup à eux comme un cordon ombilical.

La dernière fois que ses frères l'avaient regardé ainsi remontait à plus d'une vingtaine d'années, devant les grilles de l'université de Téhéran où il était étudiant. Ils l'attendaient, alignés ; Oncle Numéro 1 en uniforme de l'armée, Oncle Numéro 3 clignant nerveusement des yeux, Oncle Numéro 5 se rongeant les ongles et Oncle Numéro 6 la tête dans les épaules. Ils étaient venus lui annoncer les horribles nouvelles rapportées par un cousin de Qazvin dépêché dans la nuit : la prostituée, l'enfant aujourd'hui âgé de cinq ans qui mendiait devant la maison paternelle, le déshonneur.

Cet après-midi de juillet 1971 comme alors, Oncle Numéro 2 était absent, et ce seul fait ne laissait aucun doute sur le sujet du malheur.

« Mère... ? balbutia Darius.

– Oui... » répondit Oncle Numéro 1, assumant une fois de plus le rôle de l'aîné à qui revient la gestion des mauvaises nouvelles.

La fratrie Sadr traversa les couloirs de l'hôpital du pas lourd des impuissants. Ils entrèrent dans la chambre de Mère plongée dans le coma comme on entre dans le chagrin.

Deux infirmières s'affairaient autour d'elle, la préparant pour l'opération. Sur le lit d'à côté, Oncle Numéro 2, le bras accroché à une perfusion, retrouvait ses esprits. Ce qu'il leur apprit d'une voix terne où s'emmêlaient toutes les nuances de la douleur se résumait en peu de phrases. Comme tous les midis, il s'était rendu chez Mère. Ne la voyant pas dans le salon, il était allé dans sa chambre. Il l'avait trouvée étalée au milieu de la pièce, face contre terre, un filet de bave le long du menton. Il avait poussé un cri et s'était évanoui. Entendant son cri, Bibi avait traîné sa carcasse bringuebalante jusqu'à la chambre. C'est elle qui avait appelé une ambulance. Ses frères écoutaient Saddeq en silence, l'esprit colonisé par l'angoisse.

Jamais, durant les soirées d'été passées sur la terrasse de sa maison de Mazandaran, à raconter les nombreux épisodes des aventures de Montazemolmolk et de ses descendants, Oncle Numéro 2 ne faisait référence à cette matinée, baptisée par Leïli *La Matinée funeste*. Quand son récit l'obligeait à s'en approcher, il la contournait. Pourquoi ? Personne ne le savait vraiment. Mais chacun, pour des raisons différentes, acceptait son évitement. Les adultes par respect pour sa peine, quoique considérée par certains comme extravagante. Les enfants de peur que la poigne autoritaire de leur père les saisisse par la peau du cou et les chasse hors du cercle familial. Le tabou était tel que, même en son absence, personne n'osait en parler (vous remarquerez que tous les tabous familiaux avaient un lien avec Oncle Numéro 2). Pourtant, patiente encore un peu cher lecteur, et je te révélerai ce qu'aucun Sadr n'a jamais su. Pour l'instant, il y a un bébé et sa mère à sauver...

Dans la salle d'accouchement, le bébé se mit soudain à pleurer. Ça y est, la Vie brûlait ses poumons. L'oxygène se déversait dans son sang. Ses membres bougeaient. Inutile de le laver, décida le docteur Mohadjer, mieux valait le coller tout de suite contre le corps exsangue de sa mère. D'une pâleur alarmante, Sara ne bougea pas. Le cœur battant (*il faut qu'elle vive il faut qu'elle vive il faut qu'elle vive*), Mohadjer se pencha à son oreille.

«Sara *Djan*, accroche-toi... Tout va bien. Le bébé est en pleine forme. Tiens, touche-le, tu verras (il lui prit la main, la posa sur le corps sanguino-merdinolant du bébé). C'est une jolie petite fille...»

Plus tard, à tous ceux qui viendront lui rendre visite dans sa chambre d'hôpital, Sara racontera sur un ton amusé et triomphal que c'est à cette seconde précise, le corps irrigué par une joie inespérée, qu'elle eut l'idée de m'appeler Kimiâ. De l'arabe *Al-kimiya*, alchimie; lui-même du grec *khêmia*, magie noire; lui-même de l'égyptien *kêm*, noir. Kimiâ donc. L'Art qui consiste à purifier l'Impur, à transformer le Métal en Or, le Laid en Beau. Et dans l'esprit clair-obscur de Sara, le Garçon en Fille.

Adieu Zartocht. Adieu chaussettes sales; ballons de foot; lézards décapités; taches blanches sur les draps; voiture emboutie; bru ingrate et perfide.

Plus tard encore, elle réalisa qu'elle s'était trompée.

Cette naissance fut ma première. La seconde eut lieu dix ans après, quand nous arrivâmes à Paris. Kimiâ devint Kimia ou Kim ou Kimy ou «Comment? Tu peux répéter?». À vrai dire, rien ne ressemble plus à l'exil que la naissance. S'arracher par instinct de survie ou par nécessité, avec violence et espoir, à sa demeure première, à sa coque protectrice, pour être propulsé dans un monde inconnu où il faut s'accommoder sans cesse des regards curieux. Aucun exil n'est coupé du chemin qui y mène, du canal utérin, sombre trait d'union entre le passé et l'avenir, qui une fois franchi se referme et condamne à l'errance.

À seize heures dix, quand le docteur Mohadjer apprit à celui qui était désormais mon père que j'étais une fille, Darius, le regard ailleurs, se contenta de hocher la tête. La déception était atténuée par la perspective de la Mort qui, chassée de la salle d'accouchement, s'était précipitée trois étages plus bas pour s'emparer du corps de Nour. Ainsi, au moment où une infirmière au nez crochu emmaillotait le corps lavé et toujours violacé de Kimiâ Sadr dans un linge blanc, trois étages plus bas, une autre, le visage barré d'un masque médical, tirait un drap blanc sur celui de Nour Sadr. Dans les couloirs de l'hôpital, selon qu'il se trouvait à un étage ou un autre, Darius recueillait félicitations ou condoléances.

À nouveau la Vie et la Mort s'étaient précipitées l'une vers l'autre comme dans l'*andarouni* de Montazemolmolk. Pris séparément, ces deux événements n'ont rien d'extraordinaire, mais mis côte à côte ils produisent un effet surprenant dont la signification, si signification il y a, nous dépasse. Soixante-seize années s'étaient écoulées entre la naissance de Nour et la mienne. Soixante-seize années durant lesquelles s'était établi un nouvel ordre mondial qui pourrait se résumer ainsi : celui qui contrôle le pétrole contrôle le monde. Et l'Iran était devenu le centre de ce rapport de force.

En octobre 1925, après deux siècles de règne, la dynastie d'origine turkmène des Qadjar fut chassée sous l'impulsion des Britanniques et remplacée par une autre qui usurpa le nom de Pahlavi. En août 1941, Reza Shah fut chassé à son tour, cette fois par une alliance entre Britanniques et Soviétiques, en faveur de son fils, Mohammad Reza, qui en 1965 se déclara en toute modestie Roi des Rois. Entre-temps, le pays avait été modernisé, des hôpitaux avaient été construits, une génération de médecins diplômés des universités occidentales avait importé des techniques nouvelles. L'espérance de vie avait augmenté et la natalité avait reculé. Oui, les temps avaient changé, mais les gestes qui accueillent la vie et admettent la mort étaient les mêmes que dans l'*andarouni*. Un drap blanc, une longue prière. Et voilà chacune de nous prête pour le voyage, sur des rives opposées, dans des mondes séparés par l'épaisseur froide de la Terre, mais liée à l'autre pour toujours par la chaîne complexe et facétieuse de la génétique.

Grand-Mère Emma apprit la nouvelle de ma naissance et celle de la mort de Mère en même temps.

Elle était chez elle avec Leïli et Mina, dont elle s'occupait depuis le début des vacances scolaires pour soulager Sara. Dès que celle-ci lui annonça par téléphone qu'elle avait perdu les eaux, Emma serra ses petites-filles contre son corps aussi moelleux qu'une brioche et les prévint que la journée allait être longue. Puis, pour chasser son angoisse et occuper les petites, elle sortit tamis et farine et se mit à préparer ses fameux biscuits aux graines de cardamome, les préférés de sa fille.

Emma possédait toute une gamme de spécialités pâtissières, dont certaines étaient disposées sur la table du salon sous une cloche protectrice. Chacune témoignait de l'état émotif à l'origine de leur préparation. Les crêpes à la fleur d'oranger – faciles à faire, parfumées, idéales avec le thé – signifiaient qu'elle s'était réveillée de bonne humeur. Les petits pains au tahin (*tahinov hatz*) – très sucrés, typiquement arméniens – dégageaient l'odeur de la mélancolie, la mort de ses parents dans un accident de train alors qu'elle n'avait que dix ans, la responsabilité soudaine de ses frères et sœurs, le combat pour les élever ; et s'ils étaient si sucrés, c'était pour effacer l'amertume de la réalité. Depuis toujours, les biscuits aux graines de cardamome étaient associés à Sara. Ils avaient rythmé sa vie, de ses examens d'écolière à ses accouchements. Ce samedi 3 juillet, plus l'accouchement durait, plus la quantité de biscuits disposés méthodiquement par Leïli et Mina dans des boîtes métalliques devenait impressionnante.

«Qu'est-ce qu'on va faire de tout ça, Grand-Mère Emma? demanda Mina qui n'en pouvait plus.

– On ira les distribuer aux pauvres dès que votre petit frère fichera la paix à ma Sara!»

Emma venait de mettre au four la dix-septième fournée quand enfin le téléphone sonna. Elles se précipitèrent dans le salon. Leïli et Mina crièrent de joie: «Ça y est, le petit frère Zartocht est né!» Poussée par l'enthousiasme, Mina voulut décrocher, mais Emma lui prit le combiné des mains. Elle avait connu suffisamment d'accouchements malheureux pour savoir qu'on ne pouvait jamais être sûr de ce qu'on allait vous annoncer. Elle s'attendait à la voix de Darius, mais c'était la Grande Mina qui appelait de l'unique téléphone public de l'hôpital Aban.

En proie à des émotions contradictoires, la mine sombre, Emma raccrocha. La main posée sur le combiné, elle ne bougeait pas.

«Zartocht est mort?» demanda Leïli inquiète.

Se souvenant soudain de ses petites-filles, Emma fit non de la tête et décida qu'elle n'allait certainement pas leur annoncer la mort de Mère. Chaque chose en son temps.

«Alors c'est Sara? insista Leïli.

– Mais non, tout va bien mes poussins. Sauf que Zartocht est une fille, répondit Emma avec un sourire pâle. Vous avez une petite sœur.

– Ah je comprends! Tu fais cette tête d'enterrement parce que tu t'es gourée!» s'exclama Mina.

Mina n'avait pas complètement tort. Dépositaire d'un savoir-faire ancestral, Emma ne se trompait jamais quand il s'agissait de sonder les arabesques tortueuses au creux desquelles se nichait l'avenir. Unique Arménienne de la famille, elle considérait qu'elle était aussi la seule capable d'interpréter correctement le marc de café. Quand une autre qu'elle avait la velléité de toucher à une tasse, elle levait ses yeux noirs au ciel et lançait, dédaigneuse : « Que les Persans interrogent leur cher livre de poésie et laissent aux Arméniens leur café*... » C'est sa grand-mère Sévana, née à Izmir, qui avait transmis ce savoir à sa mère, Anahide, née à Istanbul, qui l'avait transmis à Emma, née à Rasht, qui l'avait transmis à Sara, née à Téhéran (qui ne s'en servait que rarement et toujours pour les autres).

Anahide et son mari, Artavaz Aslanian, avaient fui la Turquie, peu avant le génocide de 1915, pour Moscou qu'ils avaient fui au moment de la révolution de 1917, pour Rasht, ville du nord de l'Iran, où Emma était née. Puis ils avaient quitté Rasht pour s'installer définitivement à Téhéran où Artavaz avait trouvé un poste d'instituteur dans une école arménienne. Bien que n'ayant jamais vu l'Arménie, devenue en 1920 la République soviétique d'Arménie, Emma était très attachée à ce pays. Elle disait que l'Arménie était son arrière-pays, comme on le dirait d'une arrière-grand-mère. Pour elle, l'art de lire dans le marc du café était d'autant plus précieux/unique/inimitable qu'il puisait ses racines dans le malheur d'un peuple opprimé qui avait résisté à toutes les tentatives pour l'anéantir. Il témoignait du besoin farouche des Arméniens de connaître le futur pour échapper à un destin tragique ; sentiment terrible que ces prétentieux Iraniens ne pouvaient pas comprendre.

---

* Référence ironique à la coutume iranienne qui consiste à ouvrir au hasard *Divan*, recueil du grand poète du XIVᵉ siècle Hafez de Shiraz, afin d'obtenir des réponses sur l'avenir. Les divinations de Hafez sont prises très au sérieux par les Iraniens qui les interrogent à tout bout de champ.

C'est donc avec fierté et assurance qu'un après-midi d'automne, alors que sa famille était réunie dans son salon, elle se saisit de la tasse de Sara, enceinte de six semaines, et la retourna sur sa soucoupe. Elle attendit que le marc descende, mit ses lunettes, reprit la tasse, la tint entre ses mains comme le visage d'un nouveau-né. Elle la pencha à droite, à gauche, la fit tourner, retourner... Et la tendit à Sara avec émotion.

« Regarde, là, sur le côté... C'est rempli de lignes pénisoïdales, mon chaton ! »

Quand elle sut que j'étais une fille et que Mère était morte, Emma resta interdite. Qu'est-ce qui s'était passé ? Est-ce que ce lamentable échec était la rançon à payer pour avoir épousé un musulman persan et s'être éloignée de son peuple ? Pourtant, elle les avait bien vues ces lignes... Elle savait quand même faire la différence entre une ligne et une fente, pardi ! Emma laissa les gamines jouer sur la terrasse et s'enferma dans la cuisine pour réfléchir.

Elle se versa un thé bien noir, s'assit et attaqua la dernière fournée de biscuits. Un, deux, trois, quatre. La chaleur sucrée l'apaisa. Une lueur d'explication se fit dans son esprit et se développa au rythme du taux de glucide dans son sang. Elle vint se nouer à cette certitude qui l'habitait depuis la mort de ses parents : pour chaque être qui meurt un autre naît à sa place. Cinq, six. Lentement, des liens se tissèrent, des morceaux disparates comme les pièces d'un puzzle s'imbriquèrent. Sept, huit, neuf. Un imbroglio pareil ne peut être que... que... oui bien sûr... Évidemment ! Cet enfant était bien un garçon, jusqu'au moment où, estimant qu'il était temps de prendre Nour, le Créateur avait changé d'avis et l'avait transformé en fille. Emma aurait parié son alliance que ce tour de passe-passe divin était postérieur au jour où elle avait déchiffré le marc de la tasse de Sara.

Ma grand-mère ne savait pas que c'est entre la septième et la onzième semaine que les voies génitales internes se spécifient avec une atrophie des canaux de Wolff ou de Müller selon que le bébé sera fille ou garçon. Néanmoins, elle décida que ce jour d'automne où Sara leur avait annoncé qu'elle était enceinte de six semaines, le sexe de l'enfant n'était pas encore définitivement formé. Donc Dieu avait tout loisir de le façonner comme Il voulait. Qu'elle sache, son art ne révélait pas encore les intentions farfelues du Créateur! Il ne prédisait pas quand il Lui prenait l'envie de faire un peu de bricolage génital!

Ragaillardie, Emma attaqua le dernier biscuit. Et apporta la touche finale à son explication. Bien sûr que c'était ce qui s'était passé, sinon pourquoi cette enfant (Kimiâ, quel drôle de prénom!) aurait refusé de naître tout de suite si ce n'est pour attendre que l'âme de Nour se libère et vienne occuper son corps? Alors, qu'est-ce que vous répondez à ça? Des années après ma naissance, c'est avec cette redoutable interrogation qu'elle rabattait le caquet à tous ceux qui osaient encore lui rappeler son échec. Mais avant de se lever, de s'habiller en noir et de préparer mes sœurs pour rejoindre l'hôpital, elle prit la décision de ne plus lire dans le marc de café d'une femme enceinte avant que le ventre soit bien rond.

Emma ouvrit la porte de la chambre de sa fille. Le teint terne comme du lait caillé, Sara s'était endormie, son gros bébé collé dans ses bras. Quatre kilos six cents grammes pour cinquante-quatre centimètres, avait dit l'infirmière. Des mesures qui corroboraient fichtrement sa thèse.

Elle s'approcha doucement et se pencha pour mieux voir sa petite-fille. La vue de cette enfant dont le Destin avait dévié le genre la troubla. Comment allait-elle se dépatouiller dans la vie avec un corps ainsi trafiqué? Elle repoussa du bout des doigts le tissu blanc qui lui cachait en partie mon visage. La ressemblance avec Nour la fit sursauter. Ressemblance qui à nouveau corroborait fichtrement sa thèse. Elle était la première à la remarquer, aussi clairement qu'elle avait vu celle de Leïli et Mina avec Sara, donc avec elle et avec sa mère, Anahide.

Tandis qu'Emma réfléchissait au sens caché de cette naissance endeuillée, Sara ouvrit ses yeux rougis par les larmes (Darius lui avait appris la mort de Mère) et murmura:

« T'as vu, c'est une fille...

– Pas tout à fait, nuança Emma.

– Comment ça pas tout à fait? »

Le jour de l'enterrement de Nour, chacun de ses fils se jeta dans sa tombe et fut repêché. Oncle Numéro 6 alla jusqu'à s'évanouir six pieds sous terre sur le cadavre emmailloté dans le *kafan*, le tissu blanc dans lequel sont enterrés les musulmans.

À la vue de son frère étalé sur le corps de Mère, Oncle Numéro 2 sentit le poison de la jalousie déferler dans son sang. C'était à lui de rester avec elle, de la protéger de l'humidité de la terre, de mourir symboliquement dans ses bras. Plus tard, quand il comprit qu'une part de fiction injectée dans la réalité aidait à panser les blessures, Saddeq raconta l'enterrement en inversant les rôles. Comme personne n'osait relever ses invraisemblances, il affirma bientôt que c'était lui qui avait perdu connaissance dans les bras de sa mère.

« Et Oncle Numéro 6, *Amou Djan*, qu'est-ce qui lui est arrivé? lui demandait souvent Mina sans vergogne.

– En fait, comme j'étais évanoui n'est-ce pas, je l'ignore, mon enfant. Mais on m'a dit qu'il était tombé dans les pommes le pauvre, en me voyant inconscient au fond du trou. »

Quand Oncle Numéro 6 – professeur de littérature à l'université de Téhéran, traducteur de quelques romans d'André Gide, propriétaire d'une des plus grosses agences immobilières de la ville, trop snob pour venir s'asseoir par terre sur la terrasse de Mazandaran et écouter les récits de Saddeq – apprit l'imposture de son frère, il fonça chez lui pour tirer les choses au clair. C'était un vendredi soir et, comme d'habitude, toute la famille était réunie. Ce jour-là, Oncle Numéro 6 arrivait d'Italie où, selon sa femme, il faisait affaire avec un importateur de marbre. J'ai su plus tard qu'à l'aéroport, il avait rencontré un cousin qui lui avait dit qu'une cousine avait entendu Saddeq raconter que...

Aux yeux de ses frères, Oncle Numéro 6 était encore un enfant. Le petit dernier, le chouchou de sa maman. Même son physique avait gardé les stigmates de l'enfance. Bâti comme un ourson, il avait un visage aussi rond qu'une assiette, posé sur un corps trapu d'à peine un mètre soixante. Il aimait boire des alcools forts, fumer des cigares, raconter des blagues aux sous-entendus salaces et dévisager les femmes. Il était sûr de lui, sans scrupules, impulsif et insolent.

Contrairement à ses frères, il avait un sens inné des affaires. Enfant déjà, ses yeux bleus, minuscules billes sans charme ni éclat, s'illuminaient dès qu'il racontait la façon dont il avait roulé un autre gamin dans la farine. Personne ne savait d'où lui venait cette passion pour la roublardise, le marchandage et les immeubles. Avec les années, il avait fini par construire un empire qui tenait debout grâce à une horde d'avocats et de relations louches dans les ministères. Le frère aîné de ma mère, universitaire lui aussi, avait fait part à mon père d'une rumeur selon laquelle Oncle Numéro 6 payait un nègre pour faire ses traductions. Darius avait ri aux éclats : « Pirouz est capable de tout ! » La même information concernant un autre professeur aurait déclenché sa colère. Il se serait lancé dans une tirade sur la corruption au sein de l'enseignement, l'opportunisme des soi-disant intellectuels, leur charlatanisme, mais dès qu'il s'agissait de son petit frère, Darius riait bêtement. Sara l'observait avec fatalisme. Il ne laissera jamais rien ni personne s'interposer entre lui et son clan, pensait-elle avec la résignation du scientifique qui sait qu'une part du mystère de l'Univers lui échappera à jamais malgré tous ses efforts.

Le prénom d'Oncle Numéro 6, Pirouz, signifiait « Victorieux ». Apprenant, je suppose avec horreur, qu'elle était à nouveau enceinte, Mère s'était mise à parcourir la cour un énorme sac de riz sur le dos pour provoquer une fausse couche. Mais le bébé, déjà stratège, s'accrocha au ventre de sa mère. En quelques mois, il grossit tellement qu'il l'obligea à abandonner le sac de riz et garder le lit. Il naquit coûte que coûte, *victorieusement*, et Mère le couva toute sa vie pour se faire pardonner.

Saddeq avait vécu une grande partie de son existence dans une anxiété paranoïaque face à cet amour si différent de celui mélancolique que Mère lui portait. Il avait peur qu'un jour elle finisse par se lasser de lui et choisisse définitivement son petit frère. Entre eux, la concurrence avait grandi sans jamais se déclarer au grand jour. Tout le monde savait qu'une boule noire de ressentiments, tapie sous des couches et des couches de bienséance, de soirées et de fêtes, de commémorations et de plats colorés, s'était coagulée en chacun. Mais personne n'imaginait qu'elle exploserait un jour…

Je me souviens d'un vacarme inouï. D'éclats de voix. De visages cramoisis. Des frères, debout, essayant de s'interposer. « Tu n'es qu'un guignol, Pirouz ! Tu arnaques tout le monde et tu viens me donner des leçons ? » Et plus tard, alors que mon père et Oncle Numéro 3 poussaient Pirouz vers une pièce voisine : «Tu peux la fermer mon vieux Saddeq, avec tes fréquentations !» Je me souviens de moi, blottie contre ma mère, me demandant de quelles fréquentations parlait Oncle Numéro 6 dont les yeux fixaient son frère avec fureur. Puisque je ne pouvais poser la question, elle resta coincée dans ma tête jusqu'à ce que des années plus tard, en 1981, je me retrouve seule dans la chambre d'Oncle Numéro 2.

D'abord le contexte : janvier 1981, deux ans après la fin de la Révolution (rebaptisée crapuleusement Révolution islamique). Recherché activement par le régime des mollahs, et après des mois de solitude dans une chambre aux rideaux tirés, mon père avait quitté l'Iran clandestinement. Quatre mois après son départ, Sara nous avait sorties de l'école et nous nous étions à nouveau installées chez Oncle Numéro 2. Chaque jour depuis deux mois, nous attendions le coup de fil du passeur qui avait emmené notre père pour qu'il nous conduise sur le même chemin. Mais, comme disait Saddeq, ça c'est une autre histoire...

Malgré nos multiples séjours chez Oncle Numéro 2, c'est la première fois que je me décide à pénétrer dans la pièce aménagée au dernier étage dont la porte, tapissée d'un vieux papier peint telle l'entrée d'un passage secret, est toujours fermée. Je ne veux pas quitter l'Iran sans avoir vu cette chambre. C'est le début de l'après-midi. Les adultes (plusieurs oncles et tantes), mes cousines et mes sœurs sont dans le salon, pris dans l'interminable séquence post-déjeuner. Aucun d'eux ne remarquera mon absence. En admettant que Sara s'en aperçoive, elle s'imaginera que je suis comme d'habitude dans la cuisine avec Bibi.

Depuis longtemps, cette pièce m'intrigue. Elle représente une réalité complexe qu'avant elle je n'avais jamais imaginée : la possibilité pour un mari de ne pas partager le même lit que sa femme. Quand j'ai demandé à ma mère pourquoi Oncle Numéro 2 dormait seul, elle m'a répondu que c'était à cause de ses migraines. L'explication ne m'a pas convaincue, d'autant que Sara, elle-même migraineuse, ne faisait pas chambre à part. À vrai dire, cette explication n'a fait qu'accentuer l'odeur perfide du secret que je sentais s'échapper du couple de Saddeq. Parfois, je voyais les plus âgées de mes cousines se pousser du coude en les regardant. Quand j'ai voulu savoir pourquoi, l'une d'elles m'a répondu en me pinçant la joue : « De quoi tu parles, Petite Pomme chérie ? », et les autres ont ri.

Protégée par d'épais rideaux en velours vert, la chambre est si sombre que je suis obligée d'allumer le plafonnier. Elle est étroite et monacale ; l'unique tache de couleur vient d'un dessus-de-lit en laine rugueuse, fabriqué par les femmes des pêcheurs de Mazandaran. L'été, dès notre arrivée, tandis que nous vidions les voitures surchargées, elles se précipitaient pour nous vendre ces couvertures et du caviar frais. Elles savaient que les « Messieurs Sadr » achetaient tout ce qu'elles leur apportaient. Le caviar finissait en omelette pour le dîner et les dessus-de-lit s'entassaient dans un coin en attendant le départ. À la fin de l'automne, ils ressortaient des armoires naphtalinées des maisons de Téhéran et chaque Sadr, petit ou grand, se retrouvait à dormir sous le sien jusqu'à la fin de l'hiver.

Je m'avance vers le mur qui fait face au lit. Au-dessus d'un petit bureau rangé au millimètre, des photographies en noir et blanc, de formats différents, jaunies par le temps. La dominante de cette exposition intime/nostalgique est bien entendu Mère. Une déclinaison de ses portraits crée l'ossature principale. Autour des portraits, les photos des frères, ensemble ou en solitaire, enfants, adolescents, timides, arrogants, immatures ou moustachus. Mais aussi, çà et là, de jeunes Persans, habillés à l'occidentale, posant devant des voitures rutilantes ou au pied des montagnes d'Alborz. Aucune image de sa femme, de ses enfants, de ses neveux ou nièces ni de son père.

Une petite photo retient mon attention. Prise dans un jardin, en plan large. Je reconnais Saddeq. Il a une vingtaine d'années. Cheveux ondulés coiffés en arrière, chemisette blanche, pantalon sombre et regard baissé. À côté de lui, un homme plus âgé fixe l'objectif. Il est habillé et coiffé de façon similaire, la moitié du visage masquée par l'ombre des feuilles de l'arbre dressé derrière eux. J'ai l'impression qu'il a passé le bras autour des épaules de mon oncle, mais je n'en suis pas sûre. Les ombres qui se prolongent sur leurs torses, comme un voile posé là pour cacher un détail, brouillent la frontière entre les corps. Tandis que, troublée, je regarde cette image, la phrase d'Oncle Numéro 6 jaillit dans ma tête.

Au moment où je m'appuie sur le bureau pour mieux la regarder, la porte s'ouvre. D'un coup, mon cœur dégringole dans mon ventre. Je me retourne. Debout sur le seuil, Oncle Numéro 2 semble aussi stupéfait que moi. Je veux m'excuser, bégayer vite fait une explication et m'enfuir, mais il ferme la porte derrière lui.

Oncle Numéro 2 rajuste ses lunettes sans monture et, à ma grande surprise, me sourit. Un rictus où se mêlent tristesse et compassion destinées exclusivement à mes sœurs et moi depuis que notre père est devenu révolutionnaire. Je déteste ce sourire, il me terrifie. Il sous-entend que je serai bientôt orpheline, que mon père et/ou ma mère seront arrêtés, lynchés, torturés, démembrés, jetés dans une ruelle sombre du sud de la ville pour être dévorés par les chiens errants. Dans le sourire de Saddeq, il y a la bêtise sincère des gens comme il faut, des bourgeois poussiéreux persuadés que ceux qui ne vivent pas comme eux prennent inévitablement le chemin du désastre. D'habitude, je ravale ma colère et baisse les yeux. Là, je suis obligée de lui rendre son sourire.

Il pose sa main sur mon épaule et me fait asseoir sur son lit.

« Qu'est-ce que tu regardais, Kimiâ ?

Sa voix est calme, mais exigeante, son haleine sent la cigarette et les herbes parfumées du *khormé sabzi*. Ses mains petites et larges aux ongles ronds me rappellent celles de mon père.

« Alors Kimiâ, qu'est-ce que tu regardais ?

– Les photos de Mère », dis-je avec sérieux.

Je sais d'expérience qu'en lui faisant croire que je m'intéresse à Mère les choses s'arrangent. Je deviens son alliée, la nièce dans le cœur de qui il a réussi à planter la graine de son amour singulier pour Nour. Il passe la main sur mes cheveux, à plat, comme pour lisser les plis d'un tissu familier.

« Tu aimes Mère, on dirait… »

Je hoche vigoureusement la tête pour donner plus de crédit à mon petit numéro.

Je sens son corps frémir de joie. Puis il éclate en sanglots.

Une dizaine de minutes plus tard, tandis que ses pleurs s'amenuisent, Oncle Numéro 2 entame le récit de *La Matinée funeste*.

Je l'écoute ahurie, écrasée par sa voix qui me retient près de lui, par le poids de cette soudaine intimité jetée sur nous comme une couverture. Pourquoi se confie-t-il à moi comme à un ami, le genre d'ami à côté de qui il se ferait photographier dans un jardin, devant un arbre, en chemisette blanche ? (Saddeq pleure et moi je jette des coups d'œil discrets à cette photo.)

J'essaie de trouver un chemin entre mon effarement, le torrent d'émotions qui émane d'Oncle Numéro 2 et ma fonction de petite sœur obligée de tout rapporter à Leïli et Mina. Avec culpabilité, mais application, je me concentre sur chaque détail et le mémorise. Après tout, Oncle Numéro 2 devine que je vais tout leur dire, non ? Il sait comment marchent les fratries, à se raconter du croustillant, de l'inédit, pendant que les adultes font la sieste... Ou bien il s'imagine que je suis trop petite pour me rappeler ses mots... L'introduction passée, Saddeq s'approche enfin de l'instant fatidique, celui où il va trouver Nour par terre. C'est là que démarre en principe la musique en mode mineur, chargée de cuivres, annonçant la bascule dramatique. Là, au moment où, habité par un mauvais pressentiment, Saddeq ouvre la porte de la chambre de Mère... Ce qu'il voit fait taire les cuivres, et tout l'orchestre.

L'existence est ainsi faite que même au fin fond du drame il y a toujours une petite place pour l'absurde. Voilà ce qui sauta aux yeux de Saddeq quand il ouvrit cette porte : la chemise de nuit de Mère remontée jusqu'à sa taille et ses fesses à l'air. Deux globes flétris suffisamment entrouverts pour laisser entrevoir ce lieu incroyable, cette source de vie, aussi inimaginable que la Cité interdite. Dans l'espace entre son effroi et sa panique s'est glissée alors une drôle de sensation : une extraordinaire envie de rire. Et c'était pour empêcher ce rire de s'échapper de sa gorge qu'Oncle Numéro 2 s'était évanoui.

« Toute ma vie, j'ai essayé d'imaginer sa mort et la façon dont je l'affronterais. Ce qui est idiot j'avoue, puisque n'importe qui aurait pu être présent quand ça arriverait... Mais je savais que ça serait moi, je l'ai toujours su. C'était ma mission d'être auprès d'elle. Dieu me la réservait. C'était à moi que revenait la tâche de l'accompagner. Je me voyais éclater en sanglots, me jeter vers elle, crier son nom, l'implorer de ne pas me quitter... Je me voyais dans l'ambulance, à lui tenir la

main, lui parler, l'embrasser, pour l'empêcher d'avoir peur…
Eh bien non. J'ai rigolé ! Seigneur ! Je l'ai abandonnée, que
je sois maudit ! Je n'ai pas été à la hauteur une fois de plus… »

Je ne sais pas comment vous transcrire les phrases d'Oncle
Numéro 2 que j'ai d'ailleurs en grande partie oubliées.
Comment vous faire ressentir le cycle complet de soupirs et
de mouvements de tête qui les accompagnaient. Tout ce que
je peux vous dire, c'est que l'ironie de la vie et la honte l'as-
sommaient. Puis les mots cessèrent, laissant le champ libre
aux mouvements de tête et aux larmes ruisselant en pluie le
long de ses joues affaissées.

Il me semble que nous sommes restés un long moment assis
côte à côte. Suffisamment pour que je réalise – tout en fixant
la photo en noir et blanc – à quel point Oncle Numéro 2
était seul, enfermé dans un mensonge sur lequel il avait bâti
son existence. Rongé, depuis qu'il avait pris conscience de
qui il était, par la peur de ne jamais être à la hauteur des
espérances de Mère.

Nous nous ressemblions.

Je n'ai fait part des confidences d'Oncle Numéro 2 à
mes sœurs que des années plus tard, à Paris, quelques jours
avant le mariage de Leïli. Le temps avait atténué l'impact
de la révélation pour n'en faire qu'un récit, moyennement
comique, relatif à un passé irréel. D'ailleurs, mes sœurs n'ont
pas poussé de cris étonnés ni posé de questions.

Au fur et à mesure, la chair des événements se décompose
et ne demeure que le squelette des impressions autour duquel
broder. Viendra sans doute un jour où même les impressions
ne seront plus qu'un souvenir. Il ne restera alors plus rien à
raconter.

Sur l'arbre généalogique des Sadr, majestueux, au tronc
large et aux branches dansantes dessiné à la main dans le style

des miniatures persanes dont un exemplaire se trouvait chez Oncle Numéro 2, seuls les héritiers mâles sont représentés.

Ainsi, contrairement à ce qu'on pourrait imaginer, étant donné l'ampleur de cette famille et le degré plus ou moins élevé de consanguinité, la branche de Darius Sadr est très facile à repérer. Regardez-la s'élancer vers le ciel avec espoir et courage… Et s'arrêter perplexe dans le vide. Un oiseau tué en plein vol. Un moignon.

Un jour, j'ai demandé à Bibi :

«Pourquoi ils n'ont pas mis les filles sur cet arbre? On existe non?

– Tu crois que tu existes gamine, mais tu n'existes pas…

– Mais si j'existe!

– (Grimace fataliste de Bibi.) Attends d'avoir mon âge, tu comprendras…»

D'un coup, je dépose ma tasse et me lève pour quitter la cafétéria. Et si le docteur Gautier était déjà là? Et si elle m'avait appelée? Pressée, le tube de sperme à la main, je traverse l'allée qui mène aux bâtiments; toujours pas d'ouvriers sur les échafaudages. Je grimpe les marches jusqu'au second étage. Au secrétariat, je demande si le médecin est arrivé.

«Pas encore, madame Favre (le nom de Pierre). Elle est en réunion avec la direction de l'hôpital. Elle vient d'appeler… Elle ne va pas tarder.»

Je jette un coup d'œil à la salle d'attente. Ma chaise est occupée par une femme d'une quarantaine d'années. Debout à côté d'elle, un homme aux cheveux entièrement blancs est compressé contre la vitre embuée. Ils se tiennent la main. À l'évidence, ils sont très amoureux, mais se sont rencontrés trop tard dans la vie. Aucune autre chaise n'est libre.

Maintenant, j'attends dans le couloir dont l'un des murs est orné d'un panneau exposant un collage de photos de bébés envoyées par les parents sortis victorieux de ce labyrinthe. Çà et là, des petits cœurs colorés, sans doute dessinés par une infirmière compatissante désireuse de mettre l'amour au centre de la guerre quotidienne livrée entre ces murs. L'ensemble transmet un message d'espoir, du genre «continuez à vous aimer et vous verrez, votre rêve se réalisera». À côté du panneau, la porte du bureau du professeur Alain Stein; autrement dit l'Antichambre des Possibles.

La première fois que je suis entrée dans ce service, après une attente de quatre mois pour un rendez-vous, Pierre m'a conduite directement devant cette porte; il a frappé et nous sommes entrés. Le rôle du professeur Stein dans la chaîne du protocole était de réceptionner les dossiers, les vérifier et, s'il les estimait valables, les soumettre au comité d'experts, dont il était membre, chargé de prendre la décision définitive. L'acceptation d'un dossier signifiait automatiquement la prise en charge à cent pour cent par la sécurité sociale sur la base de six inséminations et quatre fécondations in vitro. J'entends le roulement mécanique de l'escalator se fondre dans le bruit mat des pas de Darius grimpant les marches de l'escalier... Voilà que votre ombre s'approche de ces pages, vous, dont les impôts sont la source de cette générosité républicaine.

«Vous comptez vous marier n'est-ce pas?» nous avait demandé Stein de sa voix de ténor.

Il ne s'agissait ni d'une question ni d'une affirmation, mais d'une suggestion que nous avions intérêt à suivre.

«Bien sûr que nous allons nous marier!»

J'avais presque crié de peur que nous soyons recalés. Le regard étonné que m'avait jeté Pierre m'avait fait prendre conscience de l'absurdité de ma réponse. Déstabilisée, bafouillante, j'avais ajouté une nuance temporelle tout à fait aléatoire que j'espérais sans incidence.

«Bientôt... Nous réfléchissons à la date.»

Sauf que trois mois s'étaient écoulés (réponse positive du comité). Puis neuf (premier rendez-vous avec Docteur Gautier, le médecin en charge de notre cas). Puis onze. Jusqu'à aujourd'hui. Et nous n'étions toujours pas mariés.

L'accès à la procréation médicalement assistée est réservé aux couples mariés, mais aussi, détail que la plupart ignorent, aux couples en concubinage. Nous avions donc fourni un certificat de concubinage à l'hôpital Cochin.

La veille de notre entrevue avec le professeur Stein, nous étions allés le chercher ensemble à la mairie du 10e arrondissement, celui où habitait Pierre. Très renseigné sur la question, Pierre m'avait assuré qu'il ne s'agissait que d'une formalité, bien plus facile que l'obtention de n'importe quel autre document. Je ne l'avais pas cru. Né à Tarbes – dans une famille française de classe moyenne, arrivé à Paris à l'âge de dix-huit ans –, Pierre n'avait pas mon expérience de l'administration. Il n'avait pas connu des matinées entières dans une salle d'attente de la préfecture de police, remplie de gens de toutes nationalités empilés les uns sur les autres et enveloppés dans le bourdonnement sourd d'une anxiété contenue. Il n'avait pas été confronté à l'employé qui réclame papiers et preuves avec un tel agacement que l'on se sent réduit en poussière. Pierre était confiant et rationnel, parce qu'il n'y avait aucune raison qu'il en soit autrement.

Je l'ai rejoint devant la mairie, mon sac à main chargé d'un maximum de documents prouvant mon existence sur cette terre. Je suis entrée dans l'ascenseur menant au troisième étage du vaste bâtiment avec la certitude glaçante qu'à un moment ou un autre je serais obligée de répondre à un interrogatoire.

Mais ce fut étonnamment simple. La salle était vide et les employés détendus.

Plus qu'un soulagement, j'ai presque ressenti de la joie à regarder Pierre demander le formulaire, le remplir pour nous deux – nom, prénom, date de naissance, adresse (celle de Pierre) – et le signer. Puis le glisser vers moi pour que j'appose ma signature à côté de la sienne. Si Pierre a rempli ce formulaire, c'est parce qu'il a une très belle écriture, graphique, souple, alors que la mienne ressemble à un accident de voiture.

C'est en signant que j'ai vu l'intitulé, à peine lisible, tout en bas de la page. Il précisait que toute information mensongère serait passible de cinq ans d'emprisonnement et de quarante-cinq mille euros d'amende. Franchement, à quoi tu t'attendais ? pensai-je. Il fallait bien que ça se complique, non, qu'à un moment ou un autre, la peur te colle au mur ?

Un coup de tampon en bas du formulaire et nous étions dehors, debout sur le trottoir, officiellement liés, non pas par une vie commune, mais par le même mensonge et la même menace.

Depuis, l'image de ce certificat, glissé dans notre dossier par les mains mouchetées de taches de vieillesse du professeur Stein, a rejoint la masse d'images que je rejette de mon esprit chaque fois qu'elles tentent de l'envahir. Je sais qu'elles sont là, en veille, mais je les empêche de m'atteindre. Ma technique, mise au point depuis l'enfance, consiste à détourner immédiatement mon attention vers autre chose. Un inconnu, un objet, une chanson, un journal. C'est ainsi que j'arrive à dépasser ce chagrin noir qui se précipite vers moi chaque fois que je pense à mes parents. Depuis longtemps, j'ai arrêté la drogue et les médicaments qui assomment parce qu'un jour j'ai réalisé que j'étais tout simplement vivante. Maintenant, je pousse l'excès jusqu'à me débattre avec mes insomnies, tout en gardant une boîte pleine de somnifères dans l'armoire à pharmacie. J'écoute de la musique, du rock froid et mélancolique, jusqu'à ce que l'aube se colle à ma fenêtre et m'apaise. Bien sûr, je n'ai aucune photo visible de mes parents chez moi, c'est la condition nécessaire pour que ma technique fonctionne. Je présume que c'est grâce à ce genre de stratégie que les êtres humains se sont arrangés avec la vie avant l'arrivée des tranquillisants. Nous portons en nous un mécanisme de défense, un génie de survie, qui nous permet de prendre part au quotidien malgré l'horreur qui nous entoure. Il suffit de le mettre en marche et d'y croire.

Pierre était certain que personne n'irait vérifier. « Ça coûte trop cher de faire ce genre de démarche, et je pense vraiment que l'hôpital n'en a pas les moyens. » Sa remarque tombait sous le sens. Je raisonne de la même façon quand j'écope d'une amende pour mauvais stationnement à Bruxelles. Anna aussi quand elle signe mes chèques pour payer l'électricité ou le téléphone. J'avoue que le manque de moyens des administrations est parfois une bénédiction.

Aujourd'hui, dans quelques heures peut-être, ce cauchemar prendra fin. Mon corps est prêt, je suis calme et je n'ai rien à faire de l'après-midi (je me suis arrangée pour aller au travail vers dix-huit heures et n'assister qu'à la dernière répétition d'un groupe de trip-hop canadien que j'ai déjà mixé l'année dernière).

Il n'y a aucune raison que l'insémination ne marche pas.

Bien sûr qu'il y a toutes les raisons...

... mais aucune en même temps.

8

Tempête révolutionnaire

Donc… Non seulement j'étais une fille, mais je n'avais pas hérité des yeux bleus de Darius. Si vous aviez pu feuilleter les lourds albums-photos à spirale dans lesquels Sara rangeait et datait consciencieusement chaque photo de nous, vous m'auriez vue bébé, vêtue des vêtements destinés à Zartocht, d'un bleu si éclatant qu'ils accentuent mon teint mat, me donnant l'air d'une aubergine trop mûre. Puis vous auriez tourné les pages, rapidement, comme on le fait avec les photos des autres. Le bleu quitte la scène. Mon teint s'éclaircit, mon corps s'affine et se redresse. Je vais au-devant de la vie dans des déguisements bricolés/improbables – Cléopâtre, homme de Cro-Magnon, astronaute, Bruce Lee – concoctés par mes sœurs et Marjane, la fille de la Grande Mina. Mon visage reflète le bonheur de l'enfant comblé d'attentions et recèle une ressemblance inconstante, tantôt avec Nour, tantôt avec Darius, comme si un choix fondamental n'avait pas été clairement posé.

Nous avons quitté notre appartement le matin du 21 février 1981, laissant ces albums-photos derrière nous, dans la bibliothèque de la chambre de mes parents, comme la totalité de nos affaires. Je ne possède aucune photo de moi enfant. Mes sœurs non plus. Nous n'avons aucune photo de jeunesse de nos parents, de leur mariage, des grossesses de Sara. Tout ce que je vous raconte est dépourvu d'images. Je n'ai aucune preuve à vous fournir, aucune, pas même un certificat de naissance. Vous devez me croire sur parole.

Il m'arrive encore de penser à ces albums, me demandant ce qu'ils sont devenus. Où sont passées nos photos ? Est-ce qu'au moins quelqu'un les a récupérées ? À l'adolescence, quand je passais mes samedis après-midi aux Puces de Saint-Ouen avec une bande de punks alcoolisés et bruyants, je m'attardais parfois devant les stands tenus par de vieux brocanteurs où un amas de boîtiers, objectifs, caméras super-8 avoisinaient des centaines de clichés alignés dans de vieux cartons. La majorité était en noir et blanc, des portraits en pied, des photos de famille, de mariage, de vacances à la mer, dans des formats obsolètes. Tout en les regardant, j'entrais dans une bulle atemporelle et silencieuse. Isolée du monde, je sentais monter en moi une tristesse inquiète. Nous étions ces gens à la vie bouleversée par des guerres, des déportations, des revers de fortune, des départs précipités ; par la mort. Nous étions cette famille endimanchée au sourire confiant et fier dont la photographie, preuve de son existence sur cette Terre, avait virevolté à travers l'espace et le temps pour arriver là, entre mes doigts ornés de bagues en argent. Je me disais qu'il n'y avait pas de marché aux puces à Téhéran où nos photos auraient pu atterrir. Et quand bien même, qui oserait les vendre ou les acheter ? Puisque le visage de mon père, avec son crâne à moitié chauve, ses yeux bleus et sa barbe trotskiste, était devenu le symbole de l'intellectuel occidentalisé et athée, de l'antirévolutionnaire islamique, du traître.

Sara m'éleva comme elle avait élevé Leïli et Mina. Elle me mit des jupes et des barrettes dans les cheveux. Elle aligna au-dessus de mon lit les poupées héritées de mes sœurs, me lit la série des Martine (en persan et en français).

Contrairement à Darius.

Dès que j'ai su marcher et parler, celui-ci ignora mon sexe et agit avec moi comme il l'aurait fait avec son fils imaginaire. Il m'emmena avec lui faire des courses, me promena sur ses épaules, me balança dans la mer. Plus tard, comme j'étais plus robuste que mes sœurs, il me demanda de l'aider à mettre les valises dans le coffre, ranger ses dossiers dans la bibliothèque, laver la voiture. Flattée et heureuse qu'il m'inclue dans sa vie et m'accorde cette attention singulière, je faisais exactement ce qu'il voulait. J'allais même jusqu'à devancer ses désirs, préparant seau d'eau et éponge quand je pensais qu'il aimerait que la voiture soit propre. Devant mon enthousiasme, il finit par me laisser me débrouiller, n'arrivant dans la cour que quand je l'appelais et uniquement pour faire le tour de sa Peugeot 504 et me féliciter.

Étant la seule fille du voisinage à me comporter de la sorte, les filles de mon âge se désintéressèrent de moi. À vrai dire, moi aussi je me désintéressais d'elles, préférant jouer au ballon avec les garçons, marcher sur des rebords et relever des défis stupides. Nous étions elles et moi synchrones dans cette prise de conscience subite que nous n'avions plus rien à faire ensemble. Quand leur mère m'invitait au goûter d'anniversaire je restais dans mon coin, attendant que mon calvaire prenne fin. Ou bien je les aidais à ranger et nettoyer, ce qui me valait des compliments et des parts de gâteaux à emporter pour mes sœurs.

Aux beaux jours, j'observais la bande de filles en robes légères assises en cercle sur le gazon du petit jardin de nos voisins, les Pourvakil, à discuter pendant des heures, contente de ne pas en faire partie. Elles me jetaient des coups d'œil atterrés alors que je concourais au jeu de «qui-saute-de-la-marche-la-plus-haute». Je les trouvais molles et pathétiques et elles devaient me trouver rude et grossière.

Permettez-moi avant qu'il soit trop tard, avant que la tempête de la Révolution s'élève et envahisse mon récit, de revenir sur ma ressemblance avec Mère.

Plus je grandissais plus cette ressemblance s'affirmait. Mon nez plat. Ma bouche large et mes petites dents parfaitement alignées. L'arrondi de mon menton. Mes cheveux aussi lisses que ceux d'une Chinoise. Les étés dans la région de Mazandaran, les descendants de Montazemolmolk – grands-tantes à moitié folles, grands-oncles gras et prospères – s'exclamaient en me voyant: «Mais c'est incroyable comme elle ressemble à ma sœur!», avant de reprendre la ronde incessante des *târofs* (pratique très codifiée, qui consiste à proposer en permanence à l'invité des victuailles que celui-ci refuse).

L'une des grands-tantes, Parvindokht, habitait dans une vieille demeure en ruine, d'architecture baroque, bâtie par son père sur la place centrale de la ville de Shahsavâr. Le dôme principal, luisant comme une bague impériale, au creux duquel la grand-tante avait installé sa chambre, se voyait depuis la route sinueuse qui reliait Téhéran à Mazandaran. Après cinq heures de route et quelques vomis, dès que notre voiture affrontait le dernier virage, nous nous jetions les unes sur les autres pour le guetter, les visages collés à la vitre. Sa vue, saluée par des cris de joie, signifiait la fin du voyage et le début des vacances.

Cette maison glacée et humide était notre machine à remonter le temps. De loin, elle nous fascinait, mais nous y pénétrions sans enthousiasme. Accompagnés des oncles et tantes et d'une bonne partie de leurs enfants, nous traversions le hall silencieux aussi accueillant qu'un cimetière en hiver. Enveloppés par l'odeur âcre de moisissure, nous gravissions les interminables marches ; de part et d'autre, de larges portes fermées à double tour nous arrachaient des frissons et des rires.

Une fois arrivés au sommet, essoufflés et en sueur, nous attendions devant une petite porte en bois jusqu'à ce que la grand-tante nous autorise à l'ouvrir. « Ben alors, qu'est-ce que vous attendez ? Entrez donc les enfants ! » Je suppose que chacun espérait secrètement que cette voix, aussi claire que celle d'une jeune fille, ne s'élève pas et nous libère de la corvée de cette visite. Surtout moi qui savais ce qui m'attendait...

Aussi large qu'un monstre sous-marin, la vieille dame était installée en tailleur sur son lit aux dimensions improbables et dangereusement surélevé. C'était l'unique meuble de la petite chambre aux murs fissurés comme la peau d'une sorcière.

Assis par terre, serrés les uns contre les autres, nous l'observions en contre-plongée. La hauteur géographique de la grand-tante – d'abord le dôme, puis le lit – était sa manière de signifier que la fin de la féodalité, en vigueur sur la terre ferme, ne la concernait pas. Elle était la fille de Montazemolmolk, l'héritière d'un système auquel seule sa mort mettrait fin. À peine les *salamalaks* terminés, et en attendant que les vieilles servantes arrivent les mains chargées de plateaux de thé, elle commençait à me chercher du regard. Même cachée derrière mes sœurs, priant pour que quelqu'un détourne son attention, je sentais ses yeux minces comme des boutonnières passer d'un visage à l'autre avec impatience.

« Dieu m'est témoin, le portrait de Nour ! Viens par ici fillette ! » s'exclamait-elle soudain.

169

Et me voilà debout, poussée dans le dos par Sara et juchée à contrecœur sur le trône féodal. Quelques secondes plus tard, les pieds dans le vide, écrasée contre les seins mous de la grand-tante, je humais le parfum rance de sa chemise de nuit. D'une année sur l'autre, je devais être le seul être humain que ses mains rêches, aux articulations déformées, touchaient.

J'ouvre une parenthèse pour préciser que mes oncles et mon père refusaient cette ressemblance. « Elle ne ressemble pas du tout à Mère, mais à sa sœur jumelle ! » affirmaient-ils une fois dehors. L'affaire était sérieuse et le ton des voix chargé d'indignation. Il ne s'agissait pas uniquement d'un manque d'imagination collectif, d'une incapacité à envisager une ressemblance au-delà de la couleur des yeux, mais d'une impossibilité physique et métaphysique. Personne, aucun mortel, ne pouvait ressembler à Mère. En revanche, qui voulait, même l'épicier du coin, pouvait ressembler à sa sœur jumelle, pauvre femme à la peau affreusement sombre, au regard triste, qui n'eut de chance ni dans sa naissance ni dans sa mort (tuée par son troisième mari, un rejeton des Qadjar, dans des circonstances jamais élucidées).

Apaisée de m'avoir près d'elle, la grand-tante engageait la conversation avec entrain, tout en se balançant d'avant en arrière. De temps en temps, elle posait sur mon crâne la ligne mauve de sa bouche et me donnait un baiser sonore. On aurait dit que la chaleur de mon corps pénétrait sa mémoire. Elle, à qui son père avait refusé mariage et enfant, reproduisait maladroitement les gestes de sa mère la berçant dans les pièces glacées de l'*andarouni*.

En bas, face à mon visage dépité, mes sœurs et mes cousines étouffaient des rires moqueurs. À l'inverse, les adultes regardaient notre duo avec compassion, s'indignant en secret de la tyrannie dont Montazemolmolk avait fait preuve envers ses filles.

Très vite, la tendresse de Parvindokht s'épuisait. « Allez ça suffit, va auprès de tes sœurs maintenant ! » Elle lançait sa phrase avec un sourire sarcastique, laissant croire que c'était moi qui avais insisté pour me coller à elle. Tout en continuant sa comédie, elle glissait discrètement ses doigts sous l'une des multiples couches de son matelas, sortait une pièce d'or russe à l'effigie de Nicolas II et la posait dans ma main. Puis elle me donnait une tape dans le dos si forte que j'atterrissais d'un coup sur le sol.

Puisque je parle des Nicolas II de la grand-tante, je pourrais raconter ici L'ÉVÉNEMENT, arrêter de le passer sous silence, comme Saddeq la découverte du corps de Mère. Et pourtant... Il te faut encore patienter cher lecteur, car, même si je vais essayer, je sais déjà que je n'y arriverai pas. Je n'y arrive jamais.

Imaginez Londres, un matin de mars plombé et pluvieux. Le 11 exactement. Après une nuit blanche passée dans une usine désaffectée à écouter une dizaine de groupes allant de Lords of the New Church à New Order, je rentre chez moi – une petite pièce meublée au-dessus d'une boutique de fripes proche du métro Elephant and Castle. Engourdie par la fatigue et l'alcool, n'ayant plus l'intention de redescendre de la journée, j'ouvre ma boîte aux lettres au cas où une facture y traînerait. Pas de facture, mais au-dessus d'un tas de publicités, une enveloppe sur laquelle je reconnais l'écriture de Sara.

Je l'ouvre. Elle contient une lettre et, à ma grande surprise, une des pièces d'or de la grand-tante. Sa vue me sort immédiatement de ma torpeur. Dans sa lettre, que je lis sur-le-champ, Sara m'explique que quelqu'un (je ne me souviens plus qui) est venu d'Iran, lui a apporté cette pièce et quelques affaires ; des petites choses sauvées par une voisine il y a des années avant que notre appartement ne soit réquisitionné par le régime. Persuadée que j'ai oublié l'épisode des Nicolas II, elle se fait un devoir de me rafraîchir la mémoire : la *pauvre grand-tante*, son *amour* pour moi, sa *générosité*, ces *pièces* données en échange de *quelques petites minutes* passées dans ses bras...

Comme toujours, Sara exagérait. Sa tendance naturelle à ne voir que la bonté des êtres s'était hypertrophiée depuis l'exil. Submergée par la douleur de la séparation, elle avait tissé autour du passé un voile d'amour inviolable sur lequel elle veillait comme une louve. Indifférente à nos sentiments, elle nous imposait sa vision de plus en plus fantasmée, nous obligeant à tourner sans cesse le regard vers *notre* terre, là où, selon elle, nous étions vraiment aimées. Sara, autrefois si drôle, si gaie, ne l'était plus. Elle avait abandonné cette part d'elle qui contenait joie et enthousiasme pour n'emporter que la part mélancolique et anxieuse qui lentement avait envahi son être.

Je lève les yeux. Devant moi s'étalent des boîtes aux lettres métalliques défoncées où des noms étrangers plus ou moins imprononçables sont écrits à la va-vite. Le mien, à côté de celui des autres. La colère comme une giclée de salive monte dans ma gorge. C'est ici que j'avais choisi de vivre, dans ce pays terne et sans lumière où aucun objet, aucun être, aucune sonorité ne me rappelait le passé. Ici, je n'étais l'enfant de personne. Sans attaches et sans complice. Libre et seule. Et je comptais le rester. Pour me dérober à Sara, je sors. Le froid est mordant, à vous geler de l'intérieur. Je cours jusqu'au bout de la rue et jette la lettre et la pièce d'or dans la poubelle.

En rentrant chez moi, trempée et furieuse, je remarque que le voyant du répondeur clignote. J'appuie sur le bouton tout en ouvrant la fenêtre pour faire sortir l'odeur aigre de l'humidité incrustée dans ce qui a dû être un jour une moquette. Je crois reconnaître dans la voix brisée/confuse qui tente de parler celle de Mina. Aussitôt, un vent froid, chargé de malheurs, passe sur ma nuque. Mes sœurs ne m'appellent jamais. Depuis dix-huit mois que je vis là, elles ne sont pas venues me voir. Pas plus à Bruxelles, pas plus à Berlin.

Les sons hachés produits par Mina s'arrêtent net. Après quelques secondes de silence, la voix mate de Leïli s'élève. On aurait dit qu'elle criait, se débattait. Ses mots me transpercent de toutes parts. Avant même que le message ne se termine, je me rue dehors pieds nus. Je cours en hurlant jusqu'à la poubelle. L'enveloppe a disparu.

Darius démissionna du journal *Keyhan* le 13 novembre 1975. C'est par cette date que Sara commence *Notre vie*, le livre-témoignage écrit dans sa solitude parisienne et relatant les années de Révolution jusqu'à notre départ pour la France. Des années plus tard, celui-ci devint un best-seller en Iran – ce seul fait traduit formidablement la schizophrénie d'un pays où l'auteur est banni, mais où son livre se vend comme des petits pains. Selon Sara, la démission de Darius marqua leur entrée dans l'opposition politique.

Mon père resta donc à la maison, cette année-là, celle de mes quatre ans, qui était aussi la dernière avant mon entrée à l'école. Le temps que nous avons passé ensemble a renforcé le lien qui nous unissait. Plus les mois filaient, plus je sentais grandir en moi la sensation inédite et grisante d'être l'enfant de mon père avant d'être la fille de ma mère. Au lieu de m'identifier à Sara, j'avais commencé à m'identifier à Darius.

Motif de la démission de Darius : la nomination par le ministre de l'Information d'un agent avéré de la Savak,

Homayoun Tahéri, au poste de rédacteur en chef. Darius apprit cette nomination à son arrivée à la rédaction. Une demi-heure plus tard, il ramassa ses affaires, posa sa lettre de démission sur son bureau et partit sans en avertir personne. Le patron du journal, un vieux Persan diplômé de Cambridge qui aimait bien mon père même s'il estimait ses articles trop érudits pour ses lecteurs, l'appela dans l'après-midi et lui assura le versement de son salaire jusqu'à ce qu'il change d'avis. Il lui fit comprendre à demi-mot – dans le cas probable où les téléphones étaient sur écoutes – qu'il n'avait rien pu faire contre cette nomination. De toute façon, à son âge, mieux valait finir sa carrière sans faire trop de bruit[*].

En janvier, Darius reçut une lettre du ministère de l'Information. On le prévenait que non seulement son salaire ne lui serait plus versé, mais qu'il ne serait engagé dans aucun autre journal à moins d'accepter un entretien avec le ministre. Il ne prit pas la peine de répondre. Quelques semaines plus tard, un employé du ministère l'appela pour convenir d'un rendez-vous. «Je ne vous demande rien, alors cessez de m'importuner!» trancha Darius avant de lui raccrocher au nez. Le lendemain, Sara décida de donner, en plus de ses cours habituels, des cours du soir dans un lycée technique. Ils renvoyèrent la nounou qui me gardait dans la journée et Darius s'occupa de moi. Un homme à la maison et une femme qui travaille à l'extérieur : c'est ainsi que main

---

[*] Récapitulons. En 1957, afin de marquer son pouvoir et contrôler tous les aspects de la vie politique, le Shah avait créé la Savak (acronyme persan d'Organisation pour le Renseignement et la Sécurité du pays) avec l'aide de la CIA et du Mossad particulièrement intéressés par toute tentative de contrôle dans un Moyen-Orient troublé. Utilisant l'espionnage et la délation, les agents de la Savak avaient peu à peu infiltré tous les organes du pays donnant au peuple l'impression d'être surveillé en permanence. En ce milieu des années 70, alors que la Savak était devenue célèbre pour ses techniques de torture aussi bien physique que psychologique, son influence dans la société était telle que les Iraniens avaient peur de tout, y compris de leur ombre.

dans la main ils entrèrent dans l'arène du combat politique. Après avoir été le couple le plus moderne de la famille, ils devenaient le plus underground.

Darius m'acheta un jean et des chaussures montantes. Il me coupa les cheveux lui-même, si ras qu'à peine lavés ils étaient secs. En d'autres temps, ma tête aurait horrifié à des kilomètres à la ronde. Mais cette année-là, grâce à la célèbre chanteuse de variété Googoosh apparue un soir à la télévision les cheveux aussi courts qu'un garçon, la coupe *Googooshi* devint à la mode. Libérées d'un coup de l'obligation de porter les cheveux longs, les filles faisaient la queue devant les salons de coiffure de Téhéran pour ressortir avec la tête de leurs frères.

Il faut dire qu'à cette époque, dans cet Iran américanisé, les repères avaient commencé à s'émousser. Les jeunes, principalement ceux issus de la classe moyenne et aisée, tendaient vers une sorte d'unisexualité universelle. Je sais combien il vous est difficile, au regard de ce qu'est devenu ce pays, d'imaginer cet Iran-là. Cet Iran où les filles portent les cheveux courts et les garçons les cheveux longs (*MickJaggeri*) ou bien mi-courts (*Beatli*) ; où les jeunes s'habillent indifféremment avec des tuniques amples et des pantalons pattes d'eph et se retrouvent à la tombée de la nuit dans les coins sombres de la ville pour fumer des Marlboro et échanger leurs salives. Pourtant, il vous faut faire un effort d'imagination si vous voulez comprendre pourquoi la majorité des Iraniens considère l'arrivée des mollahs au pouvoir comme «la seconde invasion arabe» (la première étant celle dévastatrice du VIIe siècle qui imposa l'Islam comme religion nationale).

Bien que cette tendance ne fût rattachée à aucun courant culturel comme aux États-Unis et en Europe, elle témoignait néanmoins d'un rejet des valeurs traditionnelles et des carcans familiaux. Bizarrement, leur allure rapprocha les jeunes Persans des racines païennes de la culture iranienne, présentes au quotidien à travers les fêtes héritées de l'époque où le zoroastrisme était la religion officielle de la Perse*. Quoi qu'il en soit, elle apporta beaucoup de disputes, d'incompréhensions et de larmes, mais aussi de nouvelles notions, comme «la crise d'adolescence» ou «le fossé des générations», avec lesquelles la société conservatrice devait apprendre à composer. Chez les Sadr, elle marqua le redoublement des célèbres réunions impulsées par un Oncle Numéro 2 en croisade pour sauver l'Honneur de la famille bafoué par ses filles.

Enfant de cette génération, ma dégaine n'interpella personne. Et si tel fut le cas, personne, pas même Oncle Numéro 2, n'osa faire de réflexions, tant Darius et Sara dépassaient par leur mode de vie les limites du rationnel. Seule Grand-Mère Emma me demanda un jour, alors qu'elle m'emmenait au cinéma voir un nouveau film de la série *La Coccinelle*:

«Comment tu te sens avec des cheveux aussi courts, petit chat?

– Super bien!

– Ça ne m'étonne pas, tiens.

– Pourquoi tu dis ça?

– Eh bien... Disons que... si ton père avait massacré à ce point la tête de tes sœurs, je pense qu'elles auraient refusé de mettre le nez dehors avant que ça repousse!

---

* Tenez, rien que le Nouvel An iranien, *Nowrouz* (Nouveau Jour), est une fête dont l'origine remonte aux alentours de 300 ans avant J.-C. Il commence le premier jour du printemps, le 21 mars, et dure treize jours. L'année change à la minute exacte où la Terre termine son tour annuel autour du ciel. *Nowrouz* est précédé de *Chahar-shambé souri*, la fête du feu. Le dernier mercredi de l'année, les Iraniens sautent par-dessus des feux de joie pour célébrer le retour des beaux jours et la fin de l'hiver.

– T'as peut-être raison.

– Bien sûr que j'ai raison. Tes sœurs ne sont pas comme toi.

– Elles sont comment ?

– Elles sont ce qu'elles sont, ne te préoccupe pas de ça, mon canard. »

Bien entendu, comme à l'époque j'ignorais la partie « bricolage génital » de sa théorie concernant ma naissance, je n'avais pas compris que sa question n'était en fait qu'un test pour la corroborer.

Durant cette année, Darius m'apprit à : jouer au backgammon, préparer son tabac à pipe, cirer les chaussures, me servir d'un dictionnaire, connaître le nom des rues, faire une omelette, découper un journal, lire le français, regarder un match de boxe avec Mohammed Ali, ouvrir le *Divan* de Hafez, réciter de la poésie persane, m'intéresser à l'Histoire, distinguer les drapeaux, enlever la neige du balcon, aimer Harold Lloyd et les westerns, différencier le violon du violoncelle, tutoyer Martin Luther King et Malcolm X, allumer le moteur de la voiture, passer les vitesses, vérifier la pression des pneus avant de prendre la route vers Mazandaran...

... Puis l'été prit fin.

Le matin de mon premier jour d'école, Sara me réveilla en même temps que mes sœurs, me serra dans ses bras à m'étouffer, puis sortit avec excitation les vêtements neufs achetés pour l'occasion et cachés dans un tiroir. T-shirt blanc, jupe-salopette en tissu écossais vert, chaussettes blanches. Je n'avais aucune envie qu'elle choisisse mes vêtements et m'habille, mais elle était si heureuse de pouvoir perpétuer ce rituel avec moi, si reconnaissante d'être en vie pour me voir écolière (pour Sara, la mort était une ombre qui nous attendait tous à chaque coin de rue), que je la laissais faire.

Tout en me rappelant la chance que j'avais d'aller à l'école alors que des milliers d'enfants de ce pays étaient privés de ce droit, elle m'enfila le T-shirt, puis tint la jupe-salopette devant moi pour que j'y glisse mes jambes. Alors que je me retournais pour qu'elle ajuste les bretelles, je surpris mon reflet dans le miroir en pied situé entre mon lit et celui de Mina. Ce que je ressentis alors fut si étrange et inattendu que je restai comme pétrifiée : l'impression d'être déguisée en fille et la conscience soudaine d'en être une. Impression à laquelle s'ajouta très vite la panique d'être obligée d'aller à l'école avec cet accoutrement et de me comporter en conséquence. Comment allais-je faire ? Certaine que mon émotion était due à l'image de grande fille que le miroir me renvoyait, Sara colla son visage attendri contre le mien.

« C'est vrai que tu as grandi trop vite, ma chérie ! Tu verras, tout va bien se passer. »

Comme je n'osais rien dire, je hochai la tête. Elle me serra et m'embrassa.

Une demi-heure plus tard, tandis que je montais dans le bus scolaire à la suite de mes sœurs, Darius, libéré des obligations paternelles, sortit à nouveau marcher dans les rues ombragées de la ville afin de mettre de l'ordre dans le magma obsédant qui bouillonnait dans sa tête depuis un certain temps.

En parallèle du Darius-Papa qui s'était occupé de moi émergeait un autre Darius. Un Darius-Protestaire qui passait ses nuits à lire, à prendre des notes, à réfléchir, à découper des journaux et classer des articles. Il ramassait de la matière, bâtissait le squelette de quelque chose qui ne serait pas un nouvel essai, non. Quoi ? Il ne le savait pas encore. Ce dont il était sûr c'est que désormais il dirait ce qui devait être dit, écrirait ce qui méritait d'être écrit. Il ne gâcherait plus son temps à essayer de concilier ses pensées avec la répression. Peut-être le moment était-il venu de prendre le chemin de la dissidence ; tourner le dos au destin de Darius Sadr, journaliste, fils du fortuné Mirza-Ali Sadr, pour entrer dans la peau de celui qu'il allait devenir pour le restant de ces jours.

Pour calmer l'exaltation et les interrogations qui le submergeaient et prendre le pouls fatigué du monde, il sortait marcher à l'aube, l'heure où la ville était entre les mains des travailleurs pauvres, ceux qui n'avaient que leurs enfants comme richesse. Les regarder occuper modestement les rues, vivre une petite heure dans leur proximité, lui rappelait cette année passée en Europe à travailler comme ouvrier et les promesses qu'il s'était faites. Justement c'étaient ces promesses qui le préoccupaient, creusant chaque jour un peu plus une ride en zigzag au-dessus de l'arête de son nez. Il saluait l'épicier Agha Mohabati (debout à trois heures du matin) en train d'ouvrir les grilles de son magasin si petit qu'il n'avait même pas de place où s'asseoir. Puis il continuait son chemin, distribuant des saluts à droite et à gauche. À son retour, il s'arrêtait chez le charcutier arménien, Vahé Milkhassian, qui lui offrait son premier café. Ils papotaient de choses et d'autres, avant que le camion de livraison arrive et que la journée de Milkhassian commence.

La nuit du lundi 27 septembre 1976, après une soirée au cinéma avec les Nasr où ils regardèrent *Les Trois Jours du Condor* de Sydney Pollack, Darius s'assit à la table du salon, posa une rame de feuilles blanches devant lui, alluma une cigarette, prit son stylo Pentel et se mit à écrire. Au milieu de la nuit, Sara se réveilla et vint le rejoindre. Elle fut étonnée de ne pas le retrouver plongé dans un livre ou assis sur le sol entouré de coupures de journaux.

« Qu'est-ce que tu écris ?

– Viens t'asseoir, j'ai quelque chose à te dire. »

À son air grave, Sara comprit que la discussion allait être longue.

«Viens plutôt dans la cuisine, je vais nous faire du café.

– Bonne idée.»

Dans la cuisine, Sara mit de l'eau à bouillir et Darius prépara les tasses.

«Alors, tu ne veux pas me dire ce que tu écris ?

– Une lettre au Shah... ou plutôt à son directeur de cabinet qui la lui transmettra, j'espère, dit-il en souriant.

– Une lettre au Shah ?!

– Tu es d'accord ?»

Darius appuya son regard tel un Robert Redford cherchant à faire comprendre à son alliée que le coup peut être *fucking dangerous*.

«Je ne sais pas... Il faut que je la lise d'abord», le taquina Sara.

Au fond d'elle, elle attendait ce moment depuis longtemps. Ne l'avait-elle pas épousé, du moins en partie, parce qu'elle avait vu en lui quelqu'un avec qui l'existence ne se résumerait pas à réveil-travail-enfants-vieillesse-mort ? N'avait-elle pas rêvé qu'un jour il serait à la hauteur des Sartre et Camus qu'elle admirait ?

À cet instant, tandis qu'assise dans l'étroite cuisine, Sara Sadr, bientôt trente-sept ans, écoutait Darius Sadr, quarante-neuf ans, exposer les points qu'il comptait développer dans sa lettre, elle ne pensait pas une seule seconde à ses filles, douze, dix et cinq ans, endormies dans les chambres au fond du couloir. Pourtant, toute sa vie, Sara refusa de reconnaître que l'action politique et sa face sombre, une vie individualiste, étaient aussi importantes pour elle que sa famille. Quand la Grande Mina le lui faisait remarquer, elle se défendait, disant qu'elle se battait justement pour le pays qu'elle laisserait à ses enfants. Ce n'était pas de la mauvaise foi, mais autre chose, du moins telle est mon interprétation. Elle se sentait coupable de ressentir un autre désir, tout aussi physique que la maternité ; ne supportait pas l'idée que vivait désormais en elle une autre Sara, proche de la quarantaine, désireuse de laisser son empreinte sur le monde. Une entité autonome qui peu à peu se détachait de l'autre. Un an plus tôt, suite à un discours émouvant et enflammé, Simone Veil avait fait passer une loi sur l'interruption volontaire de grossesse et Sara avait suivi l'affaire avec passion dans les journaux français. Voilà ce qu'elle aurait voulu en secret : être cette femme et prononcer ce discours. Pourtant, elle était mieux placée que n'importe qui pour savoir ce qu'un engagement politique signifiait/ impliquait dans un pays comme le sien.

La nuit suivante, Darius s'assit à la même place et continua. Nuit après nuit, à coups de café préparé par Sara et de Camel sans filtre, il écrivit ce qui serait bientôt connu et publié sous le titre *La Première Lettre*. (Une autre suivit à l'été 1977.)

À l'aube, tandis que Darius allait se coucher une petite heure, Sara prenait le relais. Elle s'asseyait à la même place et recopiait au propre les pages noircies d'une écriture nerveuse et de ratures jusqu'au moment de nous réveiller et de nous préparer pour l'école. Ce qu'elle lisait la remplissait d'admiration pour son mari, l'exaltait, l'enflammait et parfois même la faisait trembler. Mais elle ne fit aucune remarque, ne lui demanda jamais de modérer son propos. Elle s'en tint à son rôle de copiste et accepta le chemin vers lequel il les conduisait.

Leur petite entreprise s'acheva un samedi matin, fin du mois d'octobre, aux alentours de six heures trente. *J'entends de façon claire le bruit du toit de votre Palais s'effondrant sur votre tête et donc sur les nôtres. Régner, et non gouverner, demeure désormais votre seule option.* Telle fut la dernière phrase que recopia Sara, les yeux embués de larmes.

Le soir même, son manuscrit sous le bras, Darius frappa à la porte d'un ami éditeur qui possédait, denrée rare à Téhéran, une photocopieuse. Sans lui poser de questions, son ami lui apprit à se servir de la machine et partit. Aussi doué pour tout ce qui relevait de la technologie qu'un Inuit, Darius mit des heures à photocopier chacune des 224 pages. De retour au milieu de la nuit, il constata que la seule lumière allumée dans tout *Mehr* était celle de leur cuisine. Sara l'attendait. J'imagine Sara, sa Winston entre les doigts, se laissant aller à son penchant romantico-historique, rêvant à la Résistance française ; les Aubrac, les Clavel, ces couples incroyables qui avaient su avancer main dans la main dans le tunnel des événements.

Ils passèrent ce qui restait de la nuit à boire du café, fumer et discuter. Ils prirent la décision d'envoyer, d'ici quelques jours, un exemplaire de la lettre à des amis installés à Paris et à Londres afin de ne pas rester isolés et créer un mouvement.

Quelques heures plus tard, alors que nous finissions notre petit déjeuner dans la cuisine, redevenue le théâtre du quotidien, dans le salon, Sara écrivit l'adresse du Palais sur une grande enveloppe kraft contenant l'original de la lettre. Elle l'affranchit de quelques timbres achetés chez l'épicier et la tendit à Darius.

« Tu es consciente que je vais poser une bombe ? » lui dit-il avec un sourire tendre et complice. Sara hocha la tête, le cœur battant. Il se pencha et l'embrassa. Elle l'accompagna jusqu'à la porte, le regarda descendre les quelques marches qui menaient à la cour embellie par les couleurs de l'automne qu'elle aimait tant. Puis elle regagna la cuisine pour pouvoir le suivre des yeux à travers la fenêtre.

« Il est parti où ? demanda Mina.

– Poster une lettre, chérie », répondit Sara comme s'il s'agissait de l'acte le plus anodin du monde. Elle observa

Darius saluer un voisin sur le point de monter dans sa voiture, puis traverser la cour d'un pas alerte, et disparaître.

Arrivé au bout de la rue, Darius glissa l'enveloppe dans la boîte. La levée du courrier s'effectuait à huit heures précises. Il regarda sa montre : plus que quarante-cinq minutes. Que ressentait-il à cet instant, cet instant pour lequel il lui semblait avoir toujours vécu ? Était-il seulement conscient qu'il venait de poser *la première pierre* d'une Révolution dont il serait aussi l'une des premières victimes ?

J'emprunte l'expression à un article du *Monde*, daté du 2 février 1989 et écrit à l'occasion du dixième anniversaire de la Révolution iranienne : *Sadr fut le premier intellectuel qui interpella directement le Shah. Dans la lettre ouverte qu'il lui adressa en 1976 et qui circula très vite parmi les étudiants dont beaucoup furent arrêtés pour l'avoir en leur possession, il dénonça ouvertement les incohérences du régime, la répression et l'absence de liberté d'expression, le fossé économique entre l'élite et le peuple tenu à l'écart des profits colossaux engendrés par l'argent du pétrole. Cette lettre peut être considérée comme la première pierre de la Révolution iranienne de 1979.*

J'ai lu cet article à Bruxelles, un dimanche matin. L'esprit bouillonnant et les narines encrassées de nicotine, je sortais d'une soirée consacrée à la scène artistique flamande au Beursschouwburg, immense salle de concert et de performances alternatives. En passant devant le kiosque du boulevard Anspach, je décidai de ne pas retourner au studio meublé que je louais à l'autre bout de la ville, mais d'acheter le journal et de m'abriter dans un café. J'avais du mal à lire le quotidien belge *Le Soir* auquel je n'étais pas habituée, et de temps en temps, je m'offrais le luxe d'un journal français, en général *Libération*, pour prendre des nouvelles du *pays*. Pourtant ce jour-là, j'optai pour *Le Monde*, parce qu'il y avait plus à lire et que je retardai le moment de rentrer.

Il y eut d'abord le choc de tomber sur cet article, puis celui d'y lire le nom de mon père. Je relus le paragraphe plusieurs fois. Une émotion entre fierté et reconnaissance m'envahit. Pour la première fois, un journaliste occidental parlait de cette lettre et de son rôle décisif dans la Révolution. Pour la première fois, Rouhollah Khomeiny n'était plus considéré comme l'unique précurseur de ce bouleversement. Aujourd'hui encore, si vous vous aventurez dans la masse d'essais et d'articles consacrés à la Révolution de 1979, vous verrez qu'aucun observateur occidental, aucun de ceux qui prétendent connaître le Proche et le Moyen-Orient, ne fait l'effort d'appréhender cette Révolution sous l'angle d'un mouvement de protestation des intellectuels, un élan jailli dans les universités et porté par une jeunesse éclairée, et non orchestré par Le Vieillard Enturbanné alors exilé en Irak. Cédant à la facilité historique, à la dramaturgie western du face-à-face entre hommes, ces observateurs proposent une lecture concentrée principalement sur les derniers mois de 1978. La dernière ligne droite, quand Khomeiny, devenu figure messianique, occupait symboliquement l'espace de l'opposition et que l'Islam s'imposait comme le rempart contre une société inégalitaire façonnée à la cour du Roi.

La première fois que j'ai vu le visage de Khomeiny, ce devait être un an après *La Première Lettre*. C'était un portrait agrandi en poster qu'Oncle Numéro 5 avait apporté chez nous. Un commerçant influent du bazar, ami de jeunesse d'Oncle Numéro 5, le lui avait donné pour qu'il l'offre à son frère. Derrière le poster, il avait écrit quelques mots témoignant de son respect et de son amitié. Oncle Numéro 5, constamment préoccupé par sa boutique d'appareils électroménagers et constamment menacé de faillite, aussi éloigné de la pensée révolutionnaire que les machines à laver qu'il vendait, avait accepté cette mission sans poser de questions. En voyant le portrait, Darius comprit aussitôt le message discret que lui adressaient les hommes du grand bazar de Téhéran (véritable poumon économique du pays).

Force très conservatrice ancrée au cœur de la société iranienne, liée au clergé et au mouvement des jeunes musulmans, les *bazaris* avaient commencé depuis quelques mois une propagande discrète/agressive en faveur de Khomeiny. À la nuit tombée, ils remplissaient les coffres des voitures de sacs de billets et se rendaient dans les bidonvilles du sud de la ville pour les distribuer aux plus pauvres. Ils ponctuaient leur geste généreux d'un «de la part de l'Ayatollah Khomeiny» aussi mensonger que dangereux[*].

À cette époque, mes parents avaient déjà les deux pieds bien ancrés dans l'opposition. Notre téléphone était sur écoutes. Nous recevions des dizaines de coups de fil d'insultes et de menaces par jour. Les lettres et les articles de Darius, publiés clandestinement, passaient de main en main. De fait, Darius était une figure que les *bazaris* auraient bien aimé attirer dans leur organisation. Seulement, pour que cette alliance puisse se faire, il aurait dû mettre en sourdine son athéisme, son féminisme, ses idées libertaires, ses critiques d'un clergé historiquement sujet à la traîtrise. Ce qu'il refusa, malgré d'autres tentatives ultérieures bien plus frontales.

Après le départ d'Oncle Numéro 5, alors que le poster traînait sur la table du salon, j'ai demandé à mon père qui était ce mollah barbu au regard sévère.

---

* Cela ne vous rappelle rien? À moins que vous n'ayez pas fait attention aux reportages filmés dans une Palestine en ruine où les représentants du Hezbollah passent de famille en famille et distribuent des dollars pour les aider à survivre et à réparer... Chaque billet déposé sur la table semble crier: «Qui s'intéresse à toi à part nous? QUI? Dès l'instant où tu tiendras cet argent dans ta main, tu ne pourras plus jamais nous oublier!»

«C'est Khomeiny, il n'est pas mollah, mais ayatollah, répondit-il, évasif, tout en prenant des notes sur un petit papier.

– Ça veut dire qu'il ne ment jamais? demandai-je, soudain impressionnée par son rang qui signifiait une proximité permanente avec Dieu.

– Je ne sais pas, on verra, dit-il en s'emparant de son journal. Jette-le dans la poubelle tu veux…

– T'es sûr?

– Oui… ce n'est qu'un poster, tu sais. »

Très vite, ce même portrait, reproduit à une échelle industrielle, atterrit dans les mains des dizaines de milliers de manifestants qui battaient le pavé des principales villes du pays.

Ce matin de février à Bruxelles, comme autrefois devant les vieilles photos du marché aux puces, comme à chaque fois que Sara étalait ses souvenirs autour d'elle, comme quand Leïli m'appela pour m'annoncer la mort d'Oncle Numéro 1 (crise cardiaque à Téhéran), d'Oncle Numéro 3 (cancer à Toronto), de Darius, d'Oncle Numéro 5 (suicide à Qazvin), d'Oncle Numéro 6 (accident de voiture à Los Angeles) et enfin d'Oncle Numéro 2 (vieillesse à Téhéran), j'eus l'impression de me faire tirer en arrière, le corps traîné sur les graviers d'une histoire dont j'essayais désespérément de m'échapper. Il y a chez moi l'élan absurde du héros de *La Rose pourpre du Caire* de Woody Allen, qui se jette hors du cadre et s'évade dans un monde en couleur où il imagine que l'oubli est possible. Je cours sans cesse après le présent. Mais le présent n'existe pas. Ce n'est qu'un entracte, un répit éphémère, qui peut à chaque instant être balayé, détruit, pulvérisé, par les djinns échappés du passé.

Dès le début de l'année 1978, tous les vendredis aux alentours de huit heures du matin, notre appartement était envahi par une foule – amis, famille, connaissances, inconnu(e)s, journalistes étrangers et sans doute espions de la Savak – en quête d'informations, de discussions et de rencontres. En l'absence de lieu où se réunir, et de façon improvisée, ils avaient fait de chez Darius Sadr leur Q.G. Même Michel Foucault passa et resta toute une matinée. Il suffisait, paraît-il, de dire aux chauffeurs des taxis collectifs de Téhéran « chez Sadr » pour qu'ils vous y conduisent sans demander l'adresse. L'affluence était telle que Sara laissait la porte d'entrée ouverte.

Dépossédées de nos parents, mes sœurs et moi vivions cette situation avec fatalisme. Leïli et Mina s'enfermaient toute la journée dans une chambre, à faire leur devoir ou lire, tandis que moi je jouais dans la cour. Exaltée, épuisée, Sara allait et venait entre le salon et la cuisine avec des thermos de café chaud. Parfois, la Grande Mina l'aidait. Quant à Darius, assis sur sa chaise au bout du salon, seul son crâne chauve, au-dessus duquel planait la fumée de sa cigarette, demeurait partiellement visible. De temps en temps, il quittait le salon suivi par un journaliste étranger, enjambait les corps, saluait celles et ceux qui n'avaient pas eu accès à lui, et parvenait jusqu'à la buanderie où il s'isolait pour accorder une interview.

Neuf jours après l'instauration de l'état de siège à Téhéran et dans onze autres villes[*], le vendredi 16 septembre, en fin d'une matinée grise et chaude (je me souviens, je portais mon T-shirt bleu à rayures blanches), j'étais en train de jouer au ballon avec d'autres enfants quand j'ai vu quatre camions

---

[*] Une semaine plus tôt, le vendredi 8 septembre 1978, surnommé « Vendredi noir », l'armée avait ouvert le feu sur la foule réunie place Jaleh, au cœur de Téhéran.

militaires s'arrêter devant le portail de *Mehr*. À peine ai-je eu le temps de réaliser ce qui se passait que des dizaines de soldats armés se sont déversés dans la cour. Une scène de guerre comme celles que j'avais vues dans les films français. La descente soudaine de soldats nazis dans des immeubles parisiens. L'affolement. La rafle. Paniquée, je vais pour courir vers notre appartement quand un homme, debout sur le seuil, crie «ils sont là!», se jette à l'intérieur et claque la porte.

Mon cœur s'arrête.

Alors que tout n'est que fuite et cris, je reste clouée sur place, tétanisée, à fixer notre porte qu'un soldat défonce maintenant à coups de crosse de kalachnikov.

Une main attrape violemment mon bras et me tire. C'est la voisine du numéro 19. Je résiste, me débats. Un voisin me soulève et court, insensible à mes coups. On fonce à l'intérieur de l'appartement numéro 19 et la voisine ferme la porte à double tour. Je me jette sur le sol. Je rampe jusqu'à la porte d'entrée. Je m'accroche à la poignée et je pleure.

Plus tard, vidée de mes larmes, rabougrie et essorée comme une serpillière, je suis en boule au pied de la porte. Bibi m'a dit que Dieu voyait chacun de nous. Il va finir par me voir, avoir pitié de moi et m'achever. Tout ce que j'ai à faire c'est attendre. La voisine tente de me relever. «Peux pas rester là», «froid», «manger». Pour me convaincre, elle me met debout et colle mon œil au judas. «Regarde, tu ne peux plus sortir!» Je vois au centre du rond un soldat planté devant la porte. J'éclate en sanglots.

La suite est une reconstitution maladroite de tout ce que j'ai pu entendre à propos de cette journée. En toute logique, si je voulais vous décrire précisément ce qui est en train de se passer à l'intérieur de notre appartement, je devrais ouvrir le livre de ma mère et vous traduire le passage qui y est consacré. Peut-être le ferais-je pour un autre événement, mais pas pour celui-là.

La porte est fermée. Deux cent quatre-vingt-sept personnes sont réunies dans cent trente-deux mètres carrés. Certains ont réussi à fuir par la baie vitrée du salon maintenant condamnée, dont le très vaillant Oncle Numéro 6. Certains sont à plat ventre, des armes pointées sur leur nuque. Certains, les mains collées au mur, sont fouillés comme des criminels. D'autres, comme Sara et Saddeq, sont assis par terre, mains croisées dans le dos. Derrière eux, les soldats appuient une arme sur leur crâne, les forçant à garder la tête baissée. Face à Darius, toujours sur sa chaise, un haut gradé de l'armée hurle des phrases ponctuées d'insultes. À chacune d'elles, le ventre de Sara se tord de rage. Darius ne réagit pas. Sara sait le sort qui l'attend, elle voudrait lever les yeux vers lui, mais le poids de l'arme l'en empêche.

Les chambres sont saccagées, mises à sac. Assises sur un lit, Leïli et Mina assistent hébétées/terrifiées au pillage. Un soldat tient un sac-poubelle qu'un autre remplit de tout ce qui lui tombe sous la main.

Une vingtaine de minutes plus tard, l'ordre est donné d'évacuer l'appartement. Les camions militaires sont maintenant à l'intérieur de la cour plongée dans un silence de mort. Poussé par les soldats, chacun grimpe à l'intérieur. Collés aux fenêtres, ahuris, les voisins regardent le premier convoi se remplir. Le spectacle n'est pas seulement impressionnant, il est morbide. Sara est la seule à être tenue par deux soldats.

Maintenant, sa tête lui fait tellement mal qu'elle arrive à peine à respirer. La migraine s'est emparée d'elle ; familière, toujours à l'affût. Elle aurait dû prendre des médicaments sur elle, elle aurait dû prévoir... Elle tente de se concentrer sur ses filles. Leïli et Mina sont dans la chambre de Leïli, mais où est Kimiâ? Elle me cherche dans la cour. Mais la cour est déserte. Elle regarde péniblement en direction des fenêtres des voisins, espérant me repérer derrière l'une d'elles. Au troisième étage, une voisine, Sonia Vakili, lui fait un petit signe de la main en pleurant. Dans ses larmes, Sara voit le désastre. L'impression d'assister à son propre enterrement. Elle voudrait la serrer dans ses bras et lui dire que ça ira. «Montez!» crie un soldat. Sara se tourne vers lui, lui demande si ses filles aussi vont être emmenées. «Nous ne sommes pas comme vous, nous ne tuons pas les enfants», lui rétorque le soldat. La colère et la peur qui montent en elle sont si soudaines qu'elle lui crache au visage. Le soldat lève la main, va pour riposter, mais un homme sort du rang et s'interpose. Il calme le soldat en lui disant que son frère aussi est dans l'armée.

«Alors qu'est-ce que vous faites avec ces traîtres?

– Je revis, fiston», lui répond l'homme avec douceur.

Tandis que l'évacuation continue, Leïli observe un temps le va-et-vient des soldats et décide qu'il est temps de fuir. Elle a treize ans et Mina onze; elle est la grande sœur, elle doit les tirer de là. Elle prend la main de Mina, aussi inerte que celle d'une poupée de chiffon: «Allez, debout, on y va!» Mina la laisse faire. Elles se faufilent entre les corps et atteignent le salon. L'objectif de Leïli: courir vers la porte d'entrée gardée par plusieurs militaires, déjouer leur attention et rejoindre la cour. Mais ce qu'elle voit dans le salon la paralyse. Elle ne pensait pas une seconde que Darius serait encore là. Elle imaginait même qu'il avait été emmené en premier et, qu'à l'heure qu'il était, il se trouvait dans une salle de torture de la prison Evin. Pourtant Darius est toujours assis sur sa chaise, impassible, le visage aussi blanc qu'une ampoule nue. À quelques centimètres de lui, le haut gradé, debout, tient un pistolet à la main. Sous le regard terrorisé de mes sœurs, il tend le bras et colle l'arme sur la tempe de Darius. Son geste est si déterminé, si impeccable, qu'il n'y a aucun doute sur ses intentions.

Ce qui suit ne dure que quelques secondes.

Incapable de supporter cette vision cauchemardesque dont plusieurs variantes la hantent depuis longtemps, Mina crie de toutes ses forces. Elle lâche la main de Leïli, se précipite vers Darius et soudain vomit sur la jambe du haut gradé, avant de s'écrouler sur le sol. Est-ce le bruit mat du corps qui tombe, ou bien la sensation du vomi ? Toujours est-il que le militaire se retourne, comme si un ennemi l'attaquait sur le flanc... Et le coup part.

Alors que la balle se loge violemment dans le mur, tels des animaux sauvages dont la bride vient de rompre, les gens foncent vers la baie vitrée et la brisent. Ils se poussent, se bousculent, se grimpent dessus, s'écorchent et fuient par le balcon. Les soldats hurlent et les poursuivent. Personne ne fait attention au corps recroquevillé de Mina. Abandonné. Piétiné. Écrasé. Personne ne voit l'os de la jambe gauche qui pointe et défie la mare de sang. Pas même Darius, menotté et évacué en catastrophe.

La nuit tombe sur Téhéran, d'un coup, comme un voile jeté sur un cadavre. Les rues sont déjà vides alors que le couvre-feu ne commence que dans une heure. Des tanks remplis de soldats stationnent sur les axes principaux. Sur le boulevard Élisabeth, à quelques mètres de la plus grande caserne de la ville, Sara Sadr – libérée une dizaine de minutes plus tôt en même temps que les autres femmes – hèle un taxi collectif vide. À nouveau, l'angoisse l'envahit. Est-ce que cela a vraiment eu lieu ? Où est Darius ?

Pendant les cinq heures où elle a été interrogée par deux colonels, la peur l'avait quittée pour laisser place à une formidable acuité. Elle avait senti ses muscles se tendre et la porter. Elle avait senti une force inouïe sortir d'elle et envahir la pièce. Elle leur avait fait face, avait répondu d'une voix claire. Plus tard, quand elle racontera son interrogatoire, elle répétera sans cesse cet échange :

« Possédez-vous des armes ?

– Oui, le stylo de mon mari !

– Ne jouez pas au plus malin avec nous, madame.

– Je ne joue pas. Si son stylo n'est pas une arme, alors qu'est-ce que je fais là ? »

Elle avait ri, comme on rit à la gueule d'un idiot.

Le taxi s'arrête devant le portail de *Mehr*. Le chauffeur, apprenant qui elle est et d'où elle sort, ne lui compte pas la course. Sara entre dans la cour sombre. Le silence est tel qu'on dirait que l'air est immobile. Ici et là, des fenêtres allumées. Mais pas celles des Nasr. Le cœur de Sara s'emballe. Où sont-ils ? Elle est certaine que la Grande Mina s'est occupée de ses filles, elle n'a aucun doute là-dessus. Elle sait que Leïli, Mina et Kimiâ sont avec elle. Mais où ? Peut-être chez les Pourvakil ? Elle accélère le pas. L'appartement des Pourvakil est tout au bout de la cour, caché derrière les arbres. Leur salon semble plongé dans le noir… Ses jambes tremblent. Elle cherche une autre solution : courir chez un voisin pour téléphoner à sa mère. Elle va pour bouger, mais elle entend distinctement des bruits de pas qui s'approchent. Jusqu'à ce matin, *Mehr* était un lieu sûr, une forteresse d'amitié et de confiance (même si bien sûr, il y a quelques voisins *shahis*, royalistes, qui ne leur adressent plus la parole). À présent, il est devenu perméable. À présent, n'importe quel Savaki peut être caché dans un coin et lui tomber dessus. Une main se pose sur son épaule : « Madame Sadr. » Au moment même où elle sursaute, elle reconnaît la voix caverneuse du concierge de *Mehr* que les enfants par crainte et affection appellent Baba. Elle se retourne. Le corps massif de Baba se dresse devant elle tel un mur.

« Ils sont partis, madame.

– Où ? demande-t-elle, se retenant de pleurer.

– À l'hôpital Aban... Pour la Petite Mina. »

À l'arrivée de Sara dans la salle d'attente de l'hôpital Aban, tous se figèrent. Hagarde, à bout de souffle, elle ressemblait à une rescapée de guerre cherchant désespérément sa famille dans les dédales d'un hôpital.

Dans la masse des scenarii que je m'étais inventés depuis leur arrestation, il y avait « mort sous la torture » et « tuée par un peloton d'exécution ». Ce n'est qu'en voyant Leïli courir vers elle, Sara arrondir ses bras autour de son corps tremblant, que je pris acte de la réalité. Pourtant, je n'osai pas l'approcher et elle ne m'invita pas à le faire. Il y avait toujours entre Sara et moi cet indicible malentendu : moi, attendant qu'elle vienne vers moi, elle, acceptant ma position en retrait. Et c'est dans le fossé creusé par ce malentendu originel que sont nés bien des ratages et des incompréhensions.

« Où est Mina ? demanda-t-elle inquiète.

– En salle d'opération, dit la Grande Mina. Ne t'en fais pas, c'est juste sa jambe... Elle va s'en sortir.

– Comment c'est arrivé ?

– Tu n'as pas besoin de le savoir tout de suite, ma petite fleur », tenta Grand-Mère Emma qui aurait bien voulu que sa fille s'assoie, boive un thé, mange un petit quelque chose et se requinque d'abord. Mais Sara se tourna vers Ramin Nasr, calme et déterminée.

« Dis-le-moi, toi. »

Vers vingt et une heures trente, le médecin arriva enfin.

À moitié endormie sur une chaise, j'avais du mal à suivre la conversation parsemée d'énigmatiques termes médicaux. J'aurais voulu être aussi concernée/alerte que Leïli, mais dès que mes yeux se fermaient, je me trouvais propulsée dans l'appartement numéro 19. Je saisis juste que l'opération s'était déroulée au mieux. À un moment, Sara s'accroupit devant moi et prit ma tête entre ses mains.

« Tu vas rentrer avec Ramin, tu as école demain.

– Et Leïli ? »

J'avais déjà la réponse puisque Leïli, inconsolable de ne pas avoir réussi à sauver Mina, était collée à Sara depuis son arrivée. Elle cherchait désespérément et son pardon et son amour.

« Leïli va rester avec moi. Il faut que tu rentres, tu as besoin de dormir. Ne t'inquiète pas, je serai là à ton réveil. »

Sur le trajet du retour, la voiture de Ramin a été arrêtée trois fois par des soldats sortis des ténèbres. Chaque fois, il se tournait vers moi, assise à côté de lui, le visage crispé et les yeux fermés.

« Ma fille est très malade. Peut-être l'appendicite. Je l'ai emmenée à l'hôpital. »

La lumière sournoise d'une lampe torche se fixait sur moi pour vérifier. Malgré sa puissance inquisitrice, je ne bougeais pas. Je jouais à être une actrice, comme Ava Gardner (la préférée de Sara) ou Susan Hayward (la préférée de Darius), même si à l'intérieur je me décomposais.

Comment le goût du faux-semblant et du mensonge se glisse dans une vie ? Comment le caractère se façonne à l'ombre des événements ? Voilà que tout en m'interrogeant, je me rappelle une scène semblable en Turquie en 1981, dans le car qui nous conduisait de la ville frontalière de Van jusqu'à Ankara. Omid, notre passeur, nous avait prévenues qu'à l'entrée de chaque ville, des soldats monteraient vérifier les papiers. Comme nous n'en avions pas, nous devions nous taire et le laisser faire. Il m'avait demandé de faire semblant d'être malade, d'avoir mal et de me recroqueviller dans les bras de Sara. Je prenais mon rôle très au sérieux, persuadée que nos vies dépendaient de la justesse de mon interprétation. Pour éviter de regarder les soldats qui avançaient lourdement, Sara enfouissait son visage dans mes cheveux sales et emmêlés. Je sentais nos cœurs s'emballer. Collées l'une à l'autre, Leïli et Mina prenaient l'air misérable et abattu. Pendant que nous jouions notre partition, Omid leur présentait ses faux papiers turcs, fabriqués par lui-même, et leur expliquait qu'il emmenait sa famille à l'hôpital d'Ankara. Au moment de récupérer son faux passeport, il leur glissait discrètement quelques billets et les soldats nous laissaient tranquilles.

Sortie triomphante des griffes du couvre-feu, la voiture de Ramin entra dans la cour de *Mehr*. Ce que je m'apprête à vous révéler mérite l'obscurité inquiétante d'une nuit d'orage. Pourtant, l'air est étonnamment lumineux. Alors qu'assise sur le siège du passager je m'exerçais à l'art dramatique, les nuages s'étaient effilochés dans le ciel, laissant apparaître une lune aussi grosse qu'un pamplemousse. *La lune a déchiré la robe de la nuit*, dit le poète mystique Hafez de Shiraz.

La cour déserte était couleur d'acier. Aucune fenêtre allumée, aucun bruit. Téhéran était momentanément sous contrôle. Ramin tourna le volant pour aller se garer sur son emplacement de parking. La lumière des phares dévoila alors une forme sombre adossée au mur qui séparait nos deux appartements. Un cri s'étouffa dans ma gorge. Je sentis le corps de Ramin se raidir. Dans le halo jaune apparurent la barbe puis les joues creuses. L'incrédulité chassa d'un coup la peur. «Nom de Dieu!» lança Ramin qui venait de reconnaître Darius.

Comment était-il arrivé jusque-là? Qui l'avait déposé? Que s'était-il passé entre son arrestation et son retour? Nous ne connaîtrons jamais ces réponses. Car Darius n'en parla jamais.

L'ai-je interrogé? Non.

Pourquoi? 1) Parce que j'étais intimidée, par Darius-Invincible, Darius-Héroïque, Darius-Rescapé de l'enfer; 2) parce que je redoutais la vérité; 3) parce qu'il était inaccessible, accaparé, entouré, sollicité, lointain, parti, caché. Il évoluait désormais dans un monde parallèle au mien, au nôtre.

Et plus tard, une fois à Paris? À Paris, nous ne nous parlions plus, de rien. Aucun de nous. Chacun était enfermé dans un silence fait d'hébétude et d'ajustements. Dans un état de conscience perdue. Le passé n'était plus des anecdotes qui pouvaient se raconter, mais un champ de ruines, vaste et blanc.

Et puis? Je suis partie, je me suis enfuie vers des ailleurs où je pouvais me réinventer. Jusqu'à L'ÉVÉNEMENT.

Est-ce que je regrette? Je ne sais pas. Il m'arrive de me dire que ses mystères faisaient partie intégrante du personnage déroutant qu'il était; de son enfance où il s'enfermait à l'abri d'une chambre pour lire jusqu'à ses marches solitaires. Vouloir tout connaître de lui aurait été l'abîmer. J'ai grandi avec la certitude qu'il gardait pour lui l'essentiel de son existence. Tout ce que je savais, ce n'est pas lui qui me l'avait appris, mais Oncle Numéro 2.

9

Le Shah est parti, Imam est arrivé

Ça y est, le docteur Gautier vient de passer devant moi.

Tout en marchant, elle enlève sa longue écharpe aussi épaisse qu'un tapis.

« Je suis vraiment désolée... On a dû vous dire... J'étais en réunion. Je suis à vous tout de suite. »

Et elle disparaît dans son bureau. Souvent, elle me fait penser à Leïli, et pas seulement parce qu'elle est médecin. Sa grande taille. Son teint pâle privé de soleil. Son absence totale de fantaisie, comme si son allure devait refléter la gravité de la science. Mais aussi son désir de mener de front une vie de famille et une brillante carrière, ce qui suppose, tout comme Leïli et contrairement à moi, qu'elle a su très vite ce qu'elle attendait de la vie.

Malgré son jeune âge, à peine la quarantaine, Françoise Gautier est considérée comme une des grandes spécialistes de l'infertilité et plus particulièrement de l'infertilité liée au virus du sida. C'est elle qui, au sein du service Médecine de la reproduction, prend en charge les couples sérodifférents, c'est-à-dire nous.

Lors de notre premier rendez-vous, elle nous avait expliqué, avec des mots qu'elle supposait compréhensibles, que le lavage de sperme consistait à séparer le liquide séminal et les lymphocytes T4 (où est présent le VIH) des spermatozoïdes. Isolés, les spermatozoïdes étaient ensuite congelés en vue de l'insémination. Après son explication, elle s'était tournée vers moi et avait précisé, croyant lire dans mes pensées :

« Bien entendu, le risque zéro n'existe pas, mais cette technique permet de s'en approcher... »

Autrement dit, il y a un risque infime que je sois contaminée, ce qui va m'obliger à faire des prises de sang régulières plusieurs mois après l'insémination. Mais, et sur ce point Docteur Gautier était formelle, il n'y avait aucun danger pour l'enfant puisque c'est lors de l'accouchement que le virus se transmet de la mère au bébé par le sang et la technique pour l'éviter était parfaitement maîtrisée.

Lors du rendez-vous qui suivit la décision positive de la psychologue, elle m'avait prescrit des injections journalières de Puregon, à partir du cinquième jour du cycle jusqu'au dixième, afin de provoquer une hyperstimulation ovarienne. Je lui ai demandé si cela était nécessaire, étant donné que je n'étais pas infertile.

« Chaque femme, infertile ou non, qui entre dans ce service doit en passer par là, répondit-elle. Je vous ai prescrit la dose minimale, on ajustera au besoin. »

Ce systématisme m'apparut arbitraire, mais j'ai fait comme je faisais toujours : j'acquiesçai.

Avant-hier, je suis venue à l'hôpital pour un contrôle de la taille des follicules (une heure et demie d'attente). J'ai été examinée par un interne qui, après l'échographie, m'a annoncé que le soir même je devais faire l'injection d'Ovitrelle afin de libérer les follicules. Avant de quitter l'hôpital, je suis passée au secrétariat prendre rendez-vous pour l'insémination qui doit avoir lieu impérativement dans les quarante-huit heures.

La suite vous la connaissez en grande partie.

Maintenant qu'elle ne va plus tarder à m'appeler, je vais devoir mettre un coup d'accélérateur. Sauter par-dessus les événements et les années ; les nuits d'angoisse, les écrits de Darius étalés sur la table du salon, les barricades, les manifestants, les morts, les réunions politiques, les pillages, les incendies, les gouvernements renversés, l'arrestation de l'ancien premier ministre Amir Abbas Hoveyda désigné par le Shah comme responsable de la corruption, la venue du président américain Jimmy Carter à Téhéran, le retrait du soutien des Américains au Shah, la nomination en dernier recours du libéral-démocrate Shahpour Bakhtiar comme premier ministre… Et appuyer sur le dernier bouton du diaporama des années 70. 1979. Année explosive.

Le 16 janvier, je déboule dans la cuisine. Je trouve Bibi debout contre l'évier, en train de récurer avec peine une grosse marmite.

« Dis *"Margue bar Shah*"*, Bibi !

– Voilà que tu recommences ? Je t'ai déjà dit : je ne sais pas.

– Mais qu'est-ce que tu ne sais pas à la fin ?

– *Ey baba !* Laisse-moi tranquille !

– Mais pourquoi tu ne veux jamais dire *"Margue bar Shah"* ?

– Et toi qui n'arrêtes pas de le dire, qu'est-ce que t'as gagné ?

– J'ai gagné qu'il est parti !

– Qui est parti ?

– Le Shah… Il est PARTI ! »

Bibi lève enfin le regard vers moi.

---

* Mort au Roi.

199

« C'est pour ça que ça crie de partout ?

– Tu parles que ça crie ! TOUT LE MONDE est dans la rue. Allez, viens avec moi, on va voir !

– Pour quoi faire ?

– Pour fêter ça ! Il est PARTI, Bibi !

– Et qu'est-ce que ça va changer ? Allez oust, quitte ma cuisine. J'ai du travail, gamine. »

Sur l'écran de télévision en couleur, des images de l'intérieur bondé d'un avion. Gros plan sur le visage de Rouhollah Khomeiny, la longue barbe blanche et les sourcils si épais qu'ils masquent son regard. Le commentateur insiste sur le fait qu'en ce 1er février 1979, il rentre dans son pays après quinze années d'exil. Un des journalistes étrangers qui l'accompagnent se penche vers lui et lui demande : « Qu'est-ce que vous ressentez ? »

Un traducteur reformule la question en persan.

« Rien, murmure Khomeiny avec un petit sourire ironique.

– Rien ? s'étonne le traducteur.

– Rien », insiste-t-il.

Dans le salon des Pourvakil, debout face à l'écran, le visage de Sara s'affaisse dans une grimace à la Harvey Keitel. Sidérée, elle se tourne vers madame Pourvakil qui fixe les images l'air de ne pas bien comprendre.

« Rien !!! s'exclame Sara. Ça veut dire quoi ? Il ne ressent RIEN alors qu'il revient dans son pays ?

– Peut-être qu'il ressent, mais ne sait pas comment le dire, propose madame Pourvakil.

– Nom de Dieu on vient de renverser la monarchie ! Des gens sont morts… Il n'a pas l'air de comprendre !

– Il doit être fatigué…

– Fatigué ? Installé tranquillement en France, à Neauphle-le-Château ! (Silence.) C'est bon, je vais faire un thé… »

Dépitée, Sara tourne le dos à la télévision et disparaît.
Sur l'écran les images continuent de défiler.
L'avion d'Air France vient d'atterrir sur la piste de l'aéroport Mehrabad. Maintenant, Le Vieillard Enturbanné descend lentement les marches, les yeux rivés sur ses pieds et la main posée sur le bras du pilote *farançavi*. Son arrivée, acclamée par un océan humain en transe, est comparée à celle de Mehdi, le Caché, dont le nom impose au bon chiite de se lever, prêt à combattre à ses côtés pour instaurer la justice dans le monde.

C'est sans doute la fin de la Révolution.

La terre est retournée de toutes parts. L'Ancien Monde est déchiqueté. La violence et le sang ont transformé chaque rue en scène de crime. Tout se mélange dans un chaos inquiétant et euphorique. La mythologie se déverse dans la réalité, le paganisme dans la religion. Ahura Mazda (dieu de la Lumière) a vaincu Ahriman (dieu des Ombres). L'Ange a triomphé du Démon. Le peuple se libère dans une jouissance gigantesque et douloureuse. Il était en Enfer et le voilà devant les portes du Paradis, comme les oiseaux pèlerins du poème d'Attar qui auraient enfin trouvé le Roi des Oiseaux, le mythique Simorgh. Pendant tous ces mois où Le Vieillard attendait en coulisse, de Najaf à Neauphle-le-Château, pour renaître au monde tour à tour Emam*, Messie, Guide

---

* Pour comprendre l'importance de cette appellation, il faut faire un tour du côté des fondamentaux du chiisme et de son organisation cléricale plus ou moins calquée sur le christianisme. Car cet « imam »-là, n'est pas celui qui conduit la prière à la mosquée comme chez les sunnites. Pour les chiites, *Imam*, prononcé *Emam* en persan, désigne les héritiers testamentaires de Mahommad, autorisés à continuer sa mission prophétique. Ils sont les seuls guides, les seuls détenteurs de la vérité absolue. Le premier d'entre eux est Ali, cousin et gendre de Mahommad et fondateur du chiisme. Les onze autres sont tous de la lignée d'Ali et de Fatima, fille de Mohammad : leurs enfants et petits-enfants. Le douzième Emam, Mehdi, est considéré comme disparu. Sa disparition annonça *l'ère de l'occultation* : le chiite vit dans l'attente de son retour qui mettra fin à l'oppression et à l'injustice. Parti

Suprême, Chef Incontesté, son portrait a été peint sur tous les murs de toutes les villes du pays. Son visage a été vu de Téhéran à Tabriz, de Machhad à Adadan, de Qazvin à Shiraz, dans le dessin de la lune un soir de septembre.

Qui aurait pu imaginer à cet instant que l'Ange n'était en fait qu'un autre Démon; la Lumière, une illusion? Qui aurait pu savoir que tel le joueur de flûte de Hamelin, Le Vieillard conduirait bientôt les enfants de son pays dans une grotte et les y enfermerait?

Depuis le début du mois de janvier, nous vivions chez les Pourvakil. Sentant que la fin approchait, les services secrets et l'armée avaient sérieusement musclé la répression. Les coups de fil anonymes et les intimidations avaient redoublé, au point que Sara avait décidé que nous devions définitivement quitter notre appartement.

Depuis trois mois, personne ne savait où était Darius. Personne ne savait que son ami d'enfance, Majid, après l'avoir sorti d'un meeting politique clandestin repéré par la Savak, l'avait caché. Quelqu'un avait simplement prévenu ma mère, au milieu de la nuit, qu'il ne rentrerait pas. Les fois précédentes, Sara savait toujours où il se trouvait; elle lui rendait même visite en cachette, changeant trois à quatre fois de taxi, rallongeant son chemin. Quelquefois, elle nous avait emmenées, nous tenant fermement la main dans la rue. Mais la donne avait changé.

Quelque temps après notre installation chez les Pourvakil, un soir où nous regardions le journal télévisé dans un silence

_____

en exil à Najaf en 1964, puis accueilli à Paris en 1978 quand Saddam Hussein l'en expulsa, en quelque sorte *occulté*, Khomeiny avait peu à peu acquis un statut semblable à celui de Mehdi. Il était devenu celui dont la venue signifierait la fin de la dictature. Ces précisions pour que vous compreniez que passer d'Ayatollah à Emam, ma foi ce n'était pas rien! À force de couardise et d'entêtement, le Shah avait fini par faire de son adversaire rien de moins qu'un Saint.

tranchant comme une lame de rasoir, la voix solennelle du journaliste annonça le dernier communiqué du gouvernement de Bakhtiar. Par décision conjointe du gouvernement et de l'armée, Darius Sadr était devenu un ennemi de la patrie ; toute personne détenant des informations sur l'endroit où il se trouvait devait le dénoncer sur-le-champ.

Je saisis l'ampleur de l'information quand je vis Sara, livide et calme, se lever et marcher d'un pas raide vers le téléphone. Elle prit le combiné et appela le commissariat central. Je l'entendis dire : « Bonsoir, je suis la femme de Darius Sadr… Dites à vos supérieurs que les ennemis de la patrie, ce sont eux et toute cette bande de… » Puis je n'entendis plus rien. La terreur se referma sur moi. Que faisait-elle ? Pourquoi appelait-elle la police ? J'étais effrayée à l'idée qu'elle attire à nouveau l'attention sur nous, comme le soir où elle avait ouvert la vitre de sa voiture pour interpeller le général Rahmani devant chez lui.

Elle était comme ça, Sara. Toujours en alerte. Son corps longiligne drapé dans la passion comme dans un vêtement taillé sur mesure. Quand il s'agissait de mon père, même la passion devenait trop étriquée et encombrante. Elle quittait la Terre, ses lois inutiles et ses dieux minables, pour devenir cyclone, foudre, avalanche. Parfois elle me faisait peur. Parfois la peur se mêlait d'admiration, la même que j'éprouvais pour Angela Davis et Leïla Khaled, mes héroïnes révolutionnaires que j'imaginais mi-humaines, mi-Super Jaimie.

Le lendemain, des hommes en civil firent leur apparition dans les rues autour de *Mehr*. Dans les voitures, sur les trottoirs, postés devant l'épicerie, la charcuterie arménienne, la boulangerie. Sara nous interdit de sortir, de repousser les rideaux pour regarder à l'extérieur. À vrai dire, l'interdit m'était principalement destiné. Depuis que les écoles étaient fermées, que les rues étaient à feu et à sang et que n'importe qui se baladait avec une kalachnikov en bandoulière, mes sœurs passaient la majorité de leur temps à lire des romans. De temps à autre, elles se retrouvaient avec les filles du voisinage dans la cour, une petite heure en fin d'après-midi, à s'asseoir sur l'herbe et papoter. J'étais la seule à m'aventurer à l'extérieur, jouer au foot ou à cache-cache, suivre les aînés qui fabriquaient des cocktails Molotov sur le parking de l'autre côté de la rue.

Seule madame Pourvakil, aussi petite, ronde et énergique qu'un ballon de basket, sortait. Toutes les heures, sous n'importe quel prétexte, elle enfilait son manteau, prenait un panier ou juste son sac à main, se faufilait dehors et revenait avec des détails apparemment anodins. «Celui qui était dans la Peugeot noire, immatriculée 775 48, garée près de la pharmacie, est allé acheter des cigarettes… Le salaud, il se prend pour un prince et fume des Dunhill!» « Un autre, avec une veste à carreaux comme celui qu'on a acheté pour Karim l'année dernière, a remplacé le salopard assis devant le lycée avec un journal. Que Dieu le maudisse de porter la même veste que mon fils!» À l'écouter, on aurait dit que tous les Savakis de Téhéran s'étaient donné rendez-vous près de chez nous.

Les sorties de madame Pourvakil, surnommée Agatha Christie par Mina, avaient pris des allures de gags. Nous l'imitions. Ses regards suspicieux, sa démarche aussi discrète qu'un tank, les phrases herculepoirotesques qu'elle enchaînait à son retour. Et nous riions, pliées en deux, la tête enfoncée dans des coussins et les pieds tapant le sol.

Sara l'écoutait. Elle s'était réfugiée dans la cuisine et, penchée au-dessus de la gazinière, semblait ne plus vouloir en sortir. De temps en temps, elle émettait un «ah» qui aurait pu signifier n'importe quoi. Parfois, elle nous appelait – «Les enfants!» – d'une voix joyeuse qui donnait l'impression qu'elle était sur le point de sortir un énorme gâteau au chocolat du four. Mais quand nous nous précipitions vers elle, elle nous regardait quelques secondes avant de dire : « Non, rien. » Mina s'attardait, espérant plus, jusqu'à ce que Leïli lui murmure quelque chose à l'oreille et la tire par la main.

Ce soir-là, après le dîner, nous étions toutes les trois dans la chambre en train d'enfiler nos pyjamas, quand Sara nous appela. Elle était assise sur le petit canapé de l'entrée, dans la pénombre. Elle s'était changée – jupe en laine, col roulé noir, manteau trois quarts gris et bottes –, prête à sortir.

« Où tu vas ? lui demanda Leïli, surprise par son allure aussi inattendue qu'élégante.

– Venez vous asseoir près de moi », dit-elle en tendant les bras.

Doucement, Sara nous expliqua que la Savak allait sûrement venir la chercher, ce n'était qu'une question d'heures. Nous devions être courageuses, patientes, lui promettre que quoi qu'il arrive nous serions toujours là les unes pour les autres. « D'accord, mes chéries ? » Les yeux figés comme des boules de glace, mes sœurs hochèrent la tête. Je les imitai parce qu'elles savaient mieux que moi ce que Sara attendait de nous. « Vous savez, j'ai beaucoup beaucoup de chance d'avoir trois adorables filles. » Nouveaux hochements de têtes aussi mécaniques que ceux des chiots à la tête désarticulée vendus dans les magasins de jouets.

Sara fit d'autres recommandations. Moi, je guettais les bruits extérieurs. Si la Savak débarquait maintenant, nous pourrions nous accrocher à elle et être emmenées aussi. Mais si Sara partait seule, nous ne la reverrions plus jamais.

Elle nous demanda d'aller nous coucher et nous retournâmes dans la chambre en silence, Leïli en tête. Elle ne nous embrassa pas, mais je sentis son regard nous suivre. Nous nous allongeâmes dans nos lits, sans éteindre le plafonnier.

Sa lumière crue et blanche nous donnait l'impression d'être dans un présent encore supportable. L'éteindre signifierait se résigner. C'est alors que nous entendîmes un bruit mat. Puis une détonation fit trembler les vitres.

La bombe avait été lancée dans notre appartement par la baie vitrée. La porte d'entrée et les fenêtres avaient volé en éclats. Les vitres des autres appartements, jusqu'au quatrième étage, avaient en partie ou en totalité explosé. Des projections avaient transpercé les réservoirs des voitures. L'essence coulait abondamment sur le béton. Des voix hurlaient de ne pas fumer. Des voisins affolés, en pyjama ou robe de chambre, se déversaient dans la cour comme des animaux en détresse. L'odeur de brûlé et d'essence tordait l'estomac. Toutes les lumières des appartements étaient allumées, éclairant la cour comme un soir de fête.

Je circulais au milieu de ce chaos, pieds nus, presque en lévitation. J'étais tellement heureuse que j'oubliais instantanément ce que je voyais. J'avançais, indifférente aux bousculades et aux cris, aux mains qui m'attrapaient pour me consoler. Je planais au-dessus d'un spectacle à la fois terrible et enchanteur, la parodie d'un drame sans conséquence. C'était fini, terminé, plié. Ce qui devait arriver ce soir-là était arrivé. Notre appartement était détruit, mais Sara n'avait pas été emmenée ! Nous avions eu peur pour rien. Nous avions tremblé pour rien. Une petite explosion insignifiante.

Le lendemain matin, une journée de grande manifestation, le cortège démarra avenue Kennedy, une perpendiculaire à notre rue. Dès l'aube, les manifestants affluaient dans notre cour pour voir «la maison de Sadr». Visiblement le bruit avait couru dans tout Téhéran qu'une bombe y avait explosé et chacun venait vérifier s'il s'agissait ou non d'une rumeur. J'avais demandé la permission d'aller dans la cour. J'avais envie de les regarder fixer la porte déchiquetée et ressentir, encore une fois, la joie qui m'avait habitée quelques heures auparavant. Je leur indiquais même la direction de notre appartement, puis les observais ralentir le pas devant le trou béant, jubilant de leur air ahuri pour si peu. Je ne ressentais pas le besoin d'entrer pour constater les dégâts. Je m'en fichais.

Quelques semaines après, je tombai malade. L'intensité de la fièvre me cloua au lit. Les remèdes habituels ne fonctionnèrent pas. J'aimais cette fièvre, la sensation cotonneuse de flotter dans l'air, de ne plus être reliée à la réalité, de disparaître. Plus tard, la drogue et l'alcool me procurèrent des états similaires, mais sans le plaisir enchanteur de n'y être pour rien.

Un soir, l'ami de Darius, Majid, nous rendit visite chez les Pourvakil et décida de m'emmener voir son frère aîné, médecin généraliste. Aidé par Sara, il me transporta jusqu'à sa voiture couverte d'une fine couche de neige et me fit asseoir à ses côtés. Sara ne vint pas.

Je me souviens vaguement d'un cabinet étroit, de murs pourpres et vacillants comme de la gélatine. Un homme démesuré, aux doigts longs et froids, examina mon ventre nu. Je me souviens de Majid, le visage perdu derrière la fumée de sa cigarette. Puis de la sensation d'une piqûre dans le bras. Et d'un coup, le vent glacé dans mes cheveux, mes chaussures aux lacets défaits qui s'enfonçaient dans le trottoir boueux.

Des années plus tard à Paris, quand Sara m'apprit la mort de Majid et que je me remémorai cet épisode, elle m'avoua que Darius était caché dans la cave de ce cabinet médical. Il était donc là, sous mes pieds brûlants qui pendaient de la table d'examen.

L'après-midi du 13 février 1979 – treize jours après l'arrivée de Khomeiny et deux jours après la chute définitive du dernier gouvernement du Shah –, une partie des voisins s'étaient rassemblés dans le salon des Pourvakil. Tombée aux mains du peuple, la télévision était allumée et chacun commentait les nouvelles ; même les enfants.

L'ambiance était comme ces dernières semaines étrange, à la fois joyeuse et convalescente. C'était une explosion de mots, puis soudain le silence. Des rires exagérés, suivis de départs précipités vers la cuisine pour pleurer à l'abri. De temps en temps, un baiser sonore atterrissait sur nos cheveux. Des bras débordants d'amour nous enserraient, puis nous relâchaient comme on laisse aller une toupie chargée d'énergie. Il n'y avait plus de frontière entre soi et les autres, entre l'intérieur et l'extérieur. Le journaliste de la télévision aurait pu tout aussi bien être dans le salon ; le salon n'avoir ni toit ni murs et se trouver dans la cour, avec tous les autres salons de tous les autres appartements du pays. Des millions et des millions d'individus, liés les uns aux autres, ne faisaient qu'un seul corps. Le cœur des uns dans la poitrine des autres, les tripes nouées ensemble, à ressasser les mêmes phrases, les mêmes mots. Démocratie. Liberté d'expression. Droit de vote. Des mots extraordinaires, fragiles comme des nouveau-nés, sanguinolents et nus, intimidants de beauté, avec lesquels il y avait désormais un destin à bâtir.

On sonna à la porte.

Je me précipitai pour ouvrir.

Cela faisait des mois que je m'enfuyais sous le lit chaque fois qu'une sonnerie retentissait. Mon effroi était tel que je perdais la conscience de mon acte jusqu'à ce que l'une de mes sœurs vienne me chercher. Ces premiers jours de février étaient pour moi une délivrance. Soudain, je n'avais plus peur. J'étais comme l'enfant qui découvre la marche et réitère sans cesse l'expérience avec un plaisir conquérant. À chaque sonnerie, je courais ouvrir pour me prouver que c'était bel et bien fini.

Derrière la porte, un homme en casquette et imperméable sombre. La lumière vive de l'extérieur m'empêcha de voir son visage à contre-jour. Ne le reconnaissant pas, je pris peur et reculai. D'un coup, tous ceux qui la minute d'avant se trouvaient dans le salon poussaient des cris de joie et pleuraient. Ce n'est que quand je vis ma mère, les bras autour du cou de l'homme, que je compris. Son visage. Le blanc de ses tempes propagé dans ses sourcils ; ses yeux bleus rétrécis par son sourire ; ses joues creuses, mais rasées de près comme toujours. Peu à peu, il m'apparaissait ; vivant, tangible, sorti du brouillard. Mon père. Revenu.

10

La révélation de Leïli

Été 1979. Nous étions à nouveau tous les cinq ensemble, sur la terre refuge de Mazandaran, au milieu des arbres, dans la poche protectrice des vallées, là où tout ce qui n'était pas nous avait cessé d'exister. Il faisait beau, tout simplement beau, ce qui était en soi un ravissement.

Certains étés, il pleuvait tellement que nous restions des journées entières à l'intérieur, près du poêle à charbon, à jouer au jeu des cinq pierres ou au cadavre exquis. L'après-midi, Darius et ses frères fumaient de l'opium dans une chambre aménagée spécialement pour cette forme de paresse mazandaranie, buvaient du thé noir et jouaient au backgammon. La porte n'était jamais fermée et l'odeur âcre de la fumée traversait les pièces comme une odeur de transpiration. Leurs femmes allaient et venaient, tirant de temps en temps sur la longue pipe que les hommes avaient préparée. Seule ma mère, cette fille de Téhéran, empreinte d'une moralité infaillible, restait à l'écart. Elle organisait des jeux, distrayait les cousines aînées, dont certaines étaient ses élèves. Elle détestait l'opium, comme elle détestait l'alcool. Tout ce qui altérait l'état de l'homme civilisé conscient des autres et du monde lui était insupportable. Et plus encore que l'opium, elle détestait voir son mari devenir cet individu archaïque et rustre, avachi sur des coussins en laine rêche, se coulant avec aisance dans les rites de son clan. Darius, à des kilomètres et des kilomètres de leur intimité, de leurs préoccupations, de tout ce qu'ils avaient bâti ensemble.

Mais cet été-là, le soleil était accroché au ciel et semblait ne plus vouloir bouger. Même les soirées, d'habitude fraîches et humides, étaient tièdes comme l'eau du bain. Après quelques semaines passées à la villa d'Oncle Numéro 2, nous étions allés avec une partie de la tribu dans une autre maison, loin de la mer Caspienne et sa plage fédératrice. Une maison en bois, nichée au cœur de la forêt, appartenant à l'une des cousines de mon père. Nous dormions sur des matelas posés à même le sol, collés les uns aux autres comme des biscuits dans un paquet. Les chambres étaient au premier, en enfilade, reliées par une vaste terrasse qui donnait l'impression de tenir en apesanteur au milieu des arbres.

Dès le matin, la maisonnée se divisait en trois catégories : les adultes, les adolescentes et les enfants. Les adultes et les adolescentes restaient autour de la maison ; les uns sur la terrasse du rez-de-chaussée à parler politique, les autres étalées dans des hamacs tendus près de la grange. Les enfants, pistaches et lance-pierres dans les poches, partaient explorer la forêt et grimper aux arbres. Bien qu'encore jeunes, mes sœurs restaient dans le groupe des adolescentes, par goût, mais aussi à cause de la jambe de Mina (elle refusait de lâcher sa béquille devenue une excuse pour ne pas se montrer boiteuse).

J'allais avec les enfants, que des garçons. Grande et mince, cheveux courts, torse plat, mains et pieds immenses, je leur ressemblais. Pas seulement à cause de mon corps hybride toujours intact des assauts de la nature, mais dans cette quête de l'extérieur, de l'interdit, que la fille iranienne, tenue par les lignes de démarcation mentales tracées autour de son berceau, considérait comme vulgaire. Les filles étaient élevées pour être le ciment de la famille, la colle qui maintient ensemble les générations, les maisons et les traditions. Elles étaient façonnées pour rester auprès des parents vieillissants et s'accommoder de la vie comme d'un pont à traverser. La preuve en est que, cet été-là, aucun des cousins adolescents n'était présent. Ils avaient tous été envoyés en *Amerika*, loin des manifestations et des arrestations, poursuivre leurs études et se tailler un destin. L'un après l'autre, ils avaient laissé leurs sœurs derrière eux et avaient disparu de nos vies pour ne plus jamais réapparaître. Eux non plus n'ont pas eu le choix, mais au moins ils ont pu avoir des aventures et épouser qui ils voulaient.

À l'heure du déjeuner, nous nous retrouvions – les mères, les adolescentes et moi – dans le salon-cuisine, vaste territoire où s'organisait un ballet énergique orchestré par l'obligation de nourrir le troupeau affamé. Tenus à l'écart depuis leur naissance des mouvements domestiques, les garçons restaient dehors, à martyriser insectes et oiseaux. Personne ne m'imposait de venir, mais j'aimais cette ambiance bruyante et j'aimais y avoir ma place, ma légitimité ; même si j'étais incapable de m'identifier aux adolescentes bavardes ou renfrognées à cause des *périodes*, aux jeunes filles aux sourcils épilés par les aînées, aux épouses préoccupées par le bien-être de leur mari.

Par un curieux micmac psychique, quand je m'imaginais adulte, je me voyais torse nu, fumant ma cigarette sur le balcon dès l'arrivée du printemps, comme le voisin du quatrième étage à Téhéran, de l'autre côté de la cour. Je l'avais observé à travers les lamelles du store de ma chambre à l'heure où la ville s'enfonçait dans la sieste. Le torse velu, il passait sa main sur son ventre un peu gras, la rentrait dans la poche de son jean, puis rejetait la fumée avec désinvolture, le regard au loin. Je me disais qu'un jour, je ferais comme lui. J'aurais moi aussi le droit d'enlever mon T-shirt et de profiter du soleil sur ma peau dans l'indifférence générale. Et cette certitude était si évidente qu'elle ne méritait même pas que j'en parle – si tant est que mes projections sur l'avenir intéressent quelqu'un.

Alors que les préparatifs du déjeuner se mettaient en place, quelqu'un allumait la télévision réglée sur une chaîne russe qui diffusait les Jeux olympiques de Moscou. Replié sur lui-même comme un nouveau-né, l'Iran avait mieux à faire que transmettre ces jeux controversés. À vrai dire, le boycott des Américains et de dizaines d'autres pays, suite à l'invasion soviétique de l'Afghanistan, rendait ces jeux peu attrayants. Mais la proximité avec l'URSS dans cette partie de Mazandaran et la possibilité de capter leur télévision nous amusaient. Cela accentuait l'isolement de la maison, nous donnant l'impression de vivre dans un lieu privilégié tout autant que clandestin. Un no man's land oublié des dieux.

Tout me rendait heureuse.

Je vivais dans un western arrosé de lumière et l'enfance coulait à nouveau en moi, limpide, irriguant chaque parcelle de mon corps. Je sautais sur les canapés, sur les interstices laissés par les bras mous et les jambes entremêlées des adolescentes. Je m'amusais de leurs mimiques, me moquais de leurs protestations. Je faisais le pitre. Je riais fort. Je grimpais sur les murs et touchais le plafond. Je planais au-dessus des arbres et tendais les mains vers le ciel. Jusqu'à ce qu'un jour j'atterrisse près de Leïli. Regardez bien son visage encadré par la masse de ses cheveux bouclés et ses lèvres sèches qui viennent se coller à mon oreille et murmurent en français pour que personne ne comprenne: «*Ça suffit maintenant. Franchement, arrête... On dirait une lesbienne.*»

Les heures qui suivirent, je les ai passées seule au premier étage, dans la chambre sans meubles où nous dormions. D'un coup, ce que je ressentais ne pouvait plus être exprimé par des mots simples. Si j'avais pu ouvrir la bouche au lieu de déguerpir dans l'escalier pour m'isoler, j'aurais crié: «Ce n'est pas vrai Leïli, tu mens!» Mais, en même temps, à l'autre bout de cette confusion légitime, il y avait la violence soudaine de la vérité. C'est peut-être elle que j'ai fuie en m'excluant moi-même de leur assemblée.

Je suis restée un long moment face à la fenêtre à fixer l'écorce fendue des branches du marronnier jusqu'à ce qu'elle devienne nette et reconnaissable. À l'extérieur, rien n'avait changé. Les oiseaux s'envolaient en paquets dans le ciel d'un bleu immense. L'eau froide du fleuve coulait joyeusement sur un lit de pierres jusqu'à rejoindre l'étendue vaste de la mer Caspienne. Ce matin encore, toute cette quiétude m'appartenait, m'incluait, alors que maintenant elle allait son chemin, me laissant me débrouiller seule derrière.

Je ne savais pas ce que le mot *lesbienne* signifiait. Pourtant, par une étrange alchimie, au moment où il tomba en moi, sombre comme une goutte d'encre noire dans un verre d'eau, je le ressentis. Il avait quelque chose à voir avec ce que je faisais, qui j'étais, et avec la honte. Il devait décrire cette sensation nouvelle – énergie grisante? gaieté espiègle? – qui m'accaparait quand j'étais au milieu d'elles et dont j'avais vaguement conscience puisqu'elle disparaissait dès l'instant où je me retrouvais avec les garçons. Je n'avais pas encore assez de vocabulaire pour la définir. Elle n'était pas suffisamment présente pour que je me demande si elle était bonne ou mauvaise, l'interroge ou l'apprivoise. La plupart du temps, elle restait ensevelie dans une zone sombre et cafouilleuse de mon être. Une graine dans la boue. Une bulle d'air emprisonnée dans un verre.

Je ne sais pas depuis combien de temps j'étais réfugiée dans cette chambre, mais soudain Mina était là, à quelques pas.

«Descends, on va déjeuner.»

Je secouai la tête, le visage brûlant et la bouche serrée pour ne pas pleurer devant elle. À nouveau, la pièce devenait floue.

«Qu'est-ce qui se passe?

– Rien.»

Que pouvais-je répondre? Moi-même je ne savais plus exactement ce qui s'était passé. Je n'avais rien fait de répréhensible. Leïli ne m'avait ni insultée ni grondée. Qu'avait-elle fait alors? Pourquoi avais-je ce désir de disparaître de la surface de la Terre?

«Arrête. Ça ne te ressemble pas de faire la tête comme une pimbêche.»

Je baissai les yeux sans répondre. Elle avait raison, je n'étais pas le genre d'enfant qui faisait la tête, alors qu'est-ce que je faisais là, toute seule? Je sentais le regard de Mina sur moi se lasser d'attendre. Je pensais que viendrait un moment où elle m'attraperait le bras et me tirerait derrière elle, comme elle le faisait toujours quand je refusais de céder à ses appels et continuais à jouer dans la cour. Alors je quitterais ce drame absurde et descendrais dans le salon, son ossature frêle devant moi comme un paravent. Je serais accueillie avec des exclamations et au bout de quelques secondes, je finirais par sourire et tout rentrerait dans l'ordre.

Mais Mina ne fit rien. «Comme tu veux…» lança-t-elle avant de s'en aller.

C'était la première fois qu'elle partait comme ça, sans insister.

Je me souviens du bruit de ses pas dans l'escalier métallique. Sa claudication me surprit, comme si je la découvrais, comme si désormais une part d'elle, coincée dans cette jambe, m'échappait.

Je l'ai imaginée entrant dans le salon, faisant une grimace en direction de Sara qui la guettait. C'était Sara qui l'avait envoyée me parler, j'en étais sûre. Mina n'aurait jamais grimpé jusque-là. Pourquoi le ferait-elle? Elle n'avait plus ni l'envie ni l'énergie de s'occuper de quelqu'un d'autre que d'elle-même. Maintenant, Mina était assise autour de la grande table où mon absence se noyait dans la sauce à l'aubergine et le yaourt aux herbes. La voilà qui tend son assiette, elle a faim, elle adore les aubergines.

Sara monta en début d'après-midi pour me dire à peu près les mêmes phrases que Mina. N'obtenant aucune réponse, elle repartit. Puis le soleil perdit de sa couleur et se transforma en une ligne violette, prête à s'effilocher dans le ciel.

Plus les heures passaient, moins j'étais capable d'affronter leur regard. J'entendais leur brouhaha sans fin monter jusqu'à moi comme un mur devenu infranchissable. Tout ce qui était familier était devenu hostile. Je ne pouvais pas m'empêcher de penser que ce que Leïli avait vu de moi, d'autres, plus âgés, plus mûrs, avaient dû le voir. Comment pouvais-je me retrouver à nouveau dans la même lumière qu'eux, jouer ma partition de petite dernière de la famille, la «Petite Pomme», alors que visiblement j'étais devenue une chose monstrueuse? Pendant un bref moment, je tentai de me rassurer en me disant que personne n'avait l'intelligence diabolique de Leïli, ni sa culture. Personne n'avait lu *Les Mots* de Sartre à douze ans. Mais alors pourquoi aucun d'eux ne venait me chercher? Pourquoi s'accommodaient-ils tous si vite de mon absence ? Vraisemblablement, le fait que ni Mina ni Sara ne sachent ce que Leïli m'avait chuchoté signifiait qu'elle les avait laissées spéculer sur ma fuite sans intervenir. Elle les avait protégées de sa prédiction tout en me laissant une chance de rectifier mon comportement. De changer.

La nuit tomba en un clin d'œil. Avant de tirer un matelas et de m'allonger dans le noir, j'ôtai mon T-shirt bleu à fines rayures blanches (le même que je portais, souvenez-vous, lors de l'arrestation de mes parents). Je le jetai dans le sac en plastique accroché à la poignée de la porte qui servait de poubelle. J'avais l'impression de faire preuve du même courage que chez le pédiatre, quand je regardais l'aiguille de la seringue s'enfoncer dans mon bras et se vider de son contenu. J'adorais ce T-shirt, élimé, trop serré. Il avait l'odeur de l'été. En le portant, j'avais la sensation d'être à la fois invincible et protégée. Comme Superman avec sa cape. Maintenant, j'étais persuadée qu'il était en grande partie responsable de ce qui était arrivé. Sans lui sur le dos, je serais moins sûre de moi, moins confiante. Il fallait que je m'en débarrasse pour cesser d'être cette chose informe et dangereuse, pour que mes seins poussent et que je devienne une fille comme les autres. Il fallait que j'autorise mon corps à se transformer en une forme neuve, modelée à partir des restes de mon corps arrogant d'enfant.

Les trois jours suivants, recroquevillée sur le canapé dans un des T-shirts de Mina, je feignis la maladie pour qu'on me laisse seule devant la télévision russe. Je regardais les épreuves de gymnastique féminine en pensant avec regret à l'époque où je prenais des cours dans une salle près du lycée où enseignait Sara. Comme j'avais les cheveux lisses et me montrais particulièrement douée à la poutre, on m'appelait Nadia Comaneci. À cause de ce surnom, je m'étais mise à rêver aux Jeux olympiques, Kimiâ Sadr, première gymnaste iranienne à décrocher des 10 sur 10.

Le quatrième jour, Darius chargea le coffre de la Peugeot et la séance d'au revoir dura des heures. Puis la voiture fila sur les routes creusées dans le flanc des montagnes. Nous quittâmes Mazandaran pour ne plus jamais y revenir.

Un mois et demi plus tard, lors d'un de ces fameux discours-fleuves, Khomeiny lança au peuple: « Il faut casser les stylos! » (Entendez: il faut museler la liberté d'expression.) En réponse, Darius lui adressa une lettre sous la forme d'un article intitulé « Les stylos ne se brisent pas ». Cet article marqua l'entrée officielle de Darius Sadr dans l'opposition et se solda par notre premier séjour de l'ère khomeyniste chez Oncle Numéro 2.

Ce matin radieux d'août 1979, tandis que la Peugeot 504 blanche sortait de la propriété, l'ombre du non-dit se détacha de la chambre du premier étage et nous suivit jusqu'à Téhéran. Puis, quand il fut décidé que nous devions quitter l'Iran, elle nous accompagna de Téhéran à Tabriz, traversa les montagnes enneigées du Kurdistan, les villages turcs, le détroit du Bosphore, Istanbul, et atterrit à Paris où elle grandit de plus en plus et m'éloigna de ma famille.

Vous me direz: c'est cliché l'histoire de cette fille dont le père veut un fils, qui vire garçon manqué et finit lesbienne.

C'est vrai.

Mais c'est vrai quand on a accès aux livres, aux cinémathèques qui projettent *Sylvia Scarlett* ou *Les Larmes amères de Petra Von Kant*. Quand on a digéré mai 68 et la libération sexuelle, les mouvements féministes et Simone de Beauvoir. Quand on a écouté les Runaways, Bowie, Patti Smith, fumé et bu jusqu'à l'aube, dans des lieux sombres asphyxiés de musique binaire, pour éventuellement ne plus distinguer une bouche d'une bouche, une main d'une main, un homme d'une femme. Et encore, si cela était vraiment évident, certaines réalités auraient fini par devenir banales. Dans les parcs, les mères regarderaient leur fille aux cheveux courts qui réclame une voiture télécommandée à Noël et diraient : « Oh là là celle-là, on ne sait jamais, elle finira peut-être lesbienne ! » La voisine rirait ou s'attendrirait parce que les enfants sortent de nous, mais ne sont pas obligés de nous ressembler, pas vrai ?

Mais, vu de Téhéran, ce genre de cliché, même avalé de travers, n'existe pas. Le terme « garçon manqué » n'existe pas ; ni aucun autre terme, aucun autre mot, qui reconnaîtrait un tant soit peu cette différence. On est garçon ou fille et ça s'arrête là.

De génération en génération, des codes ont été mis en place. Des codes pour élever les garçons et d'autres pour élever les filles. Il ne s'agit pas seulement de vêtements et de jouets, de « garçon qui ne pleure jamais » et de « fille qui aide maman ». Il s'agit d'avenir. Devenir époux et père, gagner de l'argent et le faire savoir. Devenir épouse et mère, élever des enfants polis et performants et exceller dans l'art de tenir une maison. Personne ne sait comment élever l'entre-deux, se dépatouiller avec l'à-peu-près. Les Occidentaux s'étonnent que le changement de sexe soit autorisé dans la République islamique d'Iran. « Oh ! Il y a des transsexuels en Iran ? » s'exclament-ils avec le même air déconcerté que s'ils venaient d'apprendre l'installation d'une plage nudiste au Vatican. Parce qu'ils ignorent que dans cette culture, l'important c'est d'être *quelque chose*; s'inscrire dans une catégorie et en suivre les règles. La transsexualité existe parce qu'il y a pire qu'être transsexuel : être homosexuel. Ce n'est même pas une honte. La honte, c'est perdre sa virginité avant le mariage, avorter, rester vieille fille et vivre chez ses parents jusqu'à la fin de ses jours. La honte c'est être drogué, volage, élever des enfants qui vous tournent le dos. Non, ce n'est pas une honte. C'est une impossibilité d'être. Une non-réalité.

Un matin, je devais avoir quatorze ou quinze ans, je suis tombée sur un exemplaire du *Monde* que Darius, authentique insomniaque lui aussi, lisait une bonne partie de la nuit dans la cuisine. Un long article était consacré aux recherches américaines pour déterminer si oui ou non l'homosexualité était génétique. Je me souviens que, dès la lecture du titre, j'avais ressenti une sorte de soulagement joyeux, presque de l'espoir, à l'idée qu'un jour le monde découvrirait qu'en fait, ce que j'étais, mais que je cachais encore, était tapi à l'intérieur de moi depuis l'instant où le spermatozoïde de Darius, subtilisé en cachette par Sara, avait touché l'ovule accueillant.

Un spermatozoïde porteur de beaucoup d'informations, mais aussi d'un drôle de gène qui aurait voyagé à travers des siècles et des corps ; aurait parcouru Mazandaran et les montagnes d'Alborz, aurait circulé dans les ruelles poussiéreuses de Qazvin, l'allure fière et autoritaire, pour finir sa course dans l'antre humide de l'utérus de Mère. Moins véloce et plus capricieux que son camarade, le-gène-des-yeux-bleus, il ne se serait manifesté que par surprise.

Non, pas le premier fils, aurait-il décidé alors, mais le deuxième.

Celui-là devra se battre avec moi toute sa vie. Un combat perdu d'avance qui fera de lui un être tourmenté. Incompris. Surprotégé par sa mère, délaissé par son père. Saddeq épousera une femme et aura des enfants. Se mêlera de la vie de tout le monde. Tracera des lignes de moralité. Racontera des histoires, des bobards. Fera de la confiture. Coudra. Pleurera. Accrochera, en guise de consolation, une vieille photo de lui debout à côté d'un homme près d'un arbre sur le mur en face de son lit. Il la regardera tous les jours, tous les soirs, et, amer, se demandera pourquoi, pourquoi il a dû se cacher toute sa vie.

Le cas du deuxième étant réglé, continuons.

Non, pas le troisième. Mais le quatrième. Celui-là le portera en lui et le transmettra… Voyons voir, à une fille (il y a déjà un garçon dans la famille, c'est bien de varier). Et pour s'amuser un peu, la fille sera celle que tout le monde imagine, dès les premiers signes de grossesse, un garçon. Seule sa grand-mère maternelle, Emma Aslanian, aura un avis sur la question, mais tellement farfelu que personne ne la croira.

Le cinquième et le sixième seront épargnés.

Tout en lisant l'article, je me réjouissais. Bientôt, il sera prouvé que ce n'était pas ma faute, mais la leur, à eux tous qui m'avaient précédée sur cette Terre avec la ferme intention de se reproduire. Le jour où je l'apprendrai à mes parents, ils ne pourront pas m'en vouloir. Au pire, ils feront quelques grimaces, pousseront un long soupir de déception, semblable à celui que Darius a dû pousser en réalisant, une fois passé le choc de la mort de Mère, que je n'étais pas Zartocht et que je n'avais même pas les yeux bleus.

Cependant, la dernière partie de l'article balaya mon enthousiasme. Elle disait qu'une telle découverte, si elle était avérée, déclencherait un risque d'eugénisme ; les gens chercheraient à se débarrasser de l'embryon porteur du gène indésirable, feraient pression sur les médecins et exigeraient des diagnostics prénataux. Cette vision catastrophiste de ce que je considérais comme un progrès libérateur me désarçonna. Pourquoi feraient-ils une chose pareille ? Pourquoi cette haine pour un être dont l'homosexualité ne serait qu'une petite parcelle de tout ce qu'il pourrait devenir ?

J'ai mis du temps à comprendre que dans n'importe quel pays du monde, le couple culpabilité-répulsion engendré par l'homosexualité était plus insupportable pour les parents que n'importe quelle maladie. Ce constat, je le devais en grande partie aux reportages télévisés où les adolescents atteints de maladies incurables étaient toujours accompagnés de leurs parents attendris, investis, combatifs. Alors que les adolescents homosexuels, dans les rares reportages qui leur étaient consacrés, étaient seuls et filmés à l'extérieur. Les épaules en dedans, transis de froid.

De toute façon, c'était la mort ou l'exil, avec ou sans la Révolution. Ou bien une vie gâchée à faire semblant. Comme Oncle Numéro 2. Éteinte, honteuse, frustrée, malheureuse. Devenir épouse et mère pour avoir la paix, se dissoudre dans la masse, échapper aux souffles dévastateurs des rumeurs. Mais même l'exil n'a pas suffi. Il paraît qu'un jour l'humoriste américain Jack Benny a demandé à Sammy Davis Jr., rencontré sur un terrain de golf, à combien se montait son handicap. Celui-ci lui aurait répondu: «Je suis borgne, noir et juif, ça ne suffit pas?» L'exil me rapprocha beaucoup de Sammy Davis Jr.

Maintenant je sais qu'un fil relie cette gamine qui s'était isolée toute la journée dans la chambre d'une maison de Mazandaran à la femme qui attend, à moitié nue, les pieds dans des étriers. À huit ans, j'étais loin de m'imaginer où la phrase de Leïli me conduirait un jour. Comment croire, alors que la vie s'étale devant soi aussi infinie que le monde, qu'un simple mot puisse la résumer tout entière?

J'ai fini par sortir de cette chambre, mais je ne l'ai jamais quittée. Toutes les chambres où j'ai vécu étaient celle de Mazandaran. Cela fait quelque temps que je me dis, alors que les sillons creusés autour de ma bouche me font ressembler davantage encore à Nour, que ce que nous appelons avenir n'est rien d'autre qu'une variation du passé.

Voilà, il est treize heures quarante-cinq et j'y suis.

Mes jambes sont nues et j'ai la chair de poule même s'il ne fait pas froid. J'ai oublié de préciser que mes jambes sont minutieusement épilées depuis la veille. Sachez que l'obsession numéro 1 partagée par les Iraniennes est le poil. Le lecteur occidental s'imagine sans doute que cette obsession est celle de toute Orientale, ce qui est faux. La cartographie des zones velues du monde est loin d'être aussi logique et précise que celle des zones de fortes pluies par exemple. Autant l'Iranienne s'entoure depuis l'adolescence d'instruments de torture en tout genre, autant l'Ouzbèke, par exemple, peut se contenter d'une pince à épiler toute sa vie. D'ailleurs, parmi les nombreux rituels qui précèdent le mariage persan, il y a la séance d'épilation de la mariée. De la tête aux pieds. Et il n'est pas rare que ce jour, le seul où sa beauté doit être à son apogée, la mariée cache sous son voile blanc un visage bouffi/enflammé par la cruelle épilation au fil.

C'est la première fois que je me retrouve dans cette pièce où des machines sophistiquées, reliées à des écrans larges, donnent l'impression de faire partie d'une expérience scientifique. La porte est fermée, mais j'entends la voix de Docteur Gautier qui discute dans le couloir. Visiblement il lui reste encore une ou deux réunions informelles à tenir avant de s'occuper de mon cas. Pour éviter de m'exaspérer, je revois mentalement le texto de Mina, reçu quelques minutes avant que le docteur sorte la tête de son bureau et me fasse signe de la suivre. *Viens d'appeler S, l'enterrement a lieu cet après-midi.*

S. est notre cousine Sima, la fille d'Oncle Numéro 2, qui vit en Autriche avec sa famille. Sans doute est-elle repartie à Téhéran pour assister à l'enterrement de son père au cimetière Behchté Zahra, dans le caveau familial. Qui peut bien se trouver à cet enterrement alors que plus personne ne vit en Iran? Pourquoi Mina m'a-t-elle envoyé ce message? Qu'étais-je censée faire?

Vous auriez sans doute préféré que le docteur revienne et qu'on en finisse. Moi aussi. Mais puisqu'il faut encore une fois attendre, vous ne m'en voudrez pas si, malgré ma position incongrue et mes jambes écartées, je vous parle un peu des précautions mortuaires d'Oncle Numéro 2.

Un vendredi matin, Saddeq nous emmena avec lui à Behchté Zahra, en périphérie de Téhéran, rendre visite à Mère, comme il disait. Il tenait à nous montrer où elle « se reposait ». C'était sans doute pendant la Révolution puisque je me souviens qu'en traversant cet immense cimetière, nous avions croisé de nombreuses familles endeuillées, portant haut le portrait de jeunes « martyrs » (mot très à la mode à l'époque et depuis). Elles ressemblaient à des îlots noirs, agenouillées près des tombes fraîchement creusées, à hurler, sangloter, se frapper visage et poitrine et implorer vengeance à ce Dieu des solitudes infinies. Je me souviens que j'étais soulagée d'entrer dans le caveau familial pour fuir ces démonstrations assourdissantes de douleur.

Nous enlevâmes nos chaussures que nous rangeâmes soigneusement contre le mur. La pièce était grande, plongée dans la pénombre, couverte de tapis et de silence. Une odeur de terre humide s'échappait des murs. Un grand portrait de Nour en noir et blanc était posé sur un socle, près de l'unique fenêtre en hauteur. En bas du portrait, une stèle en marbre blanc traversée d'une écriture savante habillait la tombe. J'avais l'impression de me retrouver dans un ventre géant, tel Pinocchio dans celui de la baleine. Un lieu moite et étrange, mais familier. Je n'avais jamais été aussi près de Mère qu'une partie de moi, travaillée par les doigts agiles d'Oncle Numéro 2, rêvait de connaître. J'avais fini par considérer comme une injustice le fait d'être la seule de ses petites-filles à ne pas l'avoir rencontrée. En même temps, puisque sa mort s'était superposée à ma naissance, puisque comme me l'avait expliqué Grand-Mère Emma son âme s'était glissée dans mon corps, je me sentais liée à elle d'une façon unique. Les enfants sont perméables à ce genre de visions extrapolées de l'existence. Pourtant la veille, tandis que nous nous brossions les dents avant d'aller dormir, Leïli m'avait appris que, contrairement à ce qu'Oncle Numéro 2 laissait entendre, Mère ne reposait pas sous terre comme on repose dans un lit.

« Sa chair, figure-toi, a fondu comme du beurre dans une casserole.

– Ah bon ? Et pourquoi ? demandai-je terrifiée.

– Parce que sous terre le corps n'a plus besoin de lutter contre la *gravité terrestre* !

– Comment tu peux être assez bête pour croire tout ce que raconte Numéro 2 ? lança Mina désespérée par ma crédulité. (Peu à peu, sous l'impulsion de Mina et de sa passion pour les romans policiers, mes sœurs avaient commencé à faire l'économie de "Oncle" pour ne les appeler que par leur numéro.)

– Alors qu'est-ce qu'il y a dans la tombe de Mère ?

– Ben son squelette, dit Leïli en haussant les épaules.

– Et des vers ! » ajouta Mina en éclatant de rire.

Après avoir pleuré pendant un long moment, assis en tailleur près de la stèle, Oncle Numéro 2 nous expliqua que nous finirions tous ici, près de Mère, parce qu'il avait acheté récemment des tombes à étages pour chacun de ses frères et leur famille. Il ne s'arrêta pas à nos mines dubitatives et continua. Il nous montra l'emplacement de son propre tombeau, à droite de Mère. À sa gauche se trouvait celui de Numéro 1. Aux pieds de Mère, celui de Numéro 3. Aux pieds de Numéro 3, celui de mon père. Aux pieds de mon père, celui de Numéro 5. Et enfin, tout au fond, très loin de Mère, celui de Numéro 6 avec qui Saddeq avait fini par se réconcilier après des mois de médiations orchestrées par Oncle Numéro 1.

Longtemps après cette visite, nous riions encore de ces tombes à étages, imaginant un système d'ascenseur pour que nos fantômes puissent se rejoindre.

Finalement, Saddeq sera le seul Sadr à être enterré dans le caveau familial. À part lui, seuls Oncles Numéros 1 et 5 étaient morts en Iran. Numéro 1 avait stipulé dans son testament vouloir être enterré à Qazvin. Qazvin où Numéro 5, totalement ruiné, s'était donné la mort, jetant sa voiture du haut des montagnes. Dans quelques heures donc, Oncle Numéro 2 aura enfin Mère pour lui tout seul.

Depuis que mes sœurs avaient une famille, et grâce à Facebook où elles s'étaient empressées de s'inscrire, elles avaient renoué avec la plupart des cousins-cousines éparpillés de par le monde. Il y a quelques années, le fait que Mina ait le numéro de téléphone de Sima et l'appelle constituait une information en soi; aujourd'hui cela paraissait banal. Elles avaient même établi un contact virtuel avec Abbas Sadr, le Numéro 7 en quelque sorte. Envoyé aux États-Unis par Oncle Numéro 1 au début des années 60, Abbas vit à Taylorsville dans l'Utah. Depuis une trentaine d'années, il est marié à Georgia, une mormone blonde aux yeux bleus et, comme l'avait prédit Bibi, il a une dizaine d'enfants aux yeux bleus.

Je n'autorise jamais mon esprit à aller jusqu'à me demander si les Sadr, disséminés aux quatre coins du globe, me manquent comme ils semblent manquer à mes sœurs. Je les garde dans un coin reculé de mon cerveau, mais à la surface, tels des objets à la dérive sur une mer lointaine. De temps en temps, l'un d'eux vient à Paris. Leïli ou Mina organisent des dîners, des retrouvailles en demi-teintes, enveloppées dans l'ombre d'un passé de plus en plus irréel. Chassés du paradis, nous sommes devenus en partie des étrangers ; des êtres façonnés par d'autres cultures, d'autres langues, lancés sur les rails d'une vie qui n'aurait pas dû être la nôtre. Je me rends parfois à ces dîners à contrecœur. Je n'ai pas envie de réveiller des sentiments enfouis, s'ils existent encore. J'appréhende de me retrouver face à des êtres proches dont paradoxalement j'ignore tout. Et surtout, je déteste mentir sur ma vie (et pourtant je le fais) ; ce même mensonge avec lequel Saddeq avait façonné la sienne. Le fait de s'être octroyé le rôle du dépositaire de la mémoire familiale me paraît aujourd'hui comme une ruse astucieuse, une manière habile d'éviter de parler de lui, des tumultes intérieurs qui le poussaient à errer la nuit, vers l'âge de seize dix-sept ans, dans les rues noires de Qazvin.

Mon père me raconta cette anecdote un dimanche après-midi à Paris où je l'accompagnais dans une de ses longues marches. Je pensais que marcher ensemble nous permettrait de retrouver, même de façon éphémère, quelque chose de la complicité singulière d'autrefois. Je pensais que ma présence l'apaiserait, que cette marche se transformerait en promenade et qu'il m'emmènerait enfin à Montparnasse pour me montrer l'immeuble où il avait vécu. Mais j'ai très vite senti que je le dérangeais. Il demeurait silencieux et gardait le rythme alerte de celui qui tente de se débarrasser d'un intrus. Arrivé au croisement de l'avenue des Gobelins, au lieu de prendre le boulevard Arago vers Montparnasse, il partit en direction du boulevard de l'Hôpital. Malgré ma déception, je le suivis sans rien dire. Nous poursuivîmes notre chemin à un mètre l'un de l'autre, moi la préado grande et sans formes et lui l'étranger à casquette.

Je ne me souviens plus comment nous en sommes arrivés à parler de Saddeq, mais je me rappelle que, dans ma tentative forcée de rapprochement, j'eus l'idée hasardeuse de l'interroger sur sa jeunesse. Lui qui n'avait jamais aimé parler du passé, voilà qu'à ma grande surprise il me répondit. Par un étrange renversement des équilibres, alors que j'essayais désespérément d'oublier mon enfance, Darius accepta, à ma grande surprise, d'évoquer la sienne.

Il me raconta les errances nocturnes/solitaires d'Oncle Numéro 2 dans les rues de Qazvin.

Mère était inquiète du comportement insensé de son fils et craignait pour sa vie. «N'importe quel voyou pourrait s'attaquer à lui, lui trancher la gorge et jeter son corps dans un terrain vague… Si seulement tu étais là, tu pourrais le raisonner», avait-elle écrit à l'aîné de ses fils parti faire son service militaire à Téhéran. Elle finit par demander à un des domestiques, un ancien lutteur nommé Hosseini-Tête-de-Mule, de s'armer d'un couteau et de le suivre discrètement. Après quelques semaines passées à arpenter les rues derrière le fils dérangé de sa patronne, Hosseini-Tête-de-Mule se plaignit à Nour. Ses pieds étaient couverts de cloques, sa femme le soupçonnait d'avoir une aventure, et à force de ne pas dormir, *ey baba*, il avait des vertiges! Le Tout-Puissant savait qu'il donnerait sa vie pour sauver celle de Monsieur Saddeq, mais cette situation était du n'importe quoi de première main! En plus, Monsieur Saddeq, lui, la journée, il pouvait dormir, alors que franchement, Madame *Djan*, ce n'était plus une vie qu'il vivait, le pauvre Hosseini!

Le jour même, abandonnée par Hosseini-Tête-de-Mule, Mère prit la décision d'inscrire Saddeq aux cours de couture proposés par la société américaine Singer qui avait récemment ouvert une boutique dans le centre-ville. Pour promouvoir sa marchandise, Singer avait mis en place un forfait: cours de couture + acquisition d'une machine. Une des sœurs aînées de Mère avait entendu dire que le prix était raisonnable et la machine à coudre particulièrement ingénieuse. Le lendemain, accompagné de Mère qui le laissa devant la boutique, Saddeq se rendit à son premier cours. Il était le seul garçon au milieu d'une dizaine de jeunes femmes. L'instructrice, une Française installée à Qazvin et mariée à un Qazvini, ne fit aucune différence entre lui et les autres participantes et l'appela *Mademoiselle.*

«Du jour au lendemain, je te promets, Saddeq s'épanouit et mit un point final à ses sorties nocturnes!»

Et Darius bâcla l'histoire dans un rire sonore comme il n'en était plus sorti de sa bouche depuis longtemps. Je ris avec lui, plus du bonheur de le voir rire que de la chute.

Jamais Darius ne prononça le mot «homosexualité» à propos de son frère. Ni ce jour-là ni à aucun autre moment. Pas plus qu'il ne fit le lien entre ses nuits agitées et les cours de couture. Quel était le sens de cette histoire? Après avoir attendu des explications qui ne venaient pas, je lui demandai si Oncle Numéro 2 avait interprété la décision de Mère comme l'acceptation de qui il était. Darius fronça les sourcils, ralentit le pas et se tourna vers moi.

«Qu'est-ce que tu veux dire?»

Soudain j'hésitai.

«Je ne sais pas... Je veux dire, Oncle Saddeq était... (Difficile de prononcer le mot en persan tellement il sonne vulgaire, mais Darius comprit.)

– Il était ce qu'il était. Personne ne sait vraiment ce que vivent les gens.

– Oui enfin, même moi je sais que...

– Toi peut-être, me coupa Darius, mais moi je ne le sais pas.»

Je n'insistai pas. Avoir réussi à le faire parler du passé et en rire était suffisamment appréciable pour en rester là.

Voilà que tout en remuant ces souvenirs, allongée très inconfortablement sur la table médicale, je pense à ce qui n'a pas été vécu ensemble. Les êtres meurent et le temps fait son travail. Mais demeure ce regret, qui aboie parfois dans le ventre, d'avoir laissé des occasions en suspens comme des fils qui pendent d'un vêtement usé et sur lesquels pourtant il ne faut surtout pas tirer.

Docteur Gautier ouvre la porte.

Je sursaute, soudain gênée par ma nudité.

«Excusez-moi, dit-elle de façon mécanique. Ça va?

– Oui oui, ça va...

– Parfait!»

D'une main énergique comme pour chasser cette matinée facétieuse, elle attrape mon dossier posé sur le bureau. Pourtant, je sens qu'elle est préoccupée et absente. Son visage ressemble à du tissu froissé.

Je l'observe feuilleter mon dossier et cherche quelque chose à dire, quelque chose de léger, d'anodin, dans l'espoir d'apaiser cette voix perturbante qui traverse mon cerveau, comme un cafard sorti de nulle part courant le long d'une plinthe. La voix me murmure avec insistance: «Tu vas voir, l'humeur de Docteur Gautier va faire rater l'insémination. Alors tous ces mois passés à espérer ce moment n'auront servi à rien. Tu peux tout aussi bien te rhabiller tout de suite, t'en aller et revenir le mois prochain.»

Je tente de me calmer. Je respire.

Je ne sais pas pourquoi, j'ai soudain besoin que l'instant paraisse à la fois solennel et festif. J'ai besoin que Docteur Gautier lève les yeux vers moi et me sourie. Le genre de sourire rassurant que je guettais sur le visage de la maîtresse le premier jour d'école et qui, quand il arrivait jusqu'à moi, me réchauffait de l'intérieur.

Sans lever la tête, elle ferme mon dossier et le dépose en équilibre sur le rebord d'une machine.

Après tout, j'en attends peut-être trop. Exige-t-on d'un électricien de vous sourire quand il vient régler votre problème de disjoncteur ? Espère-t-on un mot doux du garagiste en train de suer sur vos pneus ? Alors, pourquoi l'attendre d'un médecin ?

Elle enfile des gants en caoutchouc opaque et se saisit du tube de sperme. Elle en sort une seringue géante. À la place de l'aiguille : une tige transparente et flexible aussi longue et fine qu'un spaghetti. C'est donc ça que j'avais tenu sur mes genoux pendant tout ce temps !

Elle s'assoit sur un tabouret qu'elle fait rouler entre mes jambes. Elle dirige la forte lumière de la lampe au-dessus de sa tête, emprisonnant d'un coup son visage dans un halo noir. Ce qui n'est pas plus mal puisque je n'ai pas envie de voir ses traits chiffonnés.

«Soyez la plus détendue possible», dit-elle.

Seigneur, je suis tellement détendue que j'ai l'impression de ressembler à un chat étalé dans une flaque de soleil ! Si elle m'avait regardée, ne serait-ce qu'une seconde, si elle avait pris la peine de me parler, elle aurait su à quel point j'étais détendue. Contrairement à elle.

Je détourne la tête vers la fenêtre embuée. Je sens qu'elle introduit la tige dans le vagin.

Pause. Puisque nous parlons de *vagin*, il faut que je vous dise que Docteur Mohadjer a été fusillé quelques semaines après la fin de la Révolution. À l'époque, toute personne ayant de près ou de loin une relation avec la famille Pahlavi était exécutée après un simulacre de procès. La femme française du docteur Mohadjer – partie en France avec leur fille à l'automne 1978 – avait une liaison avec un des demi-frères du Shah. Leur nom, ainsi que des photos, avaient été trouvés dans les papiers de ce dernier abandonnés chez lui avant sa fuite du pays. Alerté par son arrestation, Darius passa des coups de fil ; en vain. Farzin Mohadjer fut exécuté un matin à l'aube en compagnie d'autres infortunés. Quelques semaines plus tard, son corps fut rendu à sa sœur qui l'enterra sans cérémonie.

Tout en introduisant la tige, Docteur Gautier m'explique qu'elle dépose les spermatozoïdes directement au niveau des trompes, leur évitant une bonne partie du trajet. Concentrée sur ma respiration, j'enregistre l'information comme un fait scientifique que j'ignorais. «Directement au niveau des trompes», comme ces personnalités qui accèdent directement à l'avion sans passer par les formalités.

«Voilà, c'est fait ! » lance-t-elle une minute plus tard.

Je tourne la tête.

Elle est déjà debout, enlevant ses gants. Je ne sais pas pourquoi je pense au personnage de Julianne Moore dans *The Big Lebowski* des frères Coen, relevant ses jambes après le coït pour garder les spermatozoïdes en elle et optimiser ses chances de tomber enceinte. Je me demande si je dois en faire autant quand le docteur Gautier, constatant que je ne bouge pas, me suggère de me rhabiller.

FACE B*

1

Désorientale

Il est déjà six heures du matin.

Nous avons rendez-vous dans quarante-cinq minutes place Vanak.
Les premiers rayons de soleil réchauffent la cuisine, présageant, après
les pluies de ces derniers jours, d'une journée chaude et lumineuse.
L'herbe est parsemée de taches vertes et humides. Le printemps
habite l'air. Je suis debout à la fenêtre. Derrière moi, ma mère et les
filles finissent leur petit déjeuner. L'appartement est impeccable, les lits
sont faits, les plantes arrosées, les placards sont remplis de vêtements,
de chaussures, de draps propres, d'assiettes, de nourriture, de tout ce
que j'ai pu amasser pendant les dix années où nous avons vécu dans
cet appartement. Nos sacs sont dans l'entrée. J'ai appris notre départ
avant-hier, vers vingt heures. Je ne m'y attendais pas. Pourtant, j'espérais ce jour, surtout depuis la dernière lettre de Darius, reçue il y a trois
semaines chez les Pourvakil. Elle était désespérée. Je l'ai lue dans la salle
de bains, comme chacune de ses lettres, la porte fermée à double tour,
loin des enfants. Je me suis sentie aspirée par un torrent d'émotions. J'ai
tout de suite appelé Majid, l'ami d'enfance de Darius, qui avait organisé
son départ. Je lui ai dit que nous devions absolument le rejoindre au
plus vite, que cette fois il fallait que ça marche. Je ne pouvais plus me
permettre d'attendre chez mon beau-frère Saddeq. Il m'a dit qu'il ferait
le nécessaire sans poser d'autres questions. Et il l'a fait.

Je ne m'étais jamais imaginé que ce moment arriverait vraiment, qu'à toutes les épreuves de ses quatre dernières années s'ajouterait celle-ci, la plus terrifiante : prendre mes enfants sous le bras et partir.

L'homme qui m'a appelée avant-hier soir s'appelle Omid. Il a une voix jeune, avec un accent turc prononcé. C'est lui qui a fait passer Darius. Nous nous parlions pour la première fois, mais, conscient que notre téléphone était sur écoutes, il a utilisé un ton familier. Il a parlé d'un voyage pour rendre visite à la famille, faire profiter les enfants du beau temps, de l'air frais des montagnes. Pas la peine de se charger, a-t-il dit, un petit sac suffira. Quand j'ai raccroché, j'étais étourdie, écrasée par une douleur qui sortait de ma tête et envahissait le monde. Je me suis forcée à me lever, à traverser le couloir qui mène aux chambres. Les filles étaient toutes les trois dans celle de Leïli, heureuses que commencent bientôt les vacances de Nowrouz. J'ai failli les rejoindre pour leur dire que nous partions, mais je n'ai pas pu. Je suis allée dans notre chambre. Je me suis allongée sur ce lit que j'avais acheté dans un magasin à Tajrish, ce lit que Mina a toujours considéré comme son territoire. Aurions-nous un autre lit, d'autres draps, d'autres nuits ?

Voilà comment se terminent les dix années passées dans cet appartement. Des années d'une confusion joyeuse et palpitante. Des années d'excitation et d'angoisse, de départs à l'école, de réunions politiques, d'arrestations. La table du salon où Darius écrivait, le mur marqué par la taille des enfants, le pied de vigne planté en bas du balcon et qui atteint maintenant le deuxième étage. Dix ans ! Et dans moins de quarante-huit heures, tout cela deviendra souvenir. Mon corps quittera ce lieu, une longue et irréversible déchirure que son âme n'acceptera jamais.

Hier, j'ai parlé aux filles. Quand elles sont parties à l'école, j'ai fait les sacs ; quelques vêtements, des affaires de toilette, des médicaments. Puis je suis allée voir ma mère et mes frères, mon beau-frère Saddeq à qui j'avais laissé mon passeport et celui de Leïli. Je suis passée dire au revoir à quelques voisins, aux Pourvakil... Les Nasr ont quitté Mehr il y a un an pour les États-Unis. La guerre avec l'Irak venait à peine de commencer. Leur appartement est désormais occupé par le frère de la Grande Mina. Elle me manque tous les jours. J'ai retiré de l'argent à la banque, j'en laisserai pour l'eau et l'électricité. Bientôt, cette année prendra fin.

À nouveau, je regarde ma montre. Il est six heures cinq. Je contemple quelques secondes encore la cour, les fenêtres obscures derrière lesquelles dorment des êtres avec qui j'ai tant partagé. Quand ils se réveilleront, ouvrant grand les fenêtres pour laisser entrer l'air frais du matin, entamant ce jour chargé des promesses d'une fête à venir, nous ne serons plus là. Ce jour passera ; samedi viendra ; puis dimanche ; et des milliers de samedis et dimanches balayeront Mehr. L'été succédera au printemps, puis l'automne ; les voisins d'aujourd'hui vieilliront, partiront, et ceux qui ne sont pas encore nés prendront leur place. Le courant ordinaire de la vie et de la mort continuera à traverser ce lieu que je réinventerai chaque jour loin d'ici. Où serons-nous quand le jasmin perdra ses fleurs ? Serons-nous encore vivantes dans une semaine, dans dix jours ? J'ai quarante-trois ans et une vie entière à laisser derrière moi.

Je me retourne, le cœur au bord des lèvres. J'évite de regarder les enfants, Maman qui est venue nous faire des recommandations. Je vais dans l'entrée. Je décroche le téléphone et j'appelle un taxi. Il sera là dans dix minutes.

Je pars. Il est possible qu'une chose aussi effroyable arrive, comme il est possible de mourir alors que la seconde d'avant on riait ; c'est aussi simple que cela et aussi inconcevable. Je reviens dans la cuisine, la petite cuisine pensée au millimètre ; la chaise où s'asseyait Darius. Je surprends le regard d'Emma, habité par une tristesse qu'elle sait éternelle. Je m'avance vers elle. Je la serre dans mes bras, secouée par un chagrin indicible. « Pardon *madaram*, pardon. »

Le taxi nous dépose place Vanak. Deux voitures attendent le long du trottoir. Un homme d'à peine vingt-cinq ans, des joues encore rondes et le regard espiègle, est adossé à l'une d'elles. Omid, me dis-je aussitôt. Il me fait un signe de la main comme si nous nous connaissions depuis toujours.

Nous montons dans la première voiture et Omid dans la seconde. Les deux voitures prennent la route vers Tabriz, à plus de cinq cents kilomètres de Téhéran. Je ne connais pas l'homme à côté de qui je suis assise. Il me dit s'appeler Reza, me serre la main avec un sourire. Il a des cheveux poivre et sel, un cou large, une moustache qui cache sa lèvre supérieure, une alliance. Tout en conduisant, il me parle de choses et d'autres, sa voix est calme, apaisante; il ne pose aucune question. Nous ressemblons à une famille qui part en vacances : papa, maman et leurs trois filles.

Nous roulons à vive allure et traversons des villes et des villages grouillant d'une foule affairée. Les gens se précipitent vers les magasins, remuent les marchandises, ignorent les feux rouges. Je connais cette atmosphère particulière, cette hâte qui submerge chacun à quelques heures du nouvel an. Pourtant j'ai l'impression d'être en apesanteur, de regarder défiler devant moi un monde lointain et terrifiant.

Sur les murs délabrés s'étale la grossièreté de la propagande. Des fresques interminables et onéreuses. Le visage accusateur des ayatollahs; des drapeaux américains parsemés de têtes de mort; des jeunes filles en tchador brandissant des kalachnikovs; des garçons marchant sur les cadavres ennemis. Dans ces rues, des femmes ont été lapidées, des hommes ont été pendus sur la place publique, des enfants ont été jetés dans des cars, la prétendue clef du Paradis autour du cou, et envoyés dans le Sud pour se faire exploser sur des champs de mines. Dans une cave quelque part, quelqu'un est en train d'être torturé. Une femme reçoit cinquante coups de cravache pour avoir laissé échapper une mèche de cheveux de son foulard. Le printemps masque provisoirement la peur. L'époque est à nouveau à la délation, à l'humiliation, à la chasse en meute. Rien n'a changé. Comment tant d'espoir a-t-il pu être anéanti ?

À ma droite, Qazvin disparaît derrière les montagnes. Je me répète que non, nous ne pouvons plus rester ici, vivre à moitié cachées dans notre propre appartement, étrangères chez nous; les filles ne peuvent plus continuer à mentir sur leur identité à l'école, répétant que Darius n'est pas leur père, mais un cousin éloigné. N'empêche, j'enrage. On nous a volé notre pays; les étendues noires des forêts, les rizières de Mazandaran, les falaises immenses d'une beauté brute et inquiétante, les dômes turquoise, le soleil d'automne à Téhéran. Je me souviens du printemps qui a suivi la fin de la Révolution, ce premier matin sans peur où je me suis réveillée à côté de Darius, intensément libre malgré les incertitudes, prête à prendre l'avenir à bras-le-corps. À ce moment-là, je croyais avoir atteint ce que n'importe quel être humain né sous une dictature espère toute sa vie et ne connaît pas toujours. Mais ce moment a été englouti, et tant d'autres, comme des mirages avalés par la terre. Reviendrai-je un jour ?

Le déjeuner se passe dans un petit restaurant vétuste au bord de la route. Nous mangeons à peine. J'ai mal à la tête. J'avale deux aspirines avec un fond de Coca-Cola éventé. Je ne sais pas comment interpréter l'expression anxieuse d'Omid. Il ne mange pas, sort à deux reprises, jette quelques billets sur la table et nous pousse à partir, vite. Je regarde les filles enfiler leurs manteaux. Elles ressemblent à de jeunes soldats engagés dans une guerre qui les dépasse et qui, pourtant, acceptent leur destin.

À nouveau, nous prenons la route. Vers quatre heures de l'après-midi, alors que nous ne sommes plus qu'à quelques kilomètres de Tabriz, la voiture dans laquelle se trouve Omid se gare sur le bas-côté. Omid et le chauffeur en descendent. Reza les imite et descend à son tour. Les filles, qui n'ont pas fermé l'œil de tout le trajet, s'affolent. Incrédule, je regarde les hommes discuter. Quelques secondes plus tard, c'est l'accident.

Une voiture bleu marine allant dans le même sens que nous est d'un coup percutée par un camion blanc sorti de nulle part. La force de l'impact est telle que la voiture est traînée sur plusieurs mètres avant de s'éparpiller sur la chaussée. Le camion disparaît instantanément. Maintenant, la route est noire de monde. Les gens se précipitent, crient, cachent les yeux des enfants. Ceux qui se sont approchés de l'épave font des gestes catastrophés et repoussent la foule. Omid court vers sa voiture. Reza grimpe dans la nôtre. Face à nos visages décomposés, il se veut rassurant.

« Dieu merci, c'est fini... Ça va aller maintenant.

– Qu'est-ce qui est fini ? je lui demande.

– Cette voiture nous suivait depuis ce matin. Maintenant on peut continuer tranquillement. »

Je n'ai jamais su d'où venait ce camion, qui le conduisait. Je n'ai jamais su si le hasard avait eu sa part dans cette collision. Ce qui me surprend encore, c'est de n'avoir rien ressenti à cet instant, excepté de l'hébétement. Cet accident n'avait pas plus d'importance qu'un nuage qui jette son ombre sur le soleil, puis s'éloigne en vertu d'un ordre préétabli et irrévocable. Le soleil et l'ombre coexistent ; un peu plus ici signifie un peu moins là. *Maintenant on peut continuer tranquillement.* Seule comptait cette réalité. Simple. Évidente. Notre destin était de survivre. Partir en marche arrière, prendre une rue perpendiculaire et disparaître.

Cette route est toujours là. Elle fait partie de moi tout autant que la maison à deux étages de l'oncle d'un ami d'Omid où nous avons passé la nuit. Le couple qui nous a accueillis. Le riz au poulet et les galettes de pommes de terre pour le dîner, le thé, les gâteaux à la farine de pois chiche, la petite chambre et les matelas alignés sur le tapis. Et cette autre maison que nous avons rejointe le lendemain, au bout d'un village délabré, sans eau ni électricité, à quelques kilomètres de la frontière. Un jeune homme au crâne rasé vivait là, avec sa femme et sa belle-sœur. Il n'y avait aucune trace de Nowrouz, aucun ornement. L'Iran où j'avais grandi s'était arrêté quelque part entre ces deux maisons.

Omid n'est pas là (où est-il ?). Je suis seule avec les enfants, assises à l'arrière de la voiture du jeune homme. Il me regarde dans le rétroviseur et me prévient qu'à vingt et une heures quinze il s'arrêtera au bord de la route. « Deux minutes, compris ? Vous descendez, vous prenez vos sacs dans le coffre et vous partez sur la droite. Courez le plus vite possible. Gardez votre calme et surtout ne parlez pas. » La tension et l'angoisse me paralysent. Je sens la chaleur des filles collées contre moi.

Quand la voiture s'arrête, nous faisons exactement ce qu'il a dit. Leïli et Kimiâ dévalent une pente et plongent dans l'obscurité. Mina fait de son mieux, ralentie par sa jambe. Je lui prends la main. Le tronc rugueux des arbres râpe nos visages. La lumière tournante des miradors nous encercle. Le sol est mou, une odeur acide de moisi traverse l'air glacé. Soudain, deux hommes en tenue militaire sortent de derrière les arbres et se dressent devant nous. « Vous avez des cigarettes ? » lance l'un d'eux. J'entends la voix d'Omid sortie du fond de la nuit qui répond : « Oui, deux. » Comment a-t-il fait pour nous rejoindre ? Avec une netteté surprenante, je vois son corps d'adolescent rondouillard avancer vers ces types. Je suis soulagée. Maintenant qu'il est là, tout ira bien. Kimiâ en profite pour me dire qu'elle n'a pas trouvé son sac dans le coffre. Elle me fixe, désorientée. Je sais ce que cela signifie pour elle. Ce sac contenait une part dérisoire de l'univers laissé derrière elle. Et maintenant, même ce lien minuscule et essentiel a disparu. Tandis que je cherche

quoi lui répondre, une voix s'élève avec un accent kurde prononcé :
« Accroupissez-vous et avancez. Vite ! »

« Ce n'est pas grave, ma chérie, vas-y », dis-je à Kimiâ qui obéit.
Le ciel est bas, vaste comme un océan. Le scintillement impressionnant des étoiles éclaire le chemin. La proximité menaçante des villes a disparu. Il n'y a plus d'arbres. Il n'y a plus de miradors. Le sol abrite des rats sauvages. Les chevaux censés nous emmener tardent à venir. L'épuisement fait surgir des villages au sommet des collines, puis, au fur et à mesure de notre progression, les contours s'estompent, s'évanouissent, repoussant les limites du monde. Le froid nous brûle jusqu'aux os. Nous ne courons plus. Nous marchons presque au ralenti. Nos guides se font moins sévères. Ils nous autorisent à nous arrêter de temps en temps, juste quelques minutes. Pendant ces courts moments, je voudrais m'allonger sur la terre humide, prendre mes filles dans mes bras et me reposer. Comme des années auparavant sur la plage qui borde la mer Caspienne. Je voudrais leur sourire, les réconforter, leur dire qu'il est deux heures trente-cinq du matin et que l'année vient de changer. La nouvelle année commence et nous sommes ensemble. N'ayez pas peur. Mais la fatigue m'engourdit, la douleur cogne contre mon genou droit et mobilise tout mon être. Je me force à avancer. Mes poumons se remplissent de particules glacées et de l'odeur forte de la terre. Je sais que ma mère est réveillée, seule dans mon appartement plongé dans l'obscurité. Ses parents ont fui la Russie pour l'Iran et maintenant sa fille s'en va. Finalement, elle est la seule de sa famille à ne pas avoir connu l'exil. Tout autour d'elle, par-delà les rues mal éclairées et tristes de Téhéran, certains dorment, d'autres veillent en famille. Que fait Darius ? Sait-il seulement que c'est Nowrouz ?

Les heures tombent comme des pierres au fond d'un puits et disparaissent dans le néant. L'obscurité est telle que je n'arrive plus à rien voir. J'entends la respiration courte et précipitée de Leïli et Mina. Je sais que Kimiâ marche devant. Elle ne renonce jamais à se mettre à l'écart du mouvement général, obstinée, insaisissable, comme un escargot à l'intérieur de sa coquille. Parfois, j'ai envie de l'asseoir de force pour lui expliquer la fragilité de la vie. J'entends la voix lointaine d'Omid. Des murmures désincarnés, des sonorités disparates, une colère. J'arrive à distinguer « chevaux », puis « quand » et « jour ». Je comprends que le danger va s'élever avec l'aube.

Les chevaux arrivent enfin. Les hommes qui les montent portent des armes. Leïli est tombée sur une pierre, son front saigne. Les hommes la hissent sur un cheval et la collent contre le cavalier. Ils font de même avec Mina et Kimiâ. Enfin vient mon tour. Le temps qu'ils m'installent, les filles ont disparu devant. Terrifiée, je me demande si je vais les revoir.

Maintenant la lumière grise et glacée du jour gonfle sous le ciel noir. Un chien aboie au loin et annonce la possibilité d'une vie. « On arrive au village », dit le Kurde dont je tiens les hanches.

Nous sommes au fond d'une vallée enneigée. L'habitation est vétuste, confinée, sale. L'obscurité résiste à la petite lampe à pétrole accrochée à un clou qui éclaire péniblement le visage d'hommes et de femmes sans âge drapés dans leurs vêtements traditionnels. Dans leur regard, il y a le mélange de peur et de curiosité caractéristique d'un peuple isolé, rejeté, ignoré. Personne ne parle. Nous sommes près du korsi (sorte de chauffage artisanal). Nos pieds touchent le corps tremblant de petits agneaux entassés au chaud dans le fond de la masure. Un des hommes sert du thé. Les verres enfumés vont et viennent dans l'air oppressant de la vapeur d'eau et des respirations.

Le temps passe et peu à peu les enfants reprennent des forces. Le plus vieux des hommes se tourne vers moi : « On va vous installer dans une écurie et vous resterez là toute la journée. Personne ne doit vous voir. » J'aide les filles à se lever. Mes pieds sont si gonflés qu'ils ne rentrent plus dans mes bottes. Des bottes de ville, à talons plats. Kimiâ échange ses vieilles Kickers avec moi. Omid ne m'avait pas dit qu'il ferait moins vingt-cinq degrés, sinon j'aurais acheté des vêtements plus chauds, des chaussettes, des chaussures de montagne... Je pensais bêtement qu'ici aussi ce serait le printemps.

Nous avons traversé la frontière entre l'Iran et la Turquie cinq nuits plus tard. Cinq nuits à gravir les montagnes enneigées et abruptes du Kurdistan, à pied ou à cheval, accrochées à un cavalier armé, bringuebalées par les vents et engourdies par le froid, épuisées par la peur et le manque de sommeil, perdues. Cinq nuits à entendre le hurlement lointain des loups.

À trois heures et demie du matin, le mercredi 25 mars 1981, quelque part dans cette immensité blanche et froide, nous avons franchi une ligne imaginaire. « Ça y est... Nous sommes en Turquie », m'a dit Omid qui marchait à côté de moi. Nous nous sommes arrêtés quelques mètres plus loin. Omid voulait nous laisser le...

Leïli a trouvé ce texte inachevé, écrit à la main en français sur des feuilles quadrillées, dans les affaires de Sara. Avec son sens inné de l'équité, elle a gardé les originaux et fait des photocopies pour Mina et moi. Comme je vous l'ai dit, je n'ai jamais eu le courage de lire le livre de Sara jusqu'au bout, mais selon Mina ce texte est une traduction fidèle du passage concernant notre départ.

Sans nous le dire clairement, Sara aurait aimé que l'une de nous traduise son livre en français, surtout depuis qu'il était devenu un best-seller à Téhéran. Ayant pour principe de ne jamais rien nous demander, elle évoquait toujours le sujet par la bande, laissant flotter son désir dans l'air, accompagné de soupirs exagérés mais suffisamment explicites.

« Ah si seulement quelqu'un voulait traduire mon livre ! Quelqu'un qui me connaît bien sûr, avec qui je pourrais travailler. Ça permettrait aux Français de comprendre qui nous sommes...

– Tu crois que ça intéresse les Français de comprendre qui nous sommes ? répondait Leïli qui, en matière de tact, avait quelques leçons à prendre.

– Bien sûr que ça les intéresse ! Il faut qu'ils sachent que l'Iran n'est pas que ce pays d'arriérés qu'on leur montre à la télévision. Il faut qu'ils réalisent que nous avions un homme comme Mossadegh !

– Et après ? Si tu savais à quel point ils s'en fichent !

243

– Est-ce que je t'ai demandé quelque chose, ma petite Leïli ?

– Moi je n'ai vraiment pas le temps, Sara, intervenait Mina. Et quand bien même, la traduction est un métier. On ne peut pas s'improviser traducteur. »

De nous trois, Mina était la cible privilégiée des assauts de Sara. Lancée corps et âme dans un double cursus universitaire, histoire et linguistique, estampillée « littéraire » depuis l'enfance, avalant les romans avec la même gourmandise que Grand-Mère Emma les biscuits, Mina était en toute logique celle à qui revenait la tâche de prendre ce livre par la main pour lui faire traverser sa frontière linguistique. Mais ce que Sara ne comprenait pas, ou ne voulait pas comprendre, c'était que Mina, tout comme Leïli et moi, n'avait aucune envie de revivre ce passé, fût-ce à travers les mots de notre mère. D'ailleurs, ses mots avaient quelque chose de perturbant/dérangeant : ils nous révélaient sans détour ses émotions et ses souffrances, alors même qu'elle avait eu durant toutes ces années le souci de nous les épargner. Nous n'arrivions tout simplement plus, chacune pour ses raisons, à nous confronter à ces images, ces événements, ces anecdotes que le temps avait rendus aussi terrifiants qu'un cadavre en décomposition. Quand Mina termina sa lecture, elle nous dit : « Franchement, épargnez-vous cette épreuve ! » Elle avait emporté le texte avec elle lors d'un weekend organisé par sa fac à Montpellier et avait pleuré jusqu'à l'aube en le refermant. Je pense que ma difficulté à aller jusqu'au bout fut en grande partie due à sa réaction. Même si par culpabilité vis-à-vis de Sara, à qui j'avais affirmé l'avoir lu, je fis plusieurs tentatives. Je sais que Leïli finit par le lire, sans doute par acquit de conscience, mais elle n'en parla jamais.

Les réflexions de Mina concernant la traduction, aussi justes soient-elles, étaient avant tout une excuse que Sara prenait néanmoins au pied de la lettre. Elle la rangeait à côté de toutes ces différences culturelles qui avaient poussé comme de la mauvaise herbe entre elle et ses filles depuis notre arrivée en France.

« La traduction, un métier ? Crois-moi, si les Iraniens avaient eu ce genre de scrupule, jamais aucun livre n'aurait été traduit en persan ! » rétorquait-elle avec un mélange de dépit et d'exaspération. Ce qui était sans doute vrai, du moins si l'on pense à Oncle Numéro 6 et ses traductions d'André Gide (ou plutôt au pauvre nègre dont il avait acheté le silence).

Aucune de nous n'osa lui avouer la vérité et vint un moment où elle cessa d'en parler. Peut-être est-ce à ce moment-là qu'elle décida de s'y mettre toute seule, commençant par cet extrait.

Ce qui me chagrine encore, c'est de lui avoir laissé croire par lâcheté que nous nous désintéressions de ce qu'elle avait non seulement écrit, mais accompli. Quatre ans durant, volant quelques heures à un quotidien désolé et sinistre, à essayer de faire le tri dans le désordre de son vécu et de ses sentiments, dans le flux brûlant de ce passé qui la consumait de l'intérieur. Il ne s'agissait pas seulement d'un témoignage pour la postérité, mais d'une urgence. Peu importe ce que cela lui coûtait, elle devait consigner noir sur blanc ce qui s'était réellement passé dans l'appartement numéro 18 afin de montrer à ces charognards, comme elle disait, qui était Darius. Elle était la mémoire de ce lieu, la gardienne de leur histoire, mais surtout la seule capable de défendre Darius, désormais attaqué de toute part. Les partisans du Shah, installés à Paris et à Los Angeles, estimaient qu'il avait donné le pays aux mollahs et tué le général Rahmani ; les mollahs, au pouvoir en Iran, le considéraient comme un suppôt de l'Occident, une vermine intellectuelle ; les conservateurs, proches des *bazaris*, lui reprochaient son athéisme obsessionnel et ses positions radicales contre l'islamisation du pays ; les communistes, éparpillés en Europe, le traitaient de traître bourgeois agent de la CIA... Tous le couvraient d'insultes dans leurs journaux, leurs radios. Tous lui envoyaient des lettres de menaces. Sara voulait que le monde entier sache la vérité pour le protéger de ces voyous, de ces menteurs, de ces assassins. Mais le monde entier, vous en l'occurrence, avait-il seulement quelque chose à faire de Darius Sadr?

Pour être honnête, à ce stade de l'histoire, je vois mal comment poursuivre le récit de Sara, ou plutôt comment rapprocher ma vision déformée d'enfant du réalisme de la sienne, et continuer à l'endroit exact où elle vous a laissés, au beau milieu des montagnes du Kurdistan, de l'autre côté de la ligne virtuelle qui sépare l'Iran de la Turquie. Ce qui, vous l'avez deviné, me convient tout à fait puisque je n'ai aucune envie de revivre la suite du voyage. Sautons, puisque c'est possible, sur le tapis volant du romanesque, passons par-dessus le temps et l'espace, les trains de nuit et les cars, et atterrissons aux alentours de vingt et une heures sur l'asphalte éclairé de la ville.

3 avril 1981. Rive asiatique d'Istanbul. Nous ressemblons aux rescapés d'une catastrophe qui se traînent hagards le long des routes poussiéreuses. Nous sommes sales, amaigries, hébétées.

Dès l'instant où nous pénétrons dans le hall surchauffé et lumineux de l'hôtel Sultaniah, toutes les têtes se tournent vers nous. La honte nous fait aussitôt baisser les yeux. Nous avançons vers la réception, sur laquelle règne un jeune Turc engoncé dans un uniforme noir et rouge, telles des criminelles dans une cour de justice. Nous attendons quelques pas en arrière, alignées les unes à côté des autres, laissant Omid faire.

Maintenant que notre voyage, du moins la partie qui le concernait, était terminé, Omid avait tenu à fêter notre réussite en nous installant dans un «trois étoiles de luxe!», comme il avait dit avec malice. «Un hôtel digne d'une femme comme vous, Madame Sara.» Je le vois encore guettant sa réaction du coin de l'œil, sa face juvénile virant au rose. Il voulait l'épater, lui montrer qu'il n'était pas qu'un passeur rustaud/grossier, mais un jeune homme surprenant qui connaissait des endroits occidentalisés qu'elle pourrait apprécier. Il n'avait sans doute jamais côtoyé d'aussi près une femme comme elle, le genre qui donne son avis et soutient le regard des hommes. Il avait été estomaqué en l'entendant rétorquer à un Kurde armé qui se moquait du fait qu'elle ne savait pas monter à cheval : «Je ne sais peut-être pas monter à cheval, mais je sais conduire, qui plus est à Téhéran. Si je vous largue en plein centre-ville avec une voiture, croyez-moi, votre espérance de vie ne dépassera pas dix minutes!» Il riait encore de la tête du Kurde.

Le réceptionniste nous observa, discuta avec Omid, fixa l'argent déposé sur le comptoir, et nous observa encore. Il arrêta d'hésiter quand Omid allongea discrètement quelques billets supplémentaires. À force de le voir distribuer des billets à droite et à gauche pour débloquer une situation ou s'assurer d'un silence, je commençais à comprendre ce que le mot «corruption», si souvent utilisé par Darius, signifiait. Plus tard, grâce à Leïli, j'ai su que les Français utilisaient le mot persan *bakhshesh* (don), devenu «bakshish», pour dire «pot-de-vin».

Nous eûmes droit à deux chambres au rez-de-chaussée – une pour Leïli et Sara, l'autre pour Mina et moi. Nous nous y enfermâmes sans dîner.

Bien que relatif, le confort nous parut extraordinaire. Après des journées passées dans des étables ou des pièces glacées, sans eau ni électricité, à dormir sur la paille, pisser devant vaches et moutons ou accroupies dans la neige, nous étions émerveillées. Nous nous jetâmes sur les lits et restâmes bouche bée devant l'eau qui coulait de la douche. Mon sac était perdu, je ne pouvais pas, contrairement à Sara, Leïli et Mina, me laver tout de suite. Chacune d'elles resta plus d'une heure dans la salle de bains et ressortit le visage aussi rouge et récuré qu'une betterave pelée. Il fallut que j'attende le lendemain, le temps que Sara et Leïli aillent dans une boutique à quelques rues de l'hôtel m'acheter une culotte, un jean, une chemise à carreaux et un pull mauve (d'une laideur terrifiante) pour pouvoir moi aussi prendre une douche et me débarrasser de mes haillons. Mes cheveux longs étaient si emmêlés que la séance de brossage tourna de la comédie au drame.

Ce jour-là, en fin de matinée, nous quittâmes l'hôtel transformées. Nous n'avions pas encore retrouvé notre allure d'autrefois, mais nous ne faisions plus peur à voir. Nous allâmes à pied jusqu'au port envahi par les vendeurs ambulants et montâmes à bord du *vapur*, le bateau qui permet de traverser le détroit du Bosphore pour rejoindre la rive occidentale d'Istanbul. Destination : l'ambassade de France.

Quelques semaines après son arrivée à Paris, le parti socialiste français, dont certains membres étaient venus chez nous pendant la Révolution, avait contacté Darius afin de lui proposer son aide, faciliter ses démarches pour l'obtention d'une carte de séjour ou celle d'un logement. Darius avait refusé, comme toujours il ne voulait rien devoir à personne. Mais il mit son orgueil de côté pour nous. De nous quatre, seules Sara et Leïli avaient un passeport, dont la date de validité avait expiré depuis longtemps. Sara n'avait pu ni les renouveler ni en demander un pour Mina et moi car nous étions sous le coup d'une interdiction de sortie du territoire. De toute façon, pour éviter qu'on nous repère, Omid lui avait conseillé de ne pas prendre de papiers. Nous étions donc parties sans aucun document justifiant notre identité. Darius sollicita le parti socialiste, alors à deux mois de remporter les élections, et réussit à obtenir pour nous des laissez-passer habituellement réservés aux ressortissants français ayant perdu leur passeport à l'étranger. Cela ne voulait pas dire que nous avions la nationalité française, mais simplement le droit de rentrer sur le sol national et de là, faire les démarches pour régulariser notre situation. Selon Sara, une fois en possession de ces sésames, nous n'aurions plus qu'à acheter des billets d'avion dans une agence de voyages, prendre un taxi pour l'aéroport et monter dans l'avion d'Air France dont le décollage était prévu à seize heures trente-huit. En toute logique, nous devions être à Paris aux alentours de vingt-deux heures, après une escale à Francfort. Ainsi, en neuf jours, nous aurions utilisé tous les moyens de transport, des plus archaïques aux plus modernes, pour parcourir les cinq mille deux cent soixante-seize kilomètres qui séparent Téhéran de Paris.

Le brouillard était si épais que le *vapur* donnait l'impression d'avancer dans le ciel. Du givre couvrait les plats-bords et des verres de thé fumants, posés sur des plateaux à anse, passaient de main en main. Serrées les unes contre les autres sur une banquette en bois, nous écoutions Sara nous raconter comment ses grands-parents, Anahide et Artavaz Aslanian, avaient fui la Turquie quelques mois avant le génocide de 1915 et la déportation massive des Arméniens dans le désert de Mésopotamie et de Syrie, au camp de Deir ez-Zor. D'habitude, c'est Emma qui nous racontait cette histoire, ponctuée de chapelets d'insultes, d'abord à l'intention de ces «fils de chiens d'assassins de Turcs», puis de toutes les autres nationalités – Kurdes, Tchétchènes, Azéris – que ses pauvres parents avaient croisées sur leur route. La version de Sara, bien moins émotive, était davantage celle d'une historienne qui utilise le récit personnel pour raconter le général, l'anecdote comme un reflet cruel du monde. Alors qu'Anahide et Artavaz n'étaient plus qu'à quelques kilomètres de Moscou, Sara ouvrit une parenthèse pour nous apprendre que l'Allemagne impériale, alliée de l'Empire ottoman et présente en Turquie pendant toute la Première Guerre mondiale, était au courant de la déportation. Il semblait même que certains officiers allemands aient participé à la mise en œuvre des massacres, comme Rudolf Höss qui dirigea des années après le camp d'Auschwitz. Un peu plus tard, tandis qu'Anahide et Artavaz s'installaient près de la gare de Moscou au cas où ils seraient à nouveau obligés de partir (ce qui arriva deux ans après), le *vapur* accosta.

Nos ancêtres, nés sur cette rive, avaient fui ce pays pour échapper à la mort et soixante-sept ans plus tard nous la rejoignions après avoir fui le nôtre. La boucle était bouclée. Nous recommencions notre vie à l'endroit exact où ils avaient laissé la leur. Bien entendu, par une sorte de solidarité génétique distillée dans notre sang par Emma, nous détestions la Turquie et les Turcs. Pourtant, quand nos pieds se posèrent sur le sol de la rive européenne d'Istanbul, l'impression de liberté qui nous submergea nous réconcilia d'un coup avec le passé.

« Ça y est nous sommes en France ! s'exclama Leïli au moment où nous entrâmes dans la cour de l'ambassade.

– Pourquoi tu dis ça ? demandai-je incrédule.

– Parce que le sol d'une ambassade est considéré comme le sol du pays.

– T'es sûre ?

– Bien sûr que je suis sûre.

– Tu le savais, toi ? demandai-je à Mina.

– Ben oui, tout le monde le sait, espèce de débile ! »

Imaginez un peu ! Le jardin que nous traversâmes était la France, la porte que nous poussâmes, la salle où nous pénétrâmes et la femme qui nous accueillit... Tout était la France. Nous avions réussi. Nous étions sur le seuil de cette terre promise, la main sur la sonnette, attendant simplement qu'on nous ouvre.

Depuis l'enfance, notre confiance en ce pays était telle qu'en pénétrant dans le bureau minuscule et impersonnel où nous conduisit la femme, nous n'avions aucun doute sur l'accueil qui nous serait réservé, à nous, francophiles apatrides/apatrides francophiles. «Tout homme a deux pays, le sien et la France», cette citation de Thomas Jefferson que Sara avait glissée dans le baluchon de notre éducation, à côté de Napoléon Bonaparte, de Victor Hugo, de Frédéric Chopin (autre apatride) et de la Déclaration des droits de l'homme, était désormais notre seule certitude.

«Laisse tomber, ils n'ont pas de *pognon*», dit l'homme aux cheveux ras assis derrière le bureau rectangulaire à son collègue assis à côté de lui, une cigarette entre les doigts.

Il utilisa exprès l'argot, certain que Sara ne le comprendrait pas. Et il eut raison. Assise face à eux (mes sœurs et moi étions debout), le dos raide, Sara les regarda tour à tour, l'air troublé. Mais ces hommes ne connaissaient pas Leïli. Ils ne savaient pas que l'idiot qui pensait la piéger sur les subtilités de la langue française n'était pas encore né.

«Il dit que nous n'avons pas d'argent», articula-t-elle lentement sans quitter l'homme de son regard si méprisant qu'il se leva pour ouvrir la fenêtre, visiblement mal à l'aise.

«C'est ça!» ricana l'autre, penché en avant pour écraser sa cigarette.

La panique s'empara de moi et je ne me souviens plus de ce qui se passa ensuite.

Une image se forme. Nous quatre assises près d'un convecteur électrique cabossé. La buée sur les vitres m'empêche de voir l'extérieur. Une odeur de friture et d'eau de fleur d'oranger flotte dans l'air. Nous sommes dans un salon de thé. Sara nous explique que tout ira bien. Elle va appeler Omid, elle va appeler Darius. « Ça s'arrangera, mes chéries, il n'y a aucune raison pour que ça ne s'arrange pas. » Je ne comprends pas tout ce qu'elle dit, mais ce dont je suis certaine c'est que je n'ai plus du tout envie d'aller en France. Sara a commandé des choux à la crème. Elle en coupe un morceau et le pose dans l'assiette devant moi. « Allez, il faut que tu manges, tu ressembles à un petit oiseau tombé du nid. » Pour lui faire plaisir, je prends une bouchée que je garde dans ma bouche.

Cette nuit-là, allongée dans le lit d'un petit hôtel déniché par Sara près du quartier historique de Karakoy, incapable de dormir, je pense à l'Iran ; la cour de *Mehr* plongée dans le noir, l'odeur enivrante des jasmins en fleur, Baba en train de faire sa ronde avec sa puissante lampe torche piquée à l'armée. Dans quatre jours, les vacances de Nowrouz prendront fin. Quand les élèves de l'école publique pour filles où Sara m'avait inscrite après l'arrivée au pouvoir des mollahs et la fermeture du lycée Razi retourneront en classe, elles se demanderont où est passée Kimiâ Sadr. Personne ne pourra leur répondre. Qui peut imaginer que Kimiâ Sadr est à Istanbul, coincée dans un hôtel, sans *pognon* ? Je pense à ma chaise, à côté de celle d'Azadeh Behechti que je détestais parce qu'elle était *hezbollahie* et avait traité mon père de « salopard de traître ». Ma chaise restera sans doute vide un temps. « Peut-être que Kimiâ reviendra, les enfants, on ne sait jamais », dira notre maîtresse, madame Ashrafi. Puis elle finira par être occupée par une autre élève, devenue entre-temps amie avec Azadeh Behechti. Alors on approchera de la fin de l'année et personne ne s'attendra plus à ce que je revienne.

Tandis que ces pensées défilaient dans ma tête, j'avais l'impression étouffante d'être coincée dans un couloir étroit avec deux portes de part et d'autre, à jamais condamnées. Derrière l'une se trouvait l'Iran de mon enfance et derrière l'autre la France de mes illusions. À ce moment-là, j'ignorais ce qu'une expérience traumatisante signifiait. Pourtant, je savais déjà que ces minutes passées dans le bureau sinistre de l'ambassade de France à Istanbul avaient eu sur moi un effet dévastateur. Tout ce que j'avais vécu jusque-là, aussi terrifiant soit-il, répondait à des codes identifiables. Il n'y avait aucun piège. Le canevas était celui de toutes les histoires que je connaissais, fidèle à une logique dramatique universelle en vigueur depuis la nuit des temps. En résumé : il y avait d'un côté les Méchants (les Savakis) qui voulaient éliminer les Gentils (nous) ; après moult épreuves et péripéties, les Gentils triomphaient avant d'être poursuivis par d'autres Méchants (le régime islamique). En revanche, ce qui s'était passé dans ce bureau était inédit et stupéfiant. C'était la nuit en plein jour, la terre qui se dérobe sous les pieds. Quand on a grandi avec la certitude que la France est l'alliée infaillible, toujours à vos côtés pour vous protéger, on a du mal à accepter qu'elle vous plante délibérément un couteau dans le dos et vous observe vous rétamer sur le bitume. Toutes ces belles citations, tous ces beaux personnages, les Hugo, Voltaire, Rousseau, Sartre, autour desquels avaient gravité nos existences, n'étaient qu'une fiction moyen-orientale, une fable naïve pour des individus à l'esprit romantique comme Sara. Nous n'avions ni alliés, ni amis, ni refuge. Nous n'avions de place nulle part, telle était la vérité.

Il fallut attendre une semaine avant que Darius appelle et demande à Sara de retourner à l'ambassade. Cette fois, elle nous laissa dans le jardin et se dirigea seule vers le bureau. Elle en ressortit avec une grande enveloppe, et les yeux remplis de larmes.

« C'est bon, les filles, on peut enfin s'en aller !

– C'est vrai ?! s'exclama Mina. Tu promets ?

– Je te le promets », dit-elle en brandissant l'enveloppe.

Contrairement à moi, elles étaient heureuses. Il faut dire qu'à mon aversion pour la France s'ajoutait la déception de quitter Istanbul. J'avais commencé à aimer cette ville, écartelée comme nous entre deux continents. Mais d'une affection coupable que je n'osais pas m'avouer, tant je redoutais la colère de Grand-Mère Emma si elle l'apprenait.

Durant la semaine passée à attendre le bon vouloir des *farançavis*, nous avions visité Istanbul, mais uniquement la rive occidentale. Nous ne voulions plus retourner en Asie, comme si cela aurait signifié un échec de plus. Pour la première fois, nous nous retrouvions toutes les quatre dans un pays étranger, à jouer les touristes, ce qui était à la fois inattendu et agréable. Nous recommencions à manger normalement, à rire, à avoir des envies. Sara s'efforçait d'agir comme si nous étions en vacances. Chaque matin, elle organisait un itinéraire pour nous occuper jusqu'au soir. Elle nous emmena dans l'ancien quartier arménien (deux fois), au hammam (trois fois), au bazar (tous les jours) où elle se lia avec un vieil Arménien vendeur d'icônes qui nous invita à dîner chez lui. Nous visitâmes Aya Sophia, la Mosquée bleue, Topkapi. Elle nous expliqua la grandeur et la décadence de l'Empire ottoman et la naissance de la République turque.

Istanbul avait quelque chose de familier qui rappelait l'Iran d'avant la Révolution. Avant que le voile islamique ne cadenasse les femmes et que les fresques de propagande n'envahissent les murs. Avant les tickets de rationnement, l'omniprésence de la milice révolutionnaire, la guerre avec l'Irak, la disparition des produits tels que l'alcool, le déodorant ou le parfum. L'architecture de la ville, les habitudes des *Istanbulis*, le rythme des journées, étaient

254

très proches de ce que nous connaissions. Les crépuscules, quand s'élevait le chant des muezzins, avaient la même couleur mélancolique que ceux de Téhéran. Notre avantage sur les Turcs était de pouvoir lire les inscriptions incrustées aux frontons des mosquées, sur les arcades du bazar, autour des miniatures anciennes, au-dessus des immenses portes des palais. L'écriture arabo-persane dominait chaque monument de l'époque ottomane et la langue, un mélange de persan, d'arabe et de turc, restait en grande partie compréhensible. En optant pour un alphabet turc-latin, Atatürk avait délibérément coupé son peuple de ses racines ottomanes et islamiques, principales causes selon lui de son sous-développement. Sara le déplorait. Aucune pensée moderniste ne justifiait selon elle qu'on prive un peuple de son histoire, l'obligeant à porter sur ses richesses culturelles le regard égaré d'un touriste. Ses diatribes sur la perte de l'identité turque étaient une façon détournée de nous mettre en garde contre la nôtre.

Quelques heures après avoir quitté l'ambassade, après avoir acheté des billets d'avion dans une agence sur Isteklal Caddeçi, un taxi nous déposa à l'aéroport. Regardez comme nous avançons confiantes vers le douanier trapu, le visage barré d'une moustache à rendre jaloux Staline, debout derrière une guérite aussi verte que son uniforme. Omid qui a tenu à nous accompagner attend quelques pas derrière nous. Sara tend les laissez-passer au douanier qui les regarde longuement, fronçant et défronçant ses gros sourcils noirs. Ses mimiques ne nous affolent pas. Franchement, qu'est-ce qu'un petit douanier turc peut bien faire contre des papiers fournis par l'ambassade de France ? Voilà qu'il lève les yeux vers Sara et l'interpelle. Sara sourit, hausse les épaules, pour signifier qu'elle ne comprend pas. Omid s'approche et une discussion s'engage. Le douanier frappe les documents de son index, puis le pointe vers nous.

«Qu'est-ce qu'il dit?» demande Sara, impatiente.

Omid se racle la gorge comme si les mots avaient du mal à sortir.

«Il dit: "Je sais bien qu'elles vont s'en aller, mais je veux savoir comment elles sont arrivées en Turquie."»

Sara baisse la tête quelques secondes. Nous la fixons, tétanisées.

«Très bien. Je vais le lui dire.»

Entourée de quatre soldats, Sara monte maintenant dans une voiture noire aux vitres teintées garée devant l'entrée principale de l'aéroport. Son départ a sur moi l'effet d'une injection d'héroïne pure. Je ne ressens aucune douleur, aucune peur, car je n'existe plus. Plus tard, j'ai des flashs de lucidité. La chambre d'hôtel à Karakoy. Je suis allongée sur le lit ou bien accroupie sur les toilettes. Leïli et Mina sont là, inertes, molles, silencieuses. Je ne sais ni comment ni pourquoi, mais dès que je pense à Sara, mon cerveau se met sur pause, mon corps quitte le monde.

Pendant ce temps, quelque part dans les entrailles de la ville, Sara est interrogée par des militaires. Elle a déjà vécu cette situation. Ces mêmes questions. Cette même pièce sombre. Sauf qu'on lui parlait en persan.

Les heures filent et les hommes changent de visage. Chacun recommence un nouvel interrogatoire. Nom. Prénom. Âge. Puis tout y passe: ses grands-parents, ses parents, sa jeunesse, son mariage, ses activités politiques, son mari, ses enfants, leur départ. Et Sara répond, essaie de ne pas montrer de signe de lassitude ou d'exaspération. Elle demande de l'aspirine et on lui en donne, mais sans eau. Elle mange la soupe aux lentilles et le morceau de pain qu'on lui apporte pour montrer qu'elle n'a pas peur.

Trente-sept heures plus tard, le corps tremblant de fatigue et le cerveau en lambeaux, on lui met des papiers sous le nez et un stylo dans la main.

« Signez, lui demande le traducteur.

– Et je signe quoi ?

– Une déclaration sur l'honneur. Vous vous engagez à ne plus jamais revenir en Turquie, ni vous ni vos enfants.

– Pas besoin de signer, je ne reviendrai plus, rétorque-t-elle.

– Signez quand même. »

Le lendemain, nous reprenons la route de l'aéroport. Cette fois, je suis contente de partir. En deux jours, la Turquie est devenue pour moi celle d'Anahide et d'Artavaz, un pays où sous la surface accueillante se cachent les couloirs obscurs de la terreur.

Nous sommes le vendredi 17 avril 1981, il est seize heures quarante-cinq. Aussi imposant et décidé que Montazemolmolk ouvrant la porte du *birouni* pour affronter la tempête, l'avion est maintenant face au vent, plein gaz. D'un coup ses moteurs vrombissent, il se lance sur la piste, prend de la vitesse, se cabre, et rejoint les airs. Tandis que tout en bas l'Orient rétrécit, devient anecdotique puis disparaît, assise près du hublot, Kimiâ Sadr, telle que vous l'avez connue, subit le même sort. Bientôt, je vais naître pour la seconde fois. Habituée à venir au monde dans le sang et la confusion, à réveiller la Mort et la convoquer à la fête, cette renaissance – de la traversée du territoire indompté et violent du Kurdistan à la chambre d'hôtel de Karakoy – est indéniablement digne de la première. Bientôt, mon prénom ne sera plus prononcé de la même manière, le « â » final deviendra « a » dans les bouches occidentales, se fermant pour toujours. Bientôt, je serai une « désorientale ».

Alors que l'avion s'enfonce dans les nuages, le présent déferle, chargé d'une joie violente.

3 février. Ça y est ! Me voilà debout devant la porte du laboratoire d'analyses médicales, la respiration coupée.

« Hey, on se pousse là ! »

Je me retourne. Un homme en fauteuil roulant me fixe d'un regard assassin, comme s'il attendait là depuis dix ans. Ce regard aussi, c'est Paris. Il reflète ce que cette ville fait aux gens, autochtones ou venus de n'importe quel point de la planète. Elle vous rend impatient, rustre, renfrogné, malpoli. Elle vous chuchote en permanence à l'oreille que l'autre dérange et empêche, colonise votre espace vital. Si vous ne voulez pas être poussé, heurté, bousculé, il faut garder le rythme et avancer. Coûte que coûte. Sans hésiter, sans tergiverser. Calé dans votre corps comme dans un habitacle efficace et protecteur. Évidemment, si, sachant cela, vous restez encore planté sur le trottoir, c'est que vous cherchez les ennuis. « Allez, on dégage ! » Je fais deux pas de côté, le minimum pour que le type en fauteuil puisse passer.

Tandis qu'il défonce la porte du laboratoire, je relis le résultat de l'analyse de sang. L'effet est immédiat. Je sens une vague de pur bonheur m'envahir. Chacun de mes organes, chacun de mes nerfs, est mobilisé au point qu'à nouveau je suis incapable de bouger.

La sonnerie de mon téléphone portable retentit. Je mets quelques secondes à réaliser qu'il est dans mon manteau. Avant de quitter l'appartement, Anna m'a demandé de le garder dans ma poche pour ne pas avoir à vider le contenu de mon sac sur le capot d'une voiture quand elle appellerait. Elle voulait m'accompagner, mais j'ai refusé. Je voulais affronter seule ce moment et la probable déception qui

258

m'attendait. Anna n'a pas insisté. Anna n'insiste jamais. Sa culture flamande, aussi éloignée de ma culture orientale que Bob Dylan de Motörhead, la maintient dans une attitude qui selon les situations peut être interprétée comme du respect, de la compréhension, de la non-ingérence, voire, cas extrême, de l'indifférence.

«Alors?

– Je suis enceinte…»

Ma voix mate, comme si je venais de recevoir un choc, est en totale contradiction avec l'exaltation qui brûle ma gorge. Je n'ai jamais pensé qu'un jour viendrait où moi aussi je prononcerais cette phrase, où je serais le «je» d'une telle affirmation. Je m'étais souvent interrogée sur la sensation que cela procurait de la dire, d'annoncer que cette alchimie miraculeuse avait eu lieu à l'intérieur de soi. Depuis quelques jours, il m'arrivait de m'imaginer sortir du laboratoire comme une furie, appeler Anna et lui hurler à l'oreille que ça y était, j'étais enceinte. Mais, comme me l'avait répété Docteur Gautier, le pourcentage qu'un tel événement se produise était si mince qu'à peine l'image se formait dans mon esprit, elle s'enfonçait dans le noir marécageux du principe de réalité.

«Attends. T'es enceinte?! Kimy!!

– Oui… Je suis enceinte, dis-je encore une fois, les yeux écarquillés de surprise.

– Va m'attendre au comptoir de La Cantine, j'arrive!»

Elle raccroche.

C'est exactement ce que j'ai envie d'entendre. Une direction à prendre. Quelque part où aller.

Après une semaine de froid intense, le temps s'est radouci depuis hier. La température vient de monter d'un coup et un soleil froid repose sur la ville. Comme à l'aller, je décide d'éviter le boulevard de Belleville, encombré sur des kilomètres par le folklore guerrier du marché du vendredi. Je n'ai aucune envie de jouer des coudes, de faire du slalom entre les camions et les passants. Ce marché est l'un des rares où les produits semblent avoir passé la semaine entière à avoir été tripotés sur d'autres étals avant d'atterrir là pour être bradés. Vivre dans un quartier populaire, à forte population d'immigrés, vous confronte chaque jour à la réalité cruelle que votre niveau de vie est proportionnel à ce que vous méritez en qualité et en propreté. On peut vendre ce qu'on veut, comme on veut, aux pauvres, aux précaires, aux chômeurs, aux sans-papiers, aux primo-arrivants, aux mères de famille nombreuse, pour peu que le prix soit bas et qu'on leur donne l'impression de faire une affaire.

Je prends par les petites rues montantes souvent désertes, tapissées de pavés mal entretenus. Le chemin est plus long, mais je peux marcher à mon rythme. Dans ma tête, des phrases et des images se cognent les unes aux autres, désorganisées et bruyantes. Le passé remonte à la surface comme l'écume sur la mer. Je ne peux pas m'empêcher de lier la mort d'Oncle Numéro 2 à cette inimaginable nouvelle. Chercher une logique dans l'extraordinaire, un lien dans la coïncidence. « Il faut bien mourir, pour que d'autres naissent à notre place, n'est-ce pas ? » s'interrogeait toujours Emma, désireuse de trouver une explication vraisemblable à cette injustice existentielle. Je pense à mes sœurs, à tout ce qu'il va bien falloir que je leur explique. Au visage de mon père qui ne saura jamais. À Sara. J'envoie un texto à Pierre. Je n'ai pas du tout envie de lui parler, pas maintenant. Je tape POSITIF ! et je coupe mon portable.

2

Terre promise, pays perdu

J'ai toujours voulu des enfants. Même enfant, je voulais des enfants.

J'ai terriblement aimé l'enfance. Je l'ai aimée alors même que je la vivais, déjà consciente qu'elle était la période la plus heureuse de mon existence, au point d'avoir du mal à fêter mes anniversaires, sachant que chaque année écoulée me rapprochait un peu plus de l'âge adulte ; de la même manière j'avais du mal à quitter mes vêtements trop serrés pour d'autres à ma taille. J'étais fière d'être une enfant, de faire du skateboard alors que les adultes ne savaient pas en faire, d'attraper des insectes qui leur faisaient peur, de courir, tomber, me relever (même pas mal !), me cacher, jouer sous la pluie, sauter dans la piscine sous le regard envieux de Leïli et Mina, assises au bord en short, les pieds clapotant dans l'eau, à cause de leurs *périodes*. Je voyais sur le visage et le corps de mes sœurs ce que grandir signifiait et j'étais désolée du spectacle. Les boutons sur le front, les seins qui poussent, la bosse sur le nez, les douleurs impromptues, les taches de sang sur le pantalon. Chaque jour semblait une épreuve que Leïli traversait dans les pulls chipés à Darius pour masquer ce corps disgracieux qui lui échappait. Allongée sur le canapé, Mina plongeait la tête dans des livres en français et, quand elle la relevait, elle en voulait à la terre entière d'exister. Et pendant ce temps, je me jetais dans la piscine, cent fois, mille fois, hurlant d'allégresse pour leur montrer, tout autant qu'à moi-même, la chance que j'avais. J'étais certaine que devenir adulte privait plus qu'il n'accordait, empêchait plus qu'il n'autorisait. L'idée qu'un jour mon tour viendrait, que la vie me collerait au mur pour me dépouiller de moi-même, m'était insupportable. Même si, comme je vous l'ai dit, quand il m'arrivait de m'imaginer adulte, je me voyais en homme, debout sur le balcon un jour de printemps, fumant ma cigarette. Autrement dit et pour simplifier, je m'épargnais les *périodes* et les longues séances d'épilation qui précédaient l'arrivée de l'été, et toute une série d'autres obligations dont l'Orient exempte les hommes.

Je pensais qu'avoir une ribambelle de gamins me permettrait de contrecarrer cette injustice. Entourée d'enfants, je n'aurais pas à grandir totalement, pouvant garder au fond de moi cette part ludique, cette liberté physique, que je savourais chaque jour. Cette croyance n'avait rien d'empirique, puisque nos parents ne jouaient jamais avec nous. Aucun parent iranien de cette génération ne jouait avec ses enfants. Leur rôle était de nous élever, pas de nous amuser. Il y avait les aînés pour cela, ou bien les oncles et tantes plus jeunes et célibataires. Cela étant, comparée aux autres mères, Sara était plus disponible et à l'écoute. La voir rassembler mes cousines autour d'elle les jours de pluie à Mazandaran, l'admirer faire des parties de ping-pong avec ses neveux et prendre du plaisir à les battre me confortait dans mes réflexions.

En grandissant, et bien avant de vivre une sexualité, j'ai fait une croix sur ce désir et pris d'autres chemins. Obscurs, tortueux, baignés de musique, d'alcool et de substances illicites, en accord avec cette autre Kimiâ, née le soir du 17 avril

1981, au moment où l'avion d'Air France s'est posé sur le sol de l'aéroport d'Orly.

J'ai essayé d'aller chercher en moi ce que j'ai ressenti en voyant Darius dans le hall de cet aéroport, derrière le cordon qui protège l'arrivant de ceux venus l'attendre, mais je n'ai pas réussi. J'ai beau secouer ma mémoire, comme ces globes remplis de neige, aucune particule d'émotion ne se soulève. Pas le moindre petit grain de poussière de sentiment que je pourrais suivre des yeux et décrire. Pourtant je me vois avancer vers lui, comme dans un lent travelling.

Je pense que c'est quelque part dans les airs, entre Istanbul et Paris, que j'ai attrapé cette maladie que dans mon lexique personnel j'appelle la «maladie du G.I.». Comme si d'un coup, sans aucune raison objective/tangible, la porte entre moi et mes émotions se refermait, me coupant l'accès à moi-même. Parfois, comme à cet instant, alors que la silhouette de Darius se précise, j'ai l'impression de devenir un objet autour duquel se meuvent des formes insignifiantes. Je ne distingue plus les passants de la chaussée, la chaussée des immeubles, les immeubles des voitures. Cet état peut durer quelques minutes ou des jours. Puis à nouveau, selon le même mécanisme autonome, la porte s'ouvre. Le mouvement s'enclenche et la couleur revient. Je me retrouve soudain au milieu du monde, en possession de mes sens.

Le blanc reste encore ce qui traduit le mieux mon état dans ce hall. Et pas seulement mon état, mais la première image imprimée sur ma rétine; le gros plan final: le visage de mon père, blanchi de haut en bas. Des sourcils jusqu'à la barbe. Un blanc infini.

J'ai le nez collé à la vitre de la voiture de l'homme – monsieur Djavan, le beau-frère de Majid – qui a accompagné

Darius à Orly. Il fait nuit et je regarde Paris se dresser sous mes yeux fatigués et ébahis.

J'ai du mal à croire que cette ville existe vraiment. J'ai du mal à croire que ces voitures garées de chaque côté d'avenues larges et vides ont des propriétaires; que ces immeubles alignés les uns à côté des autres comme des élèves sages dans un dortoir sont en pierres et non en carton; que derrière ces fenêtres allumées existent des pièces décorées, des salons, des chambres à coucher, des cuisines où vivent des gens. Des hommes, des femmes et des enfants engagés dans une vie ininterrompue, avec des vêtements suspendus dans des placards, des brosses à dents, des objets familiers, des souvenirs. Des hommes, des femmes et des enfants. Des vieux et des jeunes. Des êtres qui ont toujours existé, qui étaient là hier, il y a un mois, il y a un an. Il y a mille ans. Est-ce que cet homme qui traverse au feu rouge sait qu'il est à Paris? Et le couple qui descend de cette voiture? Et cette femme à vélo? Ont-ils un passé? Seront-ils encore là demain? Est-ce que demain existera?

Partout, je vois le mot *coiffeur* écrit au-dessus des boutiques fermées. Je ne sais pas ce que ce mot signifie, mais cette ville, si elle existe, visiblement en regorge. Je pourrais demander à Leïli, assise à côté de moi, mais je ne veux pas. Je ne veux pas être la seule personne dans cette ville, ce vendredi soir d'avril, à ne pas savoir ce que *coiffeur* veut dire. De toute façon, quelle que soit sa signification, elle ne peut pas être pire que *pognon* ou *lesbienne.*

À notre arrivée, Darius vivait dans un studio prêté par un de ses cousins – le fils d'un des fils de Montazemolmolk – installé à Paris depuis des années. Le studio se trouvait à Boulogne, au quatrième étage d'un immeuble moderne construit au bord d'un immense boulevard. Le quartier était peu accueillant et Sara décida que nous devions nous installer dans le 13e arrondissement, là où vivaient les Djavan.

Trois jours plus tard, nous allâmes déjeuner chez eux et Sara interrogea longuement madame Djavan sur les écoles.

Ce jour-là, je prenais le métro pour la première fois. Impressionnée, ne sachant comment faire, j'observais Darius et imitais ses gestes. Comme il évitait systématiquement les escaliers mécaniques, c'est là que je lui ai demandé : « Pourquoi tu ne prends jamais l'escalator ? »

Durant des mois, nos parents, et surtout Sara, restèrent persuadés, par ce curieux optimisme que seuls éprouvent les désespérés, que la situation s'améliorait en Iran et que nous allions repartir. De fait, pour n'avoir rien à acheter d'autre que des draps, Sara loua un deux-pièces vieillot et meublé, dans un immeuble gris sur l'avenue de Choisy. Nos parents prirent la chambre qui donnait sur le salon, presque entièrement occupée par un grand lit. Leïli et Mina dormaient sur le canapé-lit défoncé en velours beige qu'elles dépliaient chaque soir, et moi par terre, dans un sac de couchage prêté par monsieur Djavan.

Au milieu de l'été, quand le propriétaire voulut récupérer son appartement pour l'un de ses enfants, Sara décida qu'elle n'avait plus envie de vivre dans les meubles des autres et loua un trois-pièces dans un immeuble de construction récente de l'autre côté de la place d'Italie. L'appartement possédait déjà une machine à laver et une table rectangulaire dans la cuisine laissée par les anciens locataires. Sara le remplit du strict minimum. Cinq assiettes, cinq fourchettes et cinq couteaux. Deux casseroles et une poêle. Des matelas dans les deux chambres et des planches sur des tréteaux. Quelques semaines plus tard, un téléviseur et un percolateur rejoignirent cet ameublement spartiate.

L'été prit fin et l'automne arriva. L'appartement devint le reflet du processus de deuil dans lequel, malgré elle, Sara s'était engagée. Plus la perspective d'un éventuel retour en Iran s'éloignait, plus elle entrait dans l'acceptation fataliste de cette situation. Et plus elle remplissait tiroirs et commodes. Rien d'extraordinaire, aucune fantaisie. Néanmoins, l'esquisse se muait en un dessin aux contours précis. Le provisoire devenait définitif. Elle jetait l'ancre.

La vie elle-même se déroulait à l'image de l'appartement, avec parcimonie. Nos parents n'allaient jamais au cinéma, au théâtre, au musée, au restaurant. Ils ne nous emmenaient jamais nulle part. Le manque d'argent, bien que réel, n'expliquait pas entièrement leur comportement. Il y avait l'hébétude dans laquelle les avait plongés l'exil ; la solitude, le gris étale des journées parisiennes, la pesanteur du silence dans un pays où personne ne se regarde, personne ne se parle, où les sentiments sont contenus comme des pets malodorants. Mais aussi une compassion poussée à outrance à l'égard de l'Iran. Comme si injecter une dose de bien-être dans le quotidien signifiait à la fois désintérêt et oubli. S'amuser alors que les proches et le peuple, étranglés par la répression et massacrés par les bombes de Saddam Hussein*, sombraient.

Nous passions les vacances scolaires à tourner en rond, lire, nous laisser abrutir par les séries américaines. Le para-

---

* Difficile de passer à côté de la guerre la plus longue du XXe siècle ! Huit ans qui changèrent à jamais la face du Moyen-Orient dont le point de départ officiel fut un désaccord frontalier : la volonté de Saddam Hussein de mettre la main sur la province du Khouzistan, riche en pétrole. Il y a plusieurs manières de voir cette terrible guerre. Celle, historique, des Arabes contre les Perses. Celle d'un dirigeant laïque et sunnite contre un dirigeant islamiste et chiite qui appelait régulièrement les chiites irakiens, majoritaires dans le pays, à la révolte. Celle de deux dictateurs qui voulaient imposer leur puissance dans la région. Après avoir accueilli Khomeiny, la France se rangea sans état d'âme du côté de Saddam, lui fournissant un étonnant arsenal de guerre. De même les Soviétiques. Les États-Unis, ouvertement pro-irakiens, vendirent en sous-main des armes à l'Iran (affaire connue sous le nom d'Irangate). Tous fermèrent les yeux sur l'utilisation par Saddam Hussein de gaz chimiques contre les Kurdes irakiens et l'armée iranienne. Isolé et radicalisé, l'Iran se rapprocha de la Syrie. Et c'est sans doute à la fin de cette guerre, aussi meurtrière et ruineuse qu'inutile, que l'idée jaillit dans la tête des mollahs d'accéder eux aussi à l'arme nucléaire.

doxe qui couvait sous le drame, peut-être même l'ironie, était qu'en Iran nos parents nous bassinaient avec la France – ou plutôt moi, puisque mes sœurs étaient consentantes –, et maintenant que nous y étions, que tant d'heures passées à apprendre la langue, la géographie, l'histoire, la littérature, pouvaient être mises en pratique, ils n'avaient plus assez d'énergie pour nous emmener ne serait-ce que dans une bibliothèque, ni assez d'assurance pour nous encourager à sortir seules. Chacun de nous avait espéré qu'un jour viendrait où nous pourrions à nouveau vivre tous les cinq ensemble, libres et sans peur. Sauf que la liberté est un leurre, ce qui change, c'est la taille de la prison.

Malgré l'amour qui les liait, Darius et Sara vivaient en parallèle. Sara se consumait d'anxiété et de tristesse. Darius était dans le désarroi, comme un commandant qui a perdu la guerre. Durant les sept mois qu'il avait passés seul à Paris, il avait pris l'habitude de marcher. Quatre, cinq, six heures d'affilée. Notre présence ne lui fit pas abandonner ce rituel. Chaque jour, en début d'après-midi, sans dire un mot, il quittait l'appartement pour arpenter les rues et les boulevards, casquette vissée sur la tête et mains jointes dans le dos, sans jamais s'asseoir sur un banc ni pousser la porte d'un café. Tout ce qu'il voulait, c'était être seul. Seul avec l'immensité de sa solitude, avec le flot de ses pensées, avec tout ce qui aurait dû être et n'était pas. Il s'imposa ce régime jusqu'à sa mort, perdit dix-huit kilos et arrêta d'un coup de fumer.

Un après-midi d'hiver, en revenant d'une de ses longues marches, je l'entendis dire à Sara, assise à la table de la cuisine en train d'écrire :

«Tu sais, j'ai vu Pirouz...»

Il était aussi pâle que le carrelage derrière lui, sa voix tremblait légèrement. Il se versa un grand verre d'eau et le but d'une traite comme pour noyer son émotion.

«Pirouz, ton frère?» s'étonna Sara. L'information était d'autant plus surprenante qu'à l'époque, les pays occidentaux refusaient d'accorder des visas aux Iraniens.

«Où est-ce que tu l'as vu?

– À l'angle du boulevard Montparnasse et du boulevard Raspail. Il attendait un taxi.

– Et il t'a vu?

– Bien sûr qu'il m'a vu! J'arrivais de face et je me suis trouvé nez à nez avec lui.

– Comment il va?» demanda Sara, ravie qu'enfin quelqu'un soit là pour briser, même provisoirement, la solitude de Darius. «J'espère que tu l'as invité à dîner.

– On ne s'est pas parlé. Il a traversé le boulevard et a disparu dans une petite rue.

– Oh, Darius…»

Inutile de préciser qu'à l'instant même j'ai haï Oncle Numéro 6 d'une haine que je n'avais encore jamais ressentie. J'aurais pu l'étrangler de mes mains et le regarder rendre l'âme, les yeux exorbités et implorants, comme les tueurs dans les films. Il m'arrivait même la nuit, tandis qu'allongée sur mon matelas je fixais les lumières de l'avenue onduler sur le plafond, de m'imaginer en train de le faire.

Je savais qu'Oncle Numéro 6 s'était outrageusement enrichi depuis l'arrivée des mollahs, au point de se faire construire un petit palais sur les hauteurs de Téhéran, d'envoyer ses quatre enfants à Los Angeles et de les installer dans des maisons achetées cash, mais j'ignorais comment. L'immobilier seul n'expliquait pas cet enrichissement fulgurant. Le scénario le plus probable – maintenant qu'il avait pris la fuite devant Darius – était, selon Sara, le suivant: Pirouz servait d'intermédiaire entre les Occidentaux et le régime iranien. Car, malgré la position officielle de l'État français en faveur de l'Irak et son opposition à la théocratie iranienne, le gouvernement

268

commençait à vendre des armes aux Iraniens via des canaux indirects. Sans parler des œuvres d'art, pillées par les représentants du régime et leurs rejetons, qui atterrissaient régulièrement de ce côté-là du monde. Parlant français et anglais, influent, arrogant, sans scrupule, homme de réseaux et commerçant hors pair, Oncle Numéro 6, l'avorton devenu homme d'affaires, était tout à fait indiqué pour tenir ce rôle. Semblable à une statue qui se brise de l'intérieur, Darius ne reparla plus jamais ni de cette rencontre ni de Pirouz. Comme d'habitude, il garda ses sentiments pour lui.

Les deux premières années, Sara ne quitta pas le périmètre du quartier. L'appartement, le supermarché, la boulangerie, la laverie pour sécher le linge. Elle allait d'un endroit à un autre dans le seul but de satisfaire nos besoins élémentaires. Si je devais trouver une explication psychologique, je dirais que plus de vie l'aurait asphyxiée comme le trop-plein d'oxygène en haut d'une montagne. Son corps – qu'elle avait toujours considéré appartenant autant à elle-même qu'à nous – était ici, à occuper le rôle de mère de famille, mais son âme était ailleurs. Sa mère vieillissait seule ; son jeune frère, Aram, croupissait à la prison d'Evin parce que sympathisant d'un groupuscule marxiste ; un de ses neveux avait fui l'Iran via le Pakistan et restait introuvable. L'essentiel de son être était auprès d'eux ; elle était leur ange gardien tenu par la certitude irrationnelle que si elle s'éloignait ils disparaîtraient pour toujours. Au moins deux fois par semaine, elle appelait Téhéran pour prendre des nouvelles. Pour toutes sortes de raisons, la liaison était défectueuse, et, une fois établie, les voix semblaient sortir d'une grotte préhistorique. Où que je sois dans l'appartement, je savais que c'était Téhéran à l'autre bout du fil à cause de la voix de Sara qui grimpait soudain de plusieurs décibels. Pas seulement pour pallier la qualité médiocre de la communication, mais poussée par le désir farouche d'abolir la distance.

Quand elle ne pensait pas à eux, elle entrait dans le passé, devenu un espace parallèle tout autant qu'un champ d'investigations. Revivre chaque lieu, chaque événement, chaque nuit passée à attendre, à prier, à espérer. Se rappeler qui elle était, ce qui était arrivé, pourquoi ils n'avaient pas réussi. Sa mémoire, son incroyable mémoire, fonctionnait comme un moteur en surrégime. Il lui arrivait de s'arrêter en plein milieu de la rue, perdue, le cerveau envahi d'interrogations troublantes. Était-elle vraiment à Paris? Pourquoi ne retournait-elle pas chez elle? Où était sa maison?

Le soir, aussi bien Sara que Darius prenaient un tranquillisant pour enfin dormir. Sauf qu'aucun ne s'endormait. Darius passait une grande partie de la nuit dans la cuisine à lire *Le Monde*, tandis que Sara écrivait des lettres à la famille et aux amis. Des lettres qui mettaient des mois à arriver, si elles arrivaient. Les tranquillisants ne réduisaient pas son anxiété chronique, mais la déplaçaient. Ils lui permettaient d'ouvrir la vanne de ses émotions et, à défaut de nous en faire part, de les écrire à d'autres.

Une semaine après L'ÉVÉNEMENT, quand Sara quitta définitivement l'appartement pour s'installer chez Leïli, nous avons vidé les lieux et trouvé dans le placard une dizaine de boîtes remplies des lettres reçues durant toutes ces années. Elles étaient rangées par ordre d'arrivée, répertoriées, numérotées, classées. Parmi elles, des centaines de missives passionnées ou admiratives d'inconnus qui avaient lu son livre.

Alors que mes parents se débattaient avec les djinns de la *dépression* (mot dont je compris enfin la signification à Paris), mes sœurs souffraient en silence et étudiaient, persuadées que la seule manière de s'en sortir dans un pays étranger était d'obtenir des diplômes. Leïli s'accommoda de cette réalité dès notre arrivée, sans enthousiasme, mais avec discipline. Brillante et travailleuse, sûre de son désir de devenir médecin, elle s'accrocha aux études comme à une locomotive et laissa traîner son corps de salles de classe en amphithéâtres, d'examens en examens, sans lever les yeux sur le monde. Mina, en revanche, passa par une longue période de néant, diagnostiquée par Leïli *stress post-traumatique*.

Autrefois curieuse de tout, espiègle, avec un sens de l'humour aiguisé hérité d'Emma, Mina était devenue une autre personne. Une jeune fille renfrognée et silencieuse, habitant un univers obscur aux dimensions réduites à elle seule. On aurait dit que le temps s'était ralenti dans son corps. Elle dormait beaucoup, souvent tout habillée, se déplaçait lentement, se nourrissait de chips et d'avocats dont elle mettait les noyaux à mûrir sur le rebord de la fenêtre. Elle se lavait rarement et ne peignait plus ses cheveux, forêt sauvage colonisant son visage. Les après-midi, en rentrant du lycée, sans dire un mot, elle déposait ses devoirs devant Leïli qui, sans dire un mot, les lui faisait avec un minimum d'effort.

Pourtant, de nous trois, Mina était celle qui trépignait le plus pour quitter l'Iran. Quand Darius partit, elle supplia Sara de le suivre. « Il faut qu'on s'en aille, bon sang ! Ça ne sert à rien de rester… On passe notre temps à mentir ou à nous cacher. On va finir par devenir dingues ! » répétait-elle sur tous les tons. Elle en avait marre de la politique, marre de vivre chez les Pourvakil ou chez Oncle Numéro 2. Elle estimait avoir droit à une vie ordinaire, d'autant que sa jambe lui rappelait sans cesse qu'elle avait payé sa dette envers ce pays. Au fond d'elle, elle pensait avoir souffert plus que nous et que donc son avis devait s'imposer.

Sauf qu'une fois à Paris, Mina réalisa que les Français avaient une image catastrophique de l'Iran. Durant les quatre cent quarante-quatre jours qu'avait duré l'occupation de l'ambassade des États-Unis, surnommés «Le Grand Satan» par Khomeiny, l'Iran avait acquis définitivement sa réputation de pays moyenâgeux, fanatique, en guerre contre l'Occident. En ce début des années 80, les Français ne faisaient pas vraiment de différence entre nous et les *hezbollahis*. Les professeurs et les élèves nous posaient des questions incongrues et parfois blessantes qui témoignaient surtout de leur ignorance. Une fille avait interpellé Mina en plein milieu de la classe, lui demandant si elle supportait de venir en cours sans voile. Une autre, s'étonnant de la voir manger du jambon à la cantine, avait brandi la tranche posée dans son assiette pour le faire savoir. Mina racontait ces déboires sur un ton lent/fatigué qui laissait deviner à quel point ils la meurtrissaient, agissant comme de l'acide versé sur cette part d'elle qui idéalisait la France depuis l'enfance. Des anecdotes semblables nous étaient arrivées à Leïli et à moi, mais nous ne les avions pas appréhendées de la même façon. Mina souffrait comme une amoureuse qui voit son amour rejeté.

À vrai dire, aujourd'hui encore, il m'arrive d'être confrontée à ce genre de réactions, obligée de faire un cours sur l'histoire contemporaine de l'Iran pour faire comprendre dans quel camp nous nous trouvons. Près de trente-cinq ans plus tard, un fait me surprend toujours : la rapidité avec laquelle la France a évincé de sa mémoire le fait d'avoir accueilli Khomeiny, passant sous silence sa part de responsabilité dans les événements qui suivirent[*].

---

[*] Pourquoi Valéry Giscard d'Estaing ouvrit-il la porte de la France à Khomeiny, expulsé de Najaf par Saddam Hussein suite à la pression du régime iranien ? Était-ce par peur que l'Iran tombe entre les mains des communistes, comme le redoutait le ministre de l'Intérieur, Michel Poniatowski ? Était-ce parce que contrairement à Carter, il se doutait que le Shah allait partir et voulait s'assurer une place stratégique auprès des Iraniens ? Et une fois Khomeiny en France, que se passa-t-il ? Quelles tractations, quelles promesses ?

Un lundi matin, à quelques semaines des épreuves du bac de français, Sara finit par mettre fin à cette déchéance d'une façon brutale et inhabituelle. Elle fit irruption dans la chambre que nous partagions et arracha la couette sous laquelle Mina s'était réfugiée depuis des jours.

«Ça suffit maintenant! Je ne vais pas te laisser gâcher ton avenir!» hurla-t-elle.

Elle saisit Mina par le bras, la tira du lit, la poussa sous la douche, hurla encore et l'accompagna au lycée. Le choc de voir Sara dans cet état anéantit la résistance de Mina. Elle pleura beaucoup et peu à peu se ressaisit. Mais elle ne fut plus jamais la même. Elle utilisa les ressources qui lui restaient pour se façonner une ambition à laquelle elle se consacra désormais méthodiquement.

Rien dans l'attitude de Sara ne laissait croire qu'elle culpabilisait. Elle maintenait entre elle et nous une distance que nous mettions sur le compte de sa tristesse mélancolique. Tournée vers le pays perdu, vers les êtres délaissés, elle ne voyait plus la nécessité de se préoccuper de nous, nous qui étions à l'abri. Néanmoins, il m'arrive de penser que son apparent détachement était sa manière de nous signifier qu'elle était démunie, ne sachant plus tout à fait comment être mère. Sans doute ne savait-elle plus qui nous étions, ni ce qu'elle était en droit d'attendre, maintenant qu'en guise de terre promise nous nous trouvions au bout d'une impasse. Le déracinement avait fait de nous non seulement des étrangers chez les autres, mais des étrangers les uns pour les autres. On croit communément que les grandes douleurs resserrent les liens. Ce n'est pas vrai de l'exil. La survie est une affaire personnelle.

Quant à moi, non seulement je ne supportais pas l'ambiance familiale, tantôt proche d'un film d'Ingmar Bergman, tantôt d'un film de zombies, mais j'avais du mal avec la normalité qui s'était soudain imposée dans ma vie. Aller à l'école, rentrer à la maison, prendre un goûter, faire les devoirs, montrer le carnet. N'étant plus du tout habituée à ce quotidien, je n'acceptais pas d'avoir de comptes à rendre. Et l'école avait cessé d'être ce repaire solaire où on apprend à appréhender le monde comme un édifice structuré, ordonné et accueillant. Par chance, contrairement à mes sœurs qui, à peine arrivées, devaient préparer le bac, je n'étais qu'en sixième et mon avenir ne préoccupait encore personne. Ce qui me laissait le temps de réfléchir à un moyen pour renouer avec la liberté que j'avais perdue en arrivant dans ce pays.

La révélation vint un peu plus tard par la télévision, un vieux poste défectueux abandonné par les anciens locataires et installé par Leïli dans notre chambre, que je regardais jusque tard dans la nuit. Ce soir-là, un concert dans une petite salle était diffusé dans *Les Enfants du rock*. Comme Leïli et Mina dormaient, j'avais coupé le son. Ce n'est donc pas la musique qui me happa, mais la dangereuse énergie qui se dégageait de quatre garçons en noir, à peine plus âgés que mes sœurs, arpentant la scène en maîtres du monde. Ils étaient félins, puissants, dionysiaques. Leurs vêtements étaient déchirés et leurs poings levés, la colère gonflait les veines de leur cou. C'était sombre et lumineux. Clandestin. Subversif. Devant eux, des vagues humaines, denses et insatiables, se brisaient par à-coups contre le rebord de la scène avant de se soulever et de hurler à l'unisson. Ils gardaient le dos tourné au monde, aux valeurs, aux obligations, au passé, ivres d'être là, d'exister autrement et d'exister quand même.
Je voulais être avec eux.
Là où l'Iran et la France n'existaient pas.
Seule et insurgée.
J'étais tellement subjuguée par ces images qui cognaient contre ma rétine que je n'entendis pas Sara entrer dans la

chambre. Ses hanches obstruèrent l'écran. Sa main pressa le bouton d'allumage, un voile noir absorba les images.

«Bon sang, Kimiâ, il est une heure et demie du matin, il faut que tu dormes!»

Ne compte plus là-dessus, pensai-je en la fixant.

J'ai quatorze ans, mais j'en parais plus à cause de ma grande taille (un mètre soixante-treize), mes grandes mains et mon regard qui a perdu sa candeur. Je porte des jeans et des chemises quelconques que Sara m'achète en solde. Malgré ses recherches, elle ne trouve pas de jupe à ma taille, ou alors chez les adultes, mais je n'ai pas l'âge de les porter. Je suis mince, mais costaud; un physique à n'y rien comprendre. Pour la première fois, je rate les cours de l'après-midi pour aller à la Fnac Montparnasse. Je parcours le rayon rock à la recherche du nom du groupe vu à la télévision. Je le trouve au bout du rayon, dans les «U». U2. Deux 33 tours gisent dans le bac, *October* et *War*. Je n'ai pas les moyens de les acheter, et quand bien même, nous n'avons pas de chaîne hifi. Je découvre que je peux lire les paroles sur la pochette. Je saisis çà et là quelques mots, le reste est totalement opaque. Je copie les paroles de *Sunday Bloody Sunday* sur un de mes cahiers.

À partir de ce jour, ma vie change. La musique dessine une ligne de partage entre le passé et le présent, l'enfance et l'adolescence, ce qui a été et ce qui sera. Un monde neuf se déverse sur moi où il vaut mieux être malin et débrouillard qu'avoir de l'argent.

À force de traduire avec application les paroles des chansons pour les comprendre, je cartonne en anglais. Mon vocabulaire dépasse de loin celui des autres élèves et je prononce le «*th*» en glissant avec aisance ma langue entre mes dents. Je passe mes dimanches au cinéma, devant des films américains en V.O. sous-titrée. J'achète un ticket et me débrouille pour changer de salle et en voir un autre. Un jour, je me trompe de salle et je tombe sur *L'Amour à mort* d'Alain Resnais. Secouée, je le regarde deux fois de suite. Je découvre les Puces de Saint-Ouen où je déniche un vieux tourne-disque, des 33 tours de seconde main et des fripes. Je m'habille avec rien et étrangement j'acquiers un style. Veste en velours, chemise à jabot des années 70, pantalon en daim à franges, chaussures d'ouvrier. Effrayée par ces saletés que je ramène dans des sacs en plastique usagés, Sara les met directement dans la machine.

Je prends de plein fouet le punk et le postpunk. John Lydon, Ari Up, Ian Curtis, Joe Strummer, Peter Murphy, Siouxsie, Martin L. Gore. Leur musique comble chaque trou, affectif, intellectuel, creusé dans ma vie. Elle devient mon pain quotidien, ma bouée de sauvetage. Parce qu'elle remet le monde à sa place et déchiquette la belle apparence. Parce qu'elle sent la colère, la transpiration, les grèves, les quartiers ouvriers, les révoltes, la poudre. Parce qu'elle dénonce l'hypocrisie du pouvoir, détruit les certitudes, les affirmations sociales, les affirmations idéologiques censées nous expliquer comment tourne le monde. Parce qu'elle est faite pour que les gens comme vous regardent les gens comme moi.

Je me rase les cheveux sur les côtés avec une vieille tondeuse et je coupe les autres mèches jusqu'à la nuque. Horrifiée, Sara refuse de me parler durant des semaines. Leïli m'en veut de la faire souffrir et me sermonne. Je lui promets de continuer à avoir de bonnes notes. Le reste, je lui précise, ne la regarde pas. J'oubliais : je nage tous les jours. À midi, au lieu de rentrer déjeuner, je vais à la piscine à côté du lycée. Raison officielle : j'aime le sport. Raison secrète : je rêve d'avoir le corps de Peter Murphy, le chanteur lascif de Bauhaus, au lieu de mon corps hybride dont l'étrangeté me fait parfois honte. Je suis persuadée que mes fesses plates et mes hanches étroites sont déjà un bon début, la suite, les muscles fins et longs, les épaules droites, les cuisses dessinées, dépend de ma persévérance. Désormais, je pense mon corps comme mon seul pays, ma seule terre, et j'en dessine les contours comme je l'entends.

J'ai seize ans. Ma connaissance approfondie des sonorités underground me permet de partir à la recherche de ceux qui écoutent la même musique que moi. J'ai atteint ma taille définitive, un mètre soixante-seize. Je promène ma hauteur solide dans la ville avec curiosité. J'imprime Paris de mes empreintes. Elle devient ma ville ; un territoire libérateur et insidieux.

Ma route s'arrête au Forum des Halles un samedi après-midi, lieu de rendez-vous des adolescents en rupture, des gosses de la Ddass, des punks à chiens, des gothiques, des jeunes homosexuels rejetés par leur famille, des marginaux de passage. Une bande hétéroclite à la dérive qui se peuple et se dépeuple au gré des saisons et des hasards. Ma dégaine suffit pour qu'ils se poussent et me fassent de la place. Personne ne me demande d'où je viens. Personne ne s'intéresse à mes origines. Personne ne va chercher dans ma bouche l'erreur grammaticale. Ils m'appellent par des surnoms qui leur passent par la tête ou juste «K», l'initiale d'un prénom que la plupart ignorent. Ils sont barrés, imprévisibles, chahuteurs, gueulards, sans gêne. Parfois dans le métro, quand ils s'étalent sur les banquettes et chantent à tue-tête, ils heurtent la politesse réservée dans laquelle j'ai grandi. Mais ils ne sont pas cruels. Certaines filles réagissent à ma présence d'une manière qui me réconforte. Elles cherchent ma proximité, me demandent de les raccompagner jusqu'à chez elles, jouent avec mes cheveux. L'une d'elles, Barbouille (surnom donné à cause d'un maquillage élaboré de clown-sorcière), s'assoit toujours sur mes genoux en s'écriant: «T'as des genoux de mec!» Sa réflexion m'enchante parce qu'elle reconnaît mon physique bizarre tout en me laissant croire que ce n'est pas grave. Chaque fois que je la vois, j'attends avec impatience qu'elle vienne se poser sur moi pour l'entendre dire sa phrase.

Avec eux, j'apprends à être dans un présent infini. À boire de la bière et du vin bon marché, à fumer, prendre de l'acide et passer des nuits délirantes dans des immeubles laissés à l'abandon, des boîtes de nuit surpeuplées, des bars minuscules aux banquettes défoncées. J'apprends à discuter avec les videurs, des types qui me laissent me faufiler dans les salles de concert sans ticket. Je découvre ce que *draguer* signifie. Et surtout je découvre, soulagée, que la sexualité n'a de barrières que celles qu'on lui impose. Être homosexuel ou hétérosexuel ne veut rien dire. Ces considérations, si conflictuelles et polémiques sous la lumière crue du jour, sont trop poreuses pour résister aux nuits de cette décennie agitée qui s'achève. À partir d'une certaine heure et sous une certaine lumière, les repères se brouillent. Les bourgeoises, profitant de l'absence du mari parti en voyage, viennent s'encanailler dans les boîtes de nuit lesbiennes. Elles arrivent tôt, s'assoient dans un coin un verre à la main et regardent patiemment les filles danser dans le but de repérer celle qui fera l'affaire. Les hommes en costard délaissent leur amie et se glissent dans les toilettes rejoindre le jeune garçon qui leur a souri avant de leur tourner le dos avec mépris. Des couples entrent ensemble, puis d'un commun accord se séparent pour partir en chasse. Le sida n'est encore qu'une rumeur lointaine; une maladie trop exotique pour trouver son chemin dans ces sous-sols obscurs, secoués par des sonorités urbaines et sauvages.

«Tu as vu l'heure?»

À peine ai-je poussé la porte que Sara est devant moi. Des cernes larges et noirs encerclent ses yeux. Son regard me plaque contre la porte et m'étrangle. Elle sait que vers minuit j'ai quitté le restaurant où je travaille trois soirs par semaine et attend une explication.

«Je ne sais pas... Cinq heures?»

J'essaie de parler doucement, de contrôler ma langue engourdie par l'alcool. Je sais l'horreur qu'elle a vécue toute la nuit à m'attendre. Cette nuit ajoutée à toutes les autres qu'elle passe scotchée à la fenêtre, à fixer cette ville, autrefois vénérée pour sa beauté, devenue froide et hostile. Qui peut-elle appeler pour savoir où est Kimiâ? Qui peut-elle implorer? À qui peut-elle parler de ce qu'elle endure?

Je peux visualiser la panique qui circule dans son corps et raidit ses membres. La même qu'à Téhéran en attendant Darius. La même qu'au téléphone en parlant à Emma. Je sais que ses pensées tournent toujours dans le même sens, font cercle autour d'un cauchemar qui l'assiège et la tétanise: la mort. La mort qui à chaque instant peut se jeter sur l'un de nous et l'emporter. Une part de moi est désolée pour elle, veut la rassurer, l'apaiser, lui dire combien sa peur est irrationnelle et destructrice, mais une autre, de plus en plus dure, de plus en plus imposante, refuse cet enfermement moral et la tyrannie de ses sentiments.

«Non, il est cinq heures vingt! Et quand on rentre à cinq heures vingt, tu sais ce qu'on est? (Non, elle ne devrait pas le dire, mais elle ne peut pas s'en empêcher...) Une traînée!»

Sara m'observe avec dégoût. Mon crâne blanc, là où les cheveux sont rasés. Mes joues creuses qui agrandissent mes yeux sans éclat cernés de noir. La veste en cuir dénichée Dieu sait où que je ne quitte plus. Et cette odeur âcre, mélange de cigarettes, de moquette mouillée et de salive, qui m'enveloppe comme un drap mortuaire.

Ce que je suis devenue dépasse, et de loin, tout ce que Sara aurait pu imaginer. Elle s'était réjouie de donner naissance à une fille, une créature familière dont les peines et les joies seraient les siennes. Mais je ne suis pas une fille. Elle ne sait pas ce que je suis, mais pas une fille.

Certaines nuits blanches passées à attendre, les pensées de Sara reculent de sept ans. S'approchent du trajet entre l'Iran et la Turquie. S'arrêtent douloureusement sur ce moment où, pétrie d'angoisse, elle a demandé à ce qu'on descende sa petite Kimiâ hissée cette nuit-là sur le même cheval qu'elle. Elle voudrait l'oublier, l'effacer de sa mémoire. Elle voudrait se fracasser la tête contre le mur et le réduire en miettes. Elle a dit, avec des larmes d'impuissance dans la voix : « Descendez-la, je n'y arrive pas… » Aussitôt des mains masculines ont attrapé Kimy et l'ont tirée vers la neige. Kimy n'a rien dit, n'a pas résisté, n'a pas cherché à s'accrocher à elle. Son corps a fait un bruit léger en tombant. Puis un des Kurdes est monté à sa place et le cheval est reparti, suffisamment lentement pour que Sara ait le temps de se retourner et de la voir ; sa petite silhouette perdue dans l'immensité de la nuit entourée de celles des hommes. Kimiâ avançait, tout en s'éloignant.

Que s'était-il passé ? Qu'avait-elle fait ? Pourquoi n'avait-elle pas pu la garder auprès d'elle ? Elle a beau revenir en arrière, se rappeler chaque minute, elle ne réussit pas à comprendre.

Il était trois heures dix du matin quand les chevaux sont enfin arrivés. Deux seulement, alors qu'elles grimpaient cette satanée montagne depuis des heures, les jambes enfoncées dans la neige jusqu'aux genoux, poussées dans le dos par des hommes rustres et armés. Écrasée par l'effort, Sara essayait de garder un œil sur ses filles, priant pour qu'elles ne glissent pas, ne se tordent pas la cheville, ne chutent pas sous ses yeux. Elle avait demandé à Omid de veiller sur elles, mais Omid était parti devant. Une fois en haut de la montagne, elle était en nage malgré un froid à broyer les os. Elle avait si mal au crâne qu'elle avait avalé son dernier cachet d'aspirine avec de la neige. Leïli et Kimiâ étaient là. Mina traînait derrière, ralentie par sa jambe. Elles ont marché encore une bonne demi-heure, Mina accrochée à elle. Puis les chevaux sont arrivés. Deux seulement. Les hommes qui les montaient ont sauté à terre. Ils ont dit que d'autres arriveraient bientôt. En attendant, ils ont hissé Mina et Leïli sur le premier. Puis Sara et Kimiâ sur l'autre. La petite avec sa maman, comme on fait avec le bétail.

Au premier galop, Sara a senti la terreur lui couper la respiration. Si Kimiâ restait là, elles allaient mourir toutes les deux, écrasées par le cheval. Elle voyait leurs corps enfoncés dans la neige et l'animal sur elles. Elle voyait Leïli et Mina perdues à jamais dans ces montagnes. Les palpitations dans sa gorge l'étouffaient. Le dos de Kimiâ collé contre sa poitrine l'oppressait. Elle a résisté, elle a supporté. Mais d'un coup les mots se sont échappés de sa bouche. Hachés, implorants. «Descendez-la, je n'y arrive pas...» Elle s'était retournée pour la regarder. C'était sa punition, ce cheval qui avançait au ralenti. Ce qu'elle a vu alors avait la consistance de ces délires fugitifs qui accompagnent la fièvre. Non, la petite fille là-bas n'était pas Kimiâ. Elle ne pouvait pas être là, à marcher encore, épuisée, vulnérable, comme une petite vieille, alors qu'elle, Sara, était tranquillement assise sur un cheval.

Sara a su tout de suite, au plus profond de son ventre, ou de son inconscient, ou quel que soit l'endroit où les vérités vont se nicher, elle a su, même si elle a fait semblant de l'ignorer pendant longtemps, que quelque chose s'était brisé à l'instant où sa fille a atterri sur la neige. Ce fil invisible, qui faisait sa fierté et son bonheur, reliant de façon indéfectible son corps de mère au sien d'enfant, s'est d'un coup détaché. Une fêlure est apparue alors et n'a plus cessé de grandir.

Il lui arrive encore, sous l'effet des somnifères, d'imaginer que c'est elle qui s'était laissée tomber sur la neige, alors que Kimiâ était restée sur le cheval. Oui, c'est ça qui s'était passé! Kimiâ est partie à la suite de ses sœurs et Sara a marché, en attendant qu'un autre cheval l'emmène. La joie qui la submerge alors, tandis que la scène s'affine devant ses yeux, est celle des bonnes nouvelles. Elle va se lever et l'annoncer tout de suite à Kimiâ.

Mais Kimiâ n'est pas là et elle ne sait pas où elle est.

Et pourquoi tu ne sais pas où est Kimiâ? hurle en elle la voix aiguë des culpabilités. *Parce que ce n'est pas la vérité!*

C'est en écrivant dans un cahier pris à Darius les événements qui les ont conduits jusque-là que la monstrueuse réalité lui a sauté aux yeux. Son impression de voir Kimiâ avancer et reculer en même temps n'était ni un délire ni un effet d'optique. C'était d'elle que Kimiâ s'éloignait tout en marchant. C'était Sara qu'elle quittait. L'enfance de Kimiâ avait pris fin à cet instant, dans cette solitude, dans ce silence, dans le choc d'avoir été délaissée. Et cette erreur, cette unique erreur, pesait désormais plus lourd que tout ce qu'elle avait fait pour elle.

«Je ne suis pas une traînée!

– Si, tu es une traînée, c'est la seule explication!»

Darius apparaît derrière elle, en pyjama, le visage blanc et fêlé comme le mur d'un vieux bâtiment.

«Puisque tu es si bien dehors, sors! Allez, sors d'ici, je ne veux plus te voir!

– Sara… Ne dis pas ça…»

La voix de Darius tremble. Enfin il se manifeste.

«Et pourquoi je ne le dirais pas! Et si je ne le dis pas, qui va le dire, toi?!»

Maintenant Sara crie. Mais comme elle ne sait pas crier, sa voix s'enroule au fond de sa gorge, tel un cyclone. Ce qui fait cri chez elle, c'est sa bouche qui remue et les veines du cou qui gonflent. Je n'attends pas la prochaine phrase. J'ouvre la porte et je m'en vais.

J'ai terminé l'année dans un squat à Pernety. Un immeuble délabré où les punks échouaient la nuit. Nous vivions sans code ni loi, dormions sur des matelas pourris, dans des pièces glacées aux fenêtres ébréchées, jonchées de cannettes de bière, d'emballages de nourriture, de mégots de cigarettes ou de joints. Je consommais tout ce qu'on me proposait, drogue, alcool ou médicaments, pour chasser les images qui déferlaient dans ma tête dès la tombée de la nuit. Je voulais m'évaporer et disparaître. Je me fichais de me détruire. Les habitués du lieu étaient surtout des garçons; les filles ne venaient que pour passer une nuit ou deux, cuver leur gueule de bois ou baiser. Pour éviter les embrouilles, je les tenais à distance. Je ne laissais personne s'approcher de moi de trop près. Certains soirs, quand la musique était trop forte ou que des bagarres éclataient, je ramassais mes affaires et partais. En général, j'atterrissais du côté des quais, entre Bastille et la gare d'Austerlitz, là où sont exposées des sculptures géantes. Je rentrais dans leur ventre creux et lisse pour me cacher et lire en attendant le jour. Je lisais essentiellement de la poésie, avec une préférence amoureuse pour Henri Michaux dont les obsessions et les interrogations sur le corps ou la drogue me happaient. Je prenais des douches à la piscine, lavais aussi mon slip comme Sara me l'avait appris pendant la Révolution quand nous étions chez Oncle Numéro 2 et n'avions pas beaucoup d'affaires.

Je n'allais pas tous les jours au lycée, mais me débrouillais pour rattraper les cours et passer les examens, restant de longues heures au café. Souvent le café en bas de notre immeuble, où à travers la vitre je pouvais voir discrètement Darius ou Sara s'éloigner, Leïli rentrer de la fac et Mina de la bibliothèque.

Contre toute attente, j'obtins mon bac. Je m'étais promis que, si je l'avais, je reviendrais le soir même pour le leur annoncer. Non par orgueil, mais parce que j'en avais envie. Je n'étais pas une adolescente fugueuse. J'étais partie parce que je ne trouvais plus ma place auprès d'eux. L'éloignement m'avait permis de comprendre que : 1) mes parents ne pouvaient plus être *mes* parents tels que je les avais connus et que je ne pouvais plus être *leur* enfant telle qu'ils m'avaient connue ; 2) je ne voulais plus vivre avec eux. J'étais décidée à leur faire part de mes conclusions tout en leur promettant qu'ils auraient toujours de mes nouvelles.

Je sonnai à la porte. Sara ouvrit, les yeux rougis par les larmes (par ma faute, me dis-je aussitôt). Je m'attendais à ce qu'elle me tourne le dos, mais elle me prit dans ses bras, me serra contre elle comme quand j'étais petite et rentrais de la cour les genoux en sang. J'hésitai quelques secondes avant de passer mes bras autour d'elle. Elle me caressa les cheveux. Je remarquai qu'elle était obligée de lever le bras parce que j'étais plus grande qu'elle.

«Kimiâ... Oh Kimy... Grand-Mère Emma est morte... Ma maman est morte.»

Et elle éclata en sanglots.

Souvent, en passant la porte de La Cantine, je pense à Emma à cause du cake sous cloche qui trône sur le zinc. Aujourd'hui, Anna m'attend au fond de la salle. D'habitude elle se met au comptoir et feuillette les journaux, mais là elle est assise près de la vitre, une tasse de café devant elle, à guetter l'extérieur. Dès qu'elle m'aperçoit, un sourire complice/ espiègle détend ses traits, le genre de sourire que s'adressent les voyous dans les films noirs des années 50 quand ils viennent de réussir un casse.

Au lieu de m'asseoir, je lui tends le résultat de la prise de sang dans le but de nous laisser un peu de temps avant qu'elle se lance dans une de ses tirades enthousiastes à propos de l'avenir. L'entendre parler d'avenir m'angoisse encore après six ans de vie commune. Elle le sait mais elle ne peut pas s'en empêcher. Pour Anna, l'avenir est un prolongement du présent, mais – et c'est là où mon ventre se tord – en mieux. C'est l'horizon vaste et enchanteur qui prolonge la mer et vers lequel nous avançons, un cocktail à la main, avec la nonchalance d'un couple de plaisanciers. Alors que pour moi l'avenir n'est pas loin de ressembler à un de ces bus bondés et branlants qui avancent cahin-caha sur une route d'Afrique, que l'on suit d'un regard inquiet en se demandant quand il va se renverser. S'il faut que les creux et les pleins s'emboîtent pour que les êtres se complètent et cheminent ensemble, mes creux de doute s'emboîtent parfaitement avec les pleins de confiance d'Anna.

Tandis qu'elle parcourt les résultats, j'enlève mon manteau et cherche du regard le serveur pour commander. Quand je me retourne, Anna me fixe avec ses yeux d'un bleu si limpide qu'il donne l'impression d'avoir été peint à la gouache.

« I can't believe it ! One shot ! » s'exclame-t-elle.

Je hoche la tête, incapable de contrôler ce sourire niais qui étire mes lèvres. Elle se lève d'un bond, prend ma tête entre ses mains et m'embrasse.

3

Anna I

La première fois que je l'ai vue, c'était dans le bus septante et un en direction d'Ixelles. D'abord, je n'ai remarqué que ses cheveux. Ce genre de cheveux abîmés par le manque de soin et les décolorations successives, qui bougent peu et font rebelles. Des cheveux comme ceux de Blondie ou Chrissie Hynde, estampillés rock and roll, qui donnent l'impression de sortir du lit après plusieurs orgasmes. Sauf que les siens étaient rouges.

Depuis que j'avais assorti mon allure avec la musique que j'écoutais, je rêvais d'avoir des cheveux pareils. Malgré des litres de teinture, de laque et de bière, les miens, hérités de Mère, restaient désespérément brillants et soyeux. Il suffisait de les voir pour comprendre pourquoi le rock n'aurait jamais pu naître en Asie.

Après le passage raté de la coupe dite « samouraï » – rasés sur les côtés et mi-longs sur le dessus –, qui avait tiré des cris de douleur à Sara, j'avais décidé de ne plus m'en préoccuper. Les laisser pousser était la seule alternative. En même temps, accepter leur longueur revenait à faire le choix d'une féminité que je n'avais toujours pas explorée. J'avais envie, sans trop savoir comment, de laisser remonter à la surface cette part enfouie, silencieuse et ignorée. Je n'étais plus une adolescente et je ne voulais plus le laisser croire. L'errance me donna le courage que je n'avais pas.

Quand je suis arrivée à Bruxelles, j'avais dix-huit ans et des cheveux qui m'arrivaient à la poitrine. Mes « grands cheveux », comme je l'entendais souvent dire, avaient surtout l'avantage de me cacher. Ma timidité. Mon teint brouillé d'insomniaque. Mon visage d'étrangère. Ils étaient mes rideaux derrière lesquels je restais recroquevillée à observer le monde en attendant de prendre de l'assurance. Imaginez-moi débarquant dans ce pays inconnu un dimanche après-midi pluvieux et sombre d'octobre, descendant du car pris cinq heures auparavant porte de Pantin, avec en tout et pour tout un sac à dos et deux mille cinq cent quarante-huit francs économisés durant l'été passé à travailler la journée au rayon charcuterie d'un supermarché et le soir au restaurant. J'avais choisi cette ville pour deux raisons : parce qu'elle était au Nord, atmosphère qui me convenait bien plus que le clinquant des pays du Sud ; et parce qu'on y parlait le français. Il ne faut pas croire, malgré ma capacité à me jeter dans le vide, j'avais mes prudences.

Contrairement à la France, en Belgique l'immigration n'avait pas encore infusé dans la population au point de brouiller les pistes des nationalités et des identités. Les étrangers non occidentaux se remarquaient comme un épouvantail au milieu d'un champ, d'autant qu'ils étaient amassés dans certains quartiers, n'ayant pas le droit de s'installer dans toutes les communes de Bruxelles. Mes traits révélaient mes origines, mais mes cheveux lisses et mes longues jambes créaient une confusion visuelle qui brouillait les pistes. Ne sachant pas où me situer sur la mappemonde, les Belges optaient en général pour l'Amérique latine. Ils me voyaient Brésilienne ou Argentine : la brune chaude, sexuellement avertie, des publicités pour boissons gazeuses. S'ils s'aventuraient à engager la conversation, leurs projections fictionnelles volaient aussitôt en éclats. Leurs oreilles habituées aux intonations locales entendaient la France sortir de ma bouche. «En fait, t'es française, toi?!» s'exclamaient-ils entre interrogation et affirmation. Je hochais la tête avec un sourire spontané. Que mon accent, si discutable en France, vienne à mon secours en Belgique ne manquait pas de m'amuser. «Et tu viens d'où? – De Paris. – Ahhhh!» Exclamation chargée d'arrière-pensées qui en disait long sur le tandem attraction-répulsion que les Parisiens exercent sur les Belges.

Dans la balance des appréciations culturelles, le fait que je vienne de Paris pesait si lourd que même quand je leur apprenais mon prénom, ils ne se demandaient pas d'où je venais *vraiment*. Il faut dire qu'à cheval sur trois cultures, habitués à toutes sortes de noms alambiqués, ce critère ne les interpellait guère. Et tant mieux parce que je n'avais aucune envie que cette nouvelle vie soit abîmée par les mêmes réticences qui m'avaient empoisonnée en France, m'empêchant d'abord de me sentir chez moi, puis m'ôtant jusqu'au désir de m'y sentir tout court. Je laissais les Belges penser ce qu'ils voulaient. Il m'arrivait même par jeu de leur donner un autre prénom, de m'affubler d'ancêtres aventuriers ou de parents partis s'installer à l'autre bout du monde. Je me réinventais au gré de mes humeurs, de l'intensité de la lumière ou des verres de bière avalés, m'étonnant de constater à quel point un même individu peut être envisagé différemment selon l'histoire dans laquelle il décide de s'inscrire. Je suis devenue brésilienne et argentine, mais aussi hongroise, tadjik ou franco-vietnamienne. Comme Oncle Numéro 2, je découvrais qu'une dose de fiction rendait le réel plus supportable.

Les cheveux d'Anna sont faits pour son visage.

Si je les ai remarqués avant de la voir dans sa totalité, si je les ai aussitôt associés aux déesses du rock, c'est parce qu'ils sont en totale harmonie avec ce qu'elle est. La blancheur de sa peau, le bleu clair de ses yeux, son nez droit et protestant, sa bouche légèrement dissymétrique, comme le tilde au-dessus du «n» espagnol. Anna a un visage dépaysant et exotique. Un visage d'automne, de feu de cheminée, de fromage à pâte dure, de pain aux céréales, de forêts sombres, de brouillard, de bottes de pluie, de cirés jaunes, de pâtisseries à la cannelle et de dîner à dix-huit heures.

La deuxième fois que je l'ai vue, c'était au Métamorphose, un bar situé derrière la place de Brouckère où je m'étais aventurée au hasard, attirée par les rideaux en velours pourpre qui protégeaient l'entrée des regards. En poussant la porte, je fus aussitôt confrontée à sa face de lune auréolée de ses cheveux flamboyants et éclairée par la lumière jaune des lampes suspendues au-dessus du bar. Croyez-moi, par une lucidité fulgurante que je ne m'explique toujours pas, j'ai su tout de suite que cette fille pouvait changer radicalement ma vie. La sensation fut si forte que je faillis fermer la porte et m'enfuir, mais le serveur me lança un «hello!» accueillant qui ne me laissa pas le choix. J'attendis qu'elle quitte le comptoir et gagne le fond de la salle pour entrer.

Je n'avais plus aucun doute sur son identité. Elle était flamande jusque dans ses vêtements d'une négligence étudiée. Elle sentait le froid, un corps taillé à l'intérieur des vents glacés chargés de pluie qui balayent ce pays en permanence. En lui jetant des coups d'œil depuis le bar – elle était affalée sur une banquette, en compagnie de trois garçons, sous un portrait géant de Kafka –, je pensai aux paroles d'une chanson de Won Ton Ton qui passait souvent à la radio. *I should be glad I was born in Belgium.* Voilà ce que signifiait être belge. Voilà à quoi ressemblait la jeunesse de ce pays qui paraissait évoluer au creux du monde, à l'écart des mouvements de l'Histoire. Ailleurs, à des centaines de kilomètres, le mur de Berlin s'écroulait dans le vacarme et l'hébétude, tandis qu'eux, et d'autres comme eux, se retrouvaient dans des bars sympathiques, discutaient, riaient aux éclats, donnant l'impression que ce qu'ils étaient suffisait amplement pour combler toute une vie. Étrangement, Bruxelles me rappelait l'Orient, par sa simplicité et sa naïveté, par la nonchalance avec laquelle le temps s'écoulait.

Plus que l'envie d'être avec cette fille, j'avais envie d'être cette fille. J'avais envie, ne serait-ce que pour une heure, de me glisser dans sa peau intacte comme dans ces intérieurs exposés dans les catalogues Habitat qui laissent imaginer qu'y vivre c'est s'assurer un quotidien confortable et sans heurts. J'avais envie de son insouciance, de sa désinvolture, de sa liberté qui n'étaient pas la conséquence d'une lutte, mais l'évidence d'une vie. Je savais pertinemment que, quelle que soit mon existence et quelle que soit celle que je deviendrais, je ne serais jamais comme elle. Si, en venant commander une nouvelle tournée au bar, elle m'avait proposé de la suivre, je l'aurais fait sans poser de question, juste pour voir où elle m'emmènerait.

Mais elle ne vint pas et je quittai Bruxelles quelques mois plus tard, fin février 1990, pour Berlin. Une semaine avant mon départ, je l'ai vue au Beursschouwburg lors d'une soirée consacrée à la scène artistique flamande. Deux chansons en anglais, chantées d'une voix *MarianneFaithfulli* avec son groupe Genet (un nom qui se passe de commentaire), et une salle en délire. Sa basse en bandoulière, sa bouche collée au micro, elle était puissante et déchaînée, habitée par une colère contagieuse en totale contradiction avec l'image juvénile qu'elle avait donnée au Métamorphose.

Je revins à Bruxelles trois ans et demi plus tard. Entre-temps, je m'étais installée à Amsterdam et j'avais rencontré Marteen Maes – «Maes comme la bière», disait-il dans un grand éclat de rire – au bar où je travaillais tous les soirs, à quelques rues du Stadsschouwburg, le théâtre municipal.

Marteen Maes avait la cinquantaine et faisait près de deux mètres. Des battoirs à la place des mains, des cheveux blond-roux décoiffés, des yeux bleus délavés par l'alcool et les nuits blanches, mais aussi vifs qu'un coureur de cent mètres. Il portait des chaussures italiennes, des cols roulés en cachemire et un long manteau noir qui dissimulait ses jambes. Si Raspoutine avait dans l'idée de se réincarner, il aurait sans aucun doute choisi le corps de Marteen Maes.

Quand, vers vingt et une heures quarante-cinq, il entrait au Klein Bar et posait sa carcasse lourde et élégante derrière le comptoir, il donnait l'impression d'être accompagné de son passé comme d'un compagnon de route. Personne ne s'asseyait sur le tabouret à côté du sien, comme si d'instinct les gens sentaient que la place était prise. Il dégageait l'odeur fascinante d'une époque révolue. Les années de sexualité débridée ; les matins blêmes ; les chambres d'hôtel moites ; les voyages en train ; les nuits étoilées ; les amitiés nouées dans la défonce et la conquête des mondes parallèles. Il avait arrêté de fumer de la même manière que je m'étais laissé pousser les cheveux, pas vraiment de gaîté de cœur, mais pour souligner le fait que la Mort l'avait jusque-là épargné, lui accordant un sursis inespéré et en grande partie immérité.

Il commença notre première conversation en me mettant dans la confidence de ses arrangements avec l'alcool. Comme une faveur, il me demanda de lui servir d'abord des bières – qui avaient le même effet sur lui que sur un mur en béton –, puis à vingt-trois heures tapantes, même s'il n'avait pas encore fini son verre, de lui verser sa première vodka. Je m'en tins scrupuleusement à ce rituel, tous les soirs pendant trois mois, avec l'impression d'être liée à lui par un pacte secret. Les yeux embrumés par une dizaine de shots, il restait là jusqu'à deux heures du matin, comme s'il attendait que quelqu'un vienne. N'importe qui. Un(e) inconnu(e) qui passerait la porte et changerait d'un coup le cours des choses. Il croyait à la magie des bars, et au hasard. « Deux trucs qui sont faits pour aller ensemble, Kimy, comme ma main et ce verre », disait-il dans un français grammaticalement parfait, mais comme coupé à la hache par son accent du Nord.

Le Klein Bar était essentiellement fréquenté par des jeunes qui débarquaient à plusieurs, restaient entre eux jusqu'à l'aube à fumer et se soûler. Comme le service se faisait au comptoir, de temps en temps l'un d'eux s'attardait et discutait avec Marteen avant de rejoindre sa bande. Indifférent, l'air d'un dandy vieillissant, Marteen n'insistait pas et c'est vers moi qu'il tournait sa solitude. Kimy, la fille derrière le bar, tatouage sur le bras, Lucky Strike sans filtre, bagues en argent, vêtements noirs, cheveux jusqu'au milieu du dos, lancée dans une sexualité libre et sans amour. Et c'est ainsi que nous commençâmes à bavarder, avançant chaque soir un peu plus vers une complicité étrange qui faisait des bonds en avant gigantesques quand je m'autorisais deux ou trois shots de vodka (habituellement je me contentais de Cheap Blonde pour ne pas tomber raide avant la fin de mon service à l'aube).

Quand il me demanda d'où je venais et après quelques détours, je lui dévoilais mon passé par bribes. Il n'était pas le genre d'homme à qui l'on mentait facilement. Et sa façon de créer de l'intimité sous la lumière rose des néons avait quelque chose de séduisant qui donnait envie d'être sincère. Dans ces moments-là, si Marteen était un lieu, il serait un chalet perdu dans la montagne. Tout en écrivant cette phrase, je me rends compte que je parle souvent de montagne, mais sachez que je déteste la montagne, comme je déteste prendre un bain ou me faire masser. Il y a un trop-plein de bien-être dans ces endroits dont je ne sais absolument pas quoi faire. Pourtant, je suis née au pied des montagnes, et qui plus est deux fois...

Marteen était la première personne à qui je racontais notre départ d'Iran, en grande partie grâce à la vodka et à l'album *Henry's Dream* de Nick Cave. Je voulais qu'il sache que j'avais eu moi aussi mon lot d'aventures sur terre. Il m'écouta sans m'interrompre. S'il fut touché ou intrigué, il ne le montra pas. Ou bien s'il le montra, je ne le remarquai pas tant mon esprit était emmêlé dans la pelote de mon récit, aussi tortueux que la traversée elle-même. À partir de là, une nouvelle parenthèse s'ouvrit dans nos échanges. Quand il sentait que personne n'allait venir nous déranger, il me demandait : «Raconte-moi tes petits pieds dans la neige, Kimy...» Plus tard, je compris que, grâce à lui et son entêtement à me faire répéter cette histoire, j'avais réussi peu à peu à trouver le chemin juste pour en parler. Nos conversations avaient agi comme l'eau sur le whisky, diluant l'émotion et la lourdeur, et sans doute le chagrin.

Les nuits passaient et Marteen me parlait comme personne ne m'avait encore jamais parlé. Il m'apprit qui étaient Stanislavski et Tadeusz Kantor. Il me révéla que Malcolm McLaren avait tout piqué à Guy Debord et aux situationnistes. Il m'apporta un livre sur Paul Delvaux, peintre que j'avais découvert émerveillée grâce à la pochette du 45 tours *Dark Entries* de Bauhaus. Il me fit découvrir la musique électroacoustique, Steve Reich et Gavin Bryars. Je l'écoutais avec l'impression grisante que j'avais peut-être fait suffisamment mes armes pour le mériter. Tout ça, toute cette solitude contre laquelle je me battais chaque jour, n'aurait pas été vain.

Une semaine après la première de la pièce de théâtre qu'il mettait en scène, il m'annonça qu'il rentrait chez lui, à Bruxelles. Jusque-là, je pensais qu'il était néerlandais et que chez lui c'était ici, à Amsterdam. Lui-même n'avait pas cru bon de le préciser, son identité le préoccupant moins que la misogynie de Baudelaire ou la fin tragique d'Anton Webern. Vers minuit, l'esprit échauffé, il me lança :

« Combien de temps tu vas rester dans ce bouge, Kim ? Viens avec moi, il serait temps qu'on fasse quelque chose de toi.

– Quoi par exemple ? demandai-je en riant.

– Ce que tu veux... Qu'est-ce que tu as envie de faire ? Arrête de laver ces verres et dis-moi ce que tu veux faire nom de Dieu !

– Mixer de la musique...

– Tu veux être DJ ?

– Non, je veux travailler dans les salles de concert.

– Rester planquée dans le noir ! Le Nord ne te suffit pas ? Tu vas passer ta vie à te cacher ?

– Ça me va, moi, me cacher.

– Ok, ça peut s'envisager. Je connais un garçon qui peut t'aider. Ian Bennett. Je t'attends demain à sept heures.

– Vraiment ?

– Oui, vraiment. »

Le soir même, je laissai un mot à Ludwig, le patron de Klein Bar, pour lui dire au revoir et lui faire cadeau de mon salaire du mois.

Le lendemain, alors que des trombes d'eau se déversaient sur Amsterdam, la lavant des péchés de la veille et des plaisirs superficiels, je sortis de l'immeuble, ma casquette enfoncée sur mon crâne. Cette pluie continuelle, qui purifie, rappelle à l'ordre et impose la prudence, est sans doute ce qui explique le mieux pourquoi ce pays est ce qu'il est. Juché sur son vélo et enveloppé dans un horrible poncho protecteur, le Néerlandais va son chemin sans se soucier des autres, tout en respectant scrupuleusement les règles pour éviter accidents et conflits. La culture calviniste, clef de voûte de cette société de liberté, de confiance et d'indifférence organisées, ne pouvait sans doute pas trouver meilleur terreau pour s'implanter. Voilà ce que j'avais appris d'eux: chacun est libre d'être ce qu'il est, de désirer ce qu'il désire, de vivre comme il l'entend, à condition de ne pas nuire à la tranquillité d'autrui et à l'équilibre général. Un principe de vie à l'exact opposé de la culture persane, où dresser des barrières, se mêler de la vie des autres et enfreindre les lois est aussi naturel que la respiration. Mais aussi en décalage avec la rigidité judéo-chrétienne de la culture française, où le verbe entrave sans cesse l'action.

Marteen était déjà là quand je suis arrivée, assis derrière le volant de sa Wolkswagen noire, un gobelet de café à la main. J'ouvris la portière côté passager et grimpai à l'intérieur. «Désolée, je suis trempée.»

Tandis que j'allumais une cigarette, il démarra. Il avait mauvaise mine et son haleine sentait encore l'alcool. Il huma la fumée qui sortait de ma bouche comme un amoureux le parfum de son amante. Au même moment, de la banquette arrière, s'éleva un soupir, suivi d'un grognement.

Je me retournai et distinguai un corps endormi et recroquevillé sous un Perfecto blanc. Je reconnus immédiatement les cheveux, devenus entre-temps blond platine.

«C'est ma nièce, chuchota Marteen. Elle donnait un concert à Utrecht hier soir avec son groupe. Elle s'est disputée avec sa copine, puis avec le reste du groupe, et a décidé de prendre un taxi à deux heures du matin pour partager tout ça avec son vieil oncle. Tu vois le truc? Tu oublies ta famille, Kimy, mais nom de Dieu, elle, elle t'oublie jamais!

– Comment elle s'appelle? demandai-je essayant de cacher ma surprise.

– Anna. Comme ma mère.»

Anna De Grave, le nom que j'avais lu sur le prospectus qu'on m'avait tendu à l'entrée du Beursschouwburg.

Anna De Grave et Marteen Maes vivaient encore dans un monde où une nièce pouvait trouver refuge auprès de son oncle.

Maintenant que vous savez comment j'ai revu Anna et avant que je ne vous raconte mes pérégrinations londoniennes, j'en profite pour vous transcrire une des lettres d'Emma à Sara, écrite le 19 mai 1989. Cette lettre est la seule que j'ai conservée, les autres sont entassées dans des cartons entreposés dans la cave de la maison de Mina. Chaque fois que je la relis, l'écriture large et aérée de ma grand-mère me rappelle sa manie d'ouvrir les fenêtres pour « faire entrer le frais », comme elle disait.

Ma petite fleur,
J'ai reçu deux lettres de toi hier. Une qui datait d'il y a deux semaines et l'autre d'il y a quatre mois. Les enveloppes étaient ouvertes et recollées avec du scotch. J'espère que le cafard qui les a lues lira aussi celle-là pour savoir ce que je pense des cafards dans son genre. Maudit soit ce pays ! Je dis à l'épicier que ses dattes ne sont pas fraîches, il me répond : si tu n'en veux pas, tu n'en achètes pas ! Je vais à la banque chercher de l'argent, le guichetier me dit, les yeux dans les yeux : tu me donnes l'équivalent et je te donne ton argent. Heureusement, tu n'es pas là pour voir ça. Tu te rends compte ? Mon âge, mes cheveux blancs, mon visage aussi fripé qu'une serpillière, rien ne les arrête. Les gens sont devenus tristes et méchants. En même temps, on ne peut pas les blâmer. Tu mets n'importe qui en cage en le privant de tout, il arrive un moment où il se jette sur son voisin pour le bouffer. C'est comme ça qu'ils font pour nous dominer, ils nous transforment en bête. De toute façon, on peut crever ils s'en fichent, ils n'ont pas besoin de nous pour exister.
Depuis une dizaine de jours, j'ai résolu le problème : je ne sors plus. Comme ça, au moins, je ne risque pas de me faire arrêter, parce que, tu me connais, j'ai du mal à garder pour moi ce qui me passe par la tête. Je fais faire mes courses par Tahéré, la fille de la concierge, et je reste à la

maison à m'occuper de ton frère. Depuis qu'il est sorti de prison, il n'est plus que l'ombre de lui-même. Je ne sais pas ce que ces salopards lui ont fait, quel genre de torture ils lui ont infligée. Je lui pose la question, mais tu le sais bien, il garde toujours tout pour lui comme si j'étais trop stupide pour comprendre ou trop fragile pour supporter. Toujours est-il qu'ils me l'ont rendu en pièces détachées ! Mais ça n'a pas d'importance, il est vivant et tu verras, il s'en remettra. Tu n'as aucune raison de te ronger les sangs.

Bon, passons à l'objet de ma lettre. Mon instinct me dit que quelque chose ne va pas avec Kimiâ. Tu finis tes deux lettres en écrivant : « Kimiâ aussi va bien et t'embrasse », pas un mot de plus. D'abord je me suis demandé s'il lui était arrivé quelque chose, quelque chose de grave dont tu n'oserais pas me parler. Mais je ne crois pas. Je n'ai vu aucune maladie rôder autour de toi et ta famille et, crois-moi, j'en ai bu du café depuis que j'ai reçu tes lettres. Alors je me suis dit que si ce n'était pas la maladie, c'était autre chose. Peut-être cette chose que je garde au fond de moi depuis tant d'années. Je suis contente de ne pas être obligée de te dire en face ce que je m'apprête à te dire, même si j'échangerais à la seconde le temps qui me reste à vivre pour pouvoir te serrer dans mes bras et voir au moins où tu habites. Si tu es debout, ma fille, assieds-toi et écoute-moi.

Quand Kimiâ est née, tu étais tellement heureuse d'avoir une fille, au point de lui donner ce prénom improbable, que je n'ai pas voulu t'en parler. Mais ce que je sentais à sa naissance s'est vérifié par la suite et, crois-moi, j'ai été vigilante là-dessus. Je l'ai observée, je lui ai même posé des questions. Tu vois, je prends mes précautions parce que je n'ai pas envie que tu mettes tout ça sur le compte de ce que tu appelles « mes interprétations irrationnelles », les facéties d'une vieille Arménienne que ces chiens ont rendue à moitié folle (à propos, Tahéré m'a appris hier qu'on murmurait partout que Le Vieux est très malade et que sa dernière heure est proche. Dieu sait que je n'ai jamais souhaité la mort de mon prochain, mais celui-là, qu'il crève, même si ça ne changera rien à rien).

J'aurais aimé me tromper à l'époque, mais, hélas, plus Kimiâ grandissait plus je voyais que j'avais raison. Mille fois j'ai failli t'en parler quand je voyais son comportement et son caractère te perturber. Sauf qu'avec la vie que vous aviez, tu n'avais jamais le temps et moi je n'avais pas envie de rajouter un souci de plus aux autres. Ma chérie, ma prédiction n'était pas fausse, même si vous vous êtes tous moqués de moi à sa naissance. Kimiâ est une fille certes, mais une fille en apparence. À l'intérieur, Kimiâ est un garçon, le garçon qu'elle aurait dû être si Nour n'avait pas rendu son dernier souffle alors qu'elle cherchait le sien. Prends le temps s'il te plaît de réfléchir à ce que je viens d'écrire avant de continuer à lire. Va te faire un thé ou bois un verre d'eau.

Je reprends donc. Tout ce que tu craignais quand tu pensais porter un garçon, elle le fera, comme d'ailleurs elle l'a toujours fait. Même, et c'est ça qui est le plus dur à dire pour moi, t'apporter une belle-fille. Voilà où je voulais en venir. Kimiâ a maintenant l'âge de penser au sexe, ce qui complique sans doute sa vie et la tienne. Sara chérie, ma petite, si ta fille préfère les filles, laisse-la préférer les filles. Accepte-le. Après tout, elle n'est pas responsable de sa naissance et de la mort de Nour. Qui sait ce que le destin a prévu pour nous ? Qui sait pourquoi nos vies sont ce qu'elles sont ? Peut-être ne serais-tu pas qui tu es si tu n'avais pas été la seule fille entre tes frères ? Peut-être n'aurais-je pas été la même si mes parents ne s'étaient pas installés à Téhéran ? Il y a dans cette vie une part de fatalité et une part de libre arbitre, seul le dosage change selon les événements.

Promets-moi de ne pas reprocher aujourd'hui à Kimiâ ce qu'elle est parce qu'elle a toujours été comme ça et tu l'as aimée. Il n'y a aucune raison que ton amour pour elle change. Si tu l'as emmenée en France, c'est pour qu'elle vive et soit heureuse, alors laisse-la l'être. Regarde ton beau-frère Saddeq, il ne passe pas une journée de tranquillité sur cette terre, le pauvre, toujours à étouffer qui il est alors que ça se voit comme le nez au milieu de la figure.

Bon, assez bavardé, j'ai promis à Tahéré un gâteau aux amandes parce qu'elle reçoit ses copines, et même si maintenant ça m'emmerde terriblement de me mettre à la pâtisserie, il faut que je le fasse. Et toi, tu dois aller prendre tes médicaments parce que mes bavardages ont dû déclencher une belle migraine. Je devrais m'en vouloir, mais je ne m'en veux pas. Ne m'en veux pas non plus. Dis aux enfants comme je les aime.

Emma

Avant même que nous n'arrivions en Belgique, Marteen me tendit un bout de papier sur lequel il avait noté le nom et le numéro de téléphone de son ami, Ian Bennett, ancien mixeur au mythique Marquee Club de Londres. Au lieu de me précipiter tout de suite à Londres, il me conseilla d'appeler un autre de ses amis, Rob Neckelbrook, ingénieur du son au théâtre de la Monnaie, pour acquérir quelques rudiments techniques.

Anna ne se réveilla qu'à Bruxelles. Nous restâmes le week-end tous les trois enfermés dans le gigantesque appartement de Marteen à la décoration minimaliste, à boire, fumer, manger des plats surgelés, écouter de la musique et parler. Nous ressemblions à des naufragés qui repoussent sans cesse le moment de se lancer à la découverte du monde.

Ces deux jours suffirent pour me confirmer ce que je pressentais déjà: la différence entre deux individus du même sexe peut être aussi grande et troublante qu'entre un homme et une femme. J'avais connu des hommes qui me ressemblaient bien plus qu'Anna, même physiquement. Des hommes qui n'avaient pas d'autre mystère que le fonctionnement de leur sexe. Anna se trouvait sur un versant opposé au mien, comme ces soldats russes visibles de certains coins de Mazandaran, là où la mer rétrécissait, que nous observions intrigués et interdits. Entre nous aussi la Terre avait rétréci pour nous mettre, elle l'Anversoise et moi la *Téhéranie*, l'une en face de l'autre. Je la regardais passer de pièce en pièce comme on regarde un chat évoluer dans une maison. Elle avait cette même capacité à faire sien un lieu, à s'approprier les choses, puis à s'en désintéresser. Elle était imprévisible, capable de parler pendant des heures puis d'un coup se taire. Tantôt exaltée, tantôt fermée, elle portait en elle une colère qui étrangement la fragilisait. En Belgique, la colère semble inutile/anachronique, la vie est faite pour être vécue, non pour être pensée.

Le dimanche, la copine d'Anna appela et elle partit la rejoindre. Le lendemain, c'est Marteen qui s'en alla pour deux semaines à Athènes retrouver sa compagne, une Belge d'origine grecque. Une heure plus tard, j'appelai Rob Neckelbrook.

Taillé comme un tonneau de bière, la Bastos collée au coin d'une bouche perdue dans les broussailles de sa barbe blonde, Rob Neckelbrook me laissa assister aux dernières répétitions de *Daphné* de Richard Strauss. Il m'expliqua dans un français parsemé de *brusseleer* les « trucs (prononcé *trroucs*) de base ».

Jour après jour, assise à côté de Rob derrière l'énorme table de mixage, je sentais un frisson semblable à aucun autre me traverser au moment où les lumières de la salle s'éteignaient pour laisser place à celles de la scène. Le silence qui accompagnait cet instant était unique. C'était une invitation à l'émerveillement tout autant qu'une mise en garde ; il fallait être à la hauteur de soi et des autres, des heures de travail et des espoirs, des désirs et des attentes. Aujourd'hui encore, même si les concerts sont devenus des shows formatés et prévisibles, au moment où la bascule se fait, je retiens mon souffle, dans un état de plaisir pur et de panique extrême. Parfois, je me dis que je pourrais décoller du sol comme une fusée.

La veille du retour de Marteen de Grèce, quand je suis entrée dans l'appartement, Anna était revenue. La musique mélancolique de *Berlin* de Lou Reed sortait des haut-parleurs. À sa façon de me regarder, je sus qu'elle cherchait à me surprendre. Un lutin qui bondit de sa boîte. Pourtant, je n'étais pas aussi surprise qu'elle l'aurait voulu. Ma « maladie du G.I. », sans doute. Après un moment de flottement, elle baissa la musique et se sentit obligée de se justifier.

Elle était venue me dire au revoir parce qu'ils avaient décidé de partir, elle et les autres « Genet », dans une maison à quelques kilomètres d'Anvers pour préparer leur prochain album. Tandis qu'elle parlait, ma tête se remplissait des images fantasmées du rock and roll – s'enfermer ensemble, composer des chansons, s'allonger sur des canapés mous, s'engueuler... Pourtant, plus encore que l'envie de faire partie de cet univers secret, excitant, qui m'avait tant fait rêver adolescente, je sentis monter en moi le désir d'être dans une maison. Pas n'importe laquelle. Celle d'Oncle Numéro 2 à Mazandaran. D'habitude, c'est l'été qui provoquait (et provoque encore) chez moi ce sentiment étrange où l'envie d'être là-bas et la douleur d'en être privée se livrent bataille au beau milieu de mon ventre. Ce qui explique, je pense, pourquoi je déteste tant l'été. Mais là, à l'instant où Anna prononça le mot «maison», je ressentis un désir si violent que j'aurais pu m'asseoir et pleurer. Voilà le drame de l'exil. Les choses comme les êtres existent, mais il faut faire semblant de vivre comme s'ils étaient morts[*].

Quand Anna finit son explication, les deux mains fourrées dans les poches de son pantalon, nous nous regardâmes longuement, ou bien quelques secondes qui parurent bien longues. Alors que *Sad Song* tirait à sa fin sur les airs lancinants de l'harmonium, nous savions toutes les deux qu'en toute logique nous devions nous jeter l'une sur l'autre et finir sur le canapé. Nous étions des milliers à ne savoir faire que ça, surtout un peu ivres, un peu paumés. Le sexe par économie, par manque d'imagination, par fatalisme. Le sexe, faute de mieux. Mais le moment où il eût fallu agir passa. Puis un autre et encore un. Et la chanson s'arrêta.

«Tu veux boire quelque chose? demandai-je.

– Oui. Qu'est-ce que tu veux écouter?

– Ce que tu veux...»

---

[*] Pardonne-moi, lecteur, si tu as l'impression d'avoir déjà lu cette phrase, mais je ne peux pas m'empêcher de l'écrire.

Nous bûmes et parlâmes jusqu'à sept heures du matin. À la fois surprises par nous-mêmes, à la fois fières d'avoir pris un chemin de traverse plus escarpé et risqué. Elle ne me posa aucune question sur l'Iran et je lui en fus reconnaissante. J'avais réussi à me dépouiller de tout pour n'être plus que moi-même. Je savourais cette victoire tout autant que la présence d'Anna. Quand le jour se colla à la fenêtre, elle m'emmena prendre un petit déjeuner dans un café flamand convivial et rustique près de la place du Jeu-de-Balle. Cette nuit est le début de notre histoire, du moins c'est ainsi que nous la racontons à quiconque nous pose la question, même s'il fallut attendre six ans avant de nous revoir et de finir sur le canapé.

Voici un court extrait de notre conversation nocturne – débarrassé des hésitations, approximations, passages en anglais, silences en tout genre.

« Tu aimerais avoir des gosses ? demande Anna.

– Si je n'écoute que moi, si je ferme les yeux sur tout le reste, oui, je ne peux pas dire que je n'en veux pas. Même si probablement je n'en ferai jamais. Et toi ?

– Moi, je suis lesbienne. Ce n'est pas le genre de questions que je me pose.

– Et pourquoi ?

– Je ne sais pas, c'est comme ça que je me suis construite. De toute façon, je ne pense pas que la famille soit mon truc.

– On n'est pas obligées de faire comme « papa-maman », si ?

– On n'a pas le choix… On n'a pas assez d'imagination pour faire autrement.

– On n'est pas toutes taillées pour devenir quelqu'un et les enfants n'ont rien à voir là-dedans. Regarde Patti Smith ou Chrissie Hynde, elles ont des gosses, plusieurs même, et ça ne les a pas empêchées de devenir ce qu'elles sont, bien plus avant-gardistes que la plupart des lesbiennes qui méprisent le désir d'enfants.

– Ah oui, mais là tu parles d'une époque où le rock était un mode de vie. Ça signifiait quelque chose, ça définissait les gens qui en faisaient et ceux qui achetaient leurs disques. Mais tout ça ne signifie plus grand-chose. Regarde Oasis... Maintenant, on fait des groupes qui rapportent du fric et qui ne font de mal à personne. C'est devenu folklorique, tu vois. On fait semblant d'être rebelle parce que, même ça, ça rapporte. »

Et elle dériva sur la mort du rock and roll...

Anna partit pour Anvers et je partis pour Londres.

Je n'ai jamais trouvé Ian Bennett. J'en ai trouvé d'autres. Des Ian Bennett architecte, fleuriste, professeur de mime, agent immobilier, mais aucun Ian Bennett ingénieur du son. Le numéro de téléphone que Marteen m'avait donné était celui d'une laverie tenue par des Indiens à King's Cross. J'ai essayé de joindre Marteen, j'ai laissé des messages, mais il ne m'a jamais répondu.

J'ai commencé à penser qu'en fait, Ian Bennett n'existait pas. Il était une invention de Marteen pour me sortir de Klein Bar (et de tous les autres bars où j'aurais pu, par facilité ou par paresse, passer ma vie à travailler pour payer mon loyer et ma nourriture). Marteen était suffisamment complexe et farceur pour me balancer sur le devant de la scène sous un prétexte aussi insignifiant que partir à la recherche d'un personnage fictif dans le but de voir ce qui en sortirait. Il avait néanmoins pris ses précautions en me conseillant de passer du temps avec Rob Neckelbrook. Je l'imaginais assis sur son canapé en cuir, dans son salon à la lumière tamisée, une bouteille de Triple Westmalle à la main, écoutant mes messages sur son répondeur et se demandant quand est-ce que j'allais nom de Dieu arrêter de pleurnicher et commencer à vivre ma vie. L'avenir lui donna raison et, à vrai dire, les choses s'enchaînèrent d'une façon surprenante.

Mes pérégrinations à travers la ville pour trouver Ian Bennett me permirent de quitter très vite l'hôtel minable où je logeais pour emménager, grâce à Ian Bennett agent immobilier, dans une petite chambre meublée à Elephant and Castle avec une douche sur le palier et un loyer de neuf livres par semaine. Je décrochai un travail dans un bar à Earl's Court qui accueillait cinq soirs par semaine des groupes de jazz. Quand le patron, un ancien punk qui avait fait fortune dans les T-shirts fantaisie, sut que j'étais à la recherche d'un certain Ian Bennett autrefois mixeur au Marquee Club, il me proposa tout de suite de faire un essai chez lui.

«Si tu connais un type qui a mixé au Marquee, c'est que tu dois pas être trop mauvaise.

– Je me débrouille, mentis-je.

– Deux semaines, ok? Si ça marche, je t'engage.

– Super!»

C'est ainsi qu'avant même d'arriver à la conclusion définitive que Ian Bennett n'était qu'un traquenard de première, j'avais trouvé et un logement et un travail.

À ce point du récit, tandis que je me revois dans ma chambre meublée à Elephant and Castle, les yeux rivés sur le répondeur détraqué laissé par l'ancien locataire, je me demande comment enchaîner. Il est deux heures treize du matin (l'exactitude de l'heure affichée en haut à droite de l'écran de mon ordinateur a quelque chose de clinique et glaçant). Je vais me lever. Ouvrir la fenêtre. Et peut-être m'arrêter là.

4

L'ÉVÉNEMENT
(J'aurais pourtant aimé faire plus original...)

Quatre heures trente-quatre. Me voilà de retour, incapable de fermer l'œil. Tout ce que je pourrais écrire dans le but de reculer le moment où j'aurais à affronter L'ÉVÉNEMENT me paraît totalement inutile et insignifiant. La vie elle-même me paraît soudain insignifiante. Depuis le premier mot couché sur la première page, cette date du 11 mars 1994 est là, comme une lumière aveuglante de laquelle je m'approche inexorablement. Les digressions et les bavardages ne m'empêcheront pas de le contourner une fois de plus, comme Oncle Numéro 2 *La Matinée Funeste.* Je pensais que le flot de l'écriture m'aiderait à avancer sans heurt, à traverser ces régions d'oublis que j'ai construites à l'intérieur de moi sans même m'en apercevoir. J'avais tort.

J'ai mis longtemps à me débarrasser des images. Je me les suis inventées de façon si réaliste qu'aujourd'hui encore, j'ai l'impression que c'est moi qui ai découvert son corps au milieu du salon. Moi qui ai pataugé dans son sang.

Sa gorge tranchée de part en part.

Sa poitrine ouverte par cinq coups de couteau.

Son ventre déchiré par trois coups.

Ses yeux ouverts, effrayés, qui fixent le plafond.

L'odeur de son sang.

J'aurais voulu que ça soit moi. J'aurais voulu l'éviter à Sara.

Je m'étais préparée à affronter sa mort, entraînée comme un sportif pour la grande épreuve. Je m'étais même préparée à les découvrir tous les deux au milieu du salon.

Durant une grande partie de mon adolescence, chaque après-midi en revenant du lycée, au moment de mettre la clef dans la serrure, avant de la tourner, une voix surgissait dans ma tête et me figeait sur place : es-tu vraiment capable d'ouvrir cette porte ? Arriveras-tu à supporter ce que tu vas voir sans mourir sur le coup ? C'est seulement quand je me supposais prête, quand je sentais que mon cœur ne me lâcherait pas, que j'ouvrais. Parfois, je restais de longues minutes sur le palier, la clef dans la main, incapable de faire un pas de plus. Parfois, le bruit de l'ascenseur ou un voisin m'obligeaient à me précipiter à l'intérieur. Une fois dans l'entrée, tandis que le calme et la propreté du salon s'imprimaient lentement sur ma rétine, il m'arrivait d'être envahie par une nouvelle vague d'angoisse. Et s'ils étaient dans la chambre ? Et si c'était là qu'ils avaient été tués ? J'ai su plus tard, le soir de l'enterrement de Darius, alors que nous étions chez Leïli, perdues, vidées, incapables de dormir malgré les somnifères, que mes sœurs agissaient de la même manière.

Notre angoisse n'était ni exagérée ni le résultat de traumatismes d'enfance. Elle avait été déclenchée par une convocation au ministère de l'Intérieur à laquelle Darius s'était rendu au mois de décembre 1987. Nous n'avons jamais su précisément ce qui s'était passé dans cette pièce en sous-sol. Comme tout ce qui le concernait, il ne nous en parla jamais. À vrai dire, nous n'étions même pas au courant de cette convocation. Jusqu'à ce soir où, assise à la table de la cuisine en train de rédiger un devoir de français, je surpris une conversation entre mes parents. Leurs voix me parvenaient étouffées par l'épaisseur de la cloison, mais le peu que j'en perçus m'intrigua. À un moment, je me suis levée pour ouvrir la porte et suis restée là à les écouter.

Un des hommes présents dans ce sous-sol avait informé Darius que les services de renseignement français venaient d'intercepter une liste sur laquelle figurait son nom parmi ceux d'une dizaine d'autres opposants politiques vivant à l'étranger que le régime iranien projetait d'éliminer. Selon lui, des agents iraniens se trouvaient d'ores et déjà sur le territoire français, sous de fausses identités, préparant ces meurtres. L'homme avait fini par lui proposer une protection policière devant notre domicile, protection que Darius avait refusée. Si vous tendez l'oreille, vous entendrez à nouveau le roulement mécanique de l'escalator, vous entendrez Darius dire : «De quel droit je me permettrais d'accepter. C'est quand même faire preuve d'une sacrée prétention que de demander aux Français d'aller travailler tous les matins pour payer ma protection !

— Tu as raison, admit Sara. Surtout vis-à-vis des voisins. Ce n'est pas leur faute si on est qui on est. De toute façon, police ou pas, s'ils veulent te tuer, ils te tueront. Tu marches quatre heures par jour, c'est amplement suffisant pour te suivre et te planter un couteau dans le dos. J'en parlerai aux enfants, je leur demanderai d'être vigilantes.»

Plus je les écoutais, plus je sentais que la situation les exaltait. Le fait que le régime iranien se manifeste enfin, que l'ennemi approche, qui plus est sous son vrai visage de voyou terroriste, donnait à nouveau un sens aux choses. À l'exil, aux séparations, à ces journées parisiennes qui s'enchaînaient les unes aux autres aussi vides qu'infinies. Ils ne l'avaient pas oublié. Malgré le silence auquel Darius était réduit et qui le consumait, il leur fichait encore sacrément la trouille. Je connaissais suffisamment mes parents pour deviner l'expression de leur visage ; ce regard qu'ils avaient l'un pour l'autre où circulait une passion que personne ne pouvait comprendre. Dans ces moments-là, à leur image de couple-d'intellectuels-engagés s'ajoutait un petit quelque chose de Bonnie et Clyde. Il se dégageait d'eux comme une odeur de poudre, l'impression qu'ils tenaient entre leurs mains le pouls du monde.

Le lendemain, quand Sara nous réunit dans la cuisine pour nous parler, j'eus la même sensation.

« Ne me dis pas que ça va recommencer ! l'interrompit Mina.

– Ça ne s'est jamais arrêté, ma fille. Il faut être fière du fait que ces lâches veuillent encore tuer votre père. Ça prouve que nous sommes... »

Et Sara développa son argumentaire que nous connaissions par cœur. Nous la regardions sans l'écouter, habitées par un sentiment crépusculaire, mélange de lassitude et de terreur, à l'exact opposé du sien. Cela faisait six ans que nous essayions chaque jour de nous rapprocher, par désir (Leïli), par commodité (Mina) ou par nécessité (moi), de la normalité des gens de notre âge, alors même que nos efforts étaient sans cesse ruinés. Sous n'importe quelle forme – guerres, familles, dépressions, lettres, informations, et maintenant meurtre – à n'importe quel moment, le passé surgissait devant nous, dramatique et incontournable. Nous ressemblions à ces bonshommes en gomme que l'on jette contre un mur et qui aussitôt se mettent à dégringoler. Notre destin était la tragédie de la chute.

J'appris à Berlin l'assassinat de Shahpour Bakhtiar*. C'était un après-midi ensoleillé du mois d'août et Berlin, devenue depuis quelques mois la capitale de l'Allemagne unifiée, était secouée nuit et jour par la musique techno, le son irrésistible de la transition. Je logeais alors dans l'ancien bâtiment de la compagnie de l'électricité réquisitionné par des artistes et des nihilistes en tout genre, à quelques rues du célèbre squat Tacheles. Ce jour-là, Jules, un Français fagoté comme un épouvantail, étudiant à l'école du cirque, était avachi sur un transat dans la cour, le visage tendu vers le soleil, un joint entre les doigts et le journal *Libération*, vieux de quelques jours, ouvert à ses pieds. Je me souviens n'avoir vu que ces deux mots : «Bakhtiar assassiné».

Soudain, me voilà dehors. Je courus comme une dératée pour rejoindre le Kumpel, un café d'où je pouvais passer des coups de fil grâce à un vieux téléphone à pièces. Sara décrocha.

«Qu'est-ce qui est arrivé à Bakhtiar? lançai-je essoufflée.

– Eh bien, il faut que ce pauvre Bakhtiar soit tué pour que tu appelles! Cela dit, tu retardes de quelques jours...

– Je sais, dis-je déjà agacée. Alors qu'est-ce qui s'est passé?»

---

* Nouvel aparté «Wikipédia» : Ancien ministre de Mossadegh et opposant au régime du Shah, Bakhtiar fut le dernier recours d'un roi déchu et malade qui accepta de le nommer premier ministre en janvier 1979. Une nomination tardive qui ne le sauva pas et se solda par son départ, accompagné de sa famille, le 16 janvier. Le gouvernement de Bakhtiar tomba le 11 février 1979 après la révolte des officiers de l'armée de l'air et la prise des dernières casernes restées fidèles au Shah. En avril, déguisé en steward d'Air France, Bakhtiar, marié à une Française, quitta l'Iran pour Paris. En 1980, il échappa à une tentative d'assassinat. Onze ans plus tard, le 6 août 1991, un commando de trois personnes particulièrement organisé déjoua la surveillance des quatre CRS postés devant sa maison de Suresnes. Bakhtiar et son secrétaire furent assassinés à l'arme blanche. Un an plus tard, le 30 août 1992, le ministre des Renseignements iranien, un religieux nommé Ali Fallahian, déclarait à la télévision : «Nous traquons les opposants à notre régime également à l'extérieur du pays. Nous les maintenons sous surveillance.»

Après m'avoir raconté la façon particulièrement habile dont le commando avait retourné l'un des proches de Bakhtiar pour entrer en contact avec lui et les détails sordides de son assassinat, elle ajouta : « Tu vois, une protection policière ne sert à rien. Le fils de Bakhtiar travaille pour les Renseignements généraux français et voilà le résultat ! S'ils veulent arriver à leur fin, ils y arrivent. »

D'autres assassinats suivirent ailleurs en Europe. Une casquette fut trouvée sur certaines scènes de crime comme une signature laissée par les assassins. Chacun de ces meurtres était une marche supplémentaire vers la terreur. Chacun m'accordait un temps de répit et me figeait dans l'angoisse du suivant. À quelle place Darius se trouvait-il dans l'ordre de leur liste ?

Pendant les mois qui suivirent la mort de Bakhtiar, j'appelais régulièrement sans pour autant faire allusion à ce qui me préoccupait. J'aurais aimé ne serait-ce qu'une fois avoir Darius au téléphone, mais il ne décrochait jamais, laissant Sara se débrouiller avec le monde extérieur. Parfois, j'étais sur le point de demander à Sara de me le passer avant de me raviser. La complexité de mes sentiments envers Darius était paralysante. Je ne pouvais pas lui parler comme une fille à son père, il avait depuis longtemps cessé d'en être un. Ni d'adulte à adulte tant ma vie divergeait de la sienne et peut-être même lui renvoyait avec arrogance qu'il n'avait plus sa place. Depuis notre arrivée en France, il était devenu si lointain/inatteignable qu'à vrai dire je ne savais plus vraiment qui il était. J'étais certaine qu'il savait que je m'inquiétais pour lui et je m'en contentais.

Malgré ma peur, pas un seul instant je n'ai pensé revenir. Le bien-être acquis en m'éloignant de ma famille me retenait fermement au-delà des frontières. Élevée dans une culture où la communauté prime sur l'individu, jamais auparavant je n'avais ressenti de façon aussi tangible que j'existais. J'avais enfin la sensation de tenir ma vie entre mes mains. Je pouvais prendre des décisions sans aucun rapport avec le passé ni avec la façon dont une immigrée doit se comporter pour acquérir une légitimité dans le pays d'accueil. L'anglais était devenu ma langue, pragmatique, réduite à sa fonction première : communiquer. Personne autour de moi n'avait l'accent qu'il fallait, un vocabulaire riche, une construction grammaticale parfaite. Nous nous parlions depuis un lieu où les identités n'avaient plus d'importance. Si on faisait un plan large – ma chambre dans le squat à Berlin, le matelas défoncé jeté sur le sol, ma dégaine, mes nuits blanches à travailler dans un bar ou à aller au concert –, on aurait pu imaginer que je partais à la dérive ; une épave au fil du courant. Pourtant, c'était le contraire. Je me reconstituais, me requinquais, m'apprivoisais, comme après une longue maladie.

Mes sœurs m'en voulaient. Engagées dans la vie active et jeunes mères, elles auraient aimé que je sois là pour les soulager des drames ou du moins en prendre ma part. Si Leïli m'annonça la mort de mes oncles, c'est parce que chacune d'elles s'obligeait à passer ses soirées et ses week-ends avec Darius et Sara pour ne pas les laisser seuls. Mina aussi était là, mais elle refusait de me parler. Elle me reprochait d'avoir fait le choix égoïste de vivre ma vie alors que ce genre de luxe ne nous était pas permis. À ses yeux, je ne possédais pas cette humanité qui consiste à prendre sur soi et accepter. « De toute façon, tu as toujours fait ce que tu as voulu ! » me reproche-t-elle encore à n'importe quelle occasion. C'est pour cette raison que ce matin de mars à Londres, dès l'instant où j'ai reconnu sa voix s'échappant du répondeur, j'ai su que c'était arrivé.

Avant même que la voix terrifiée de Leïli succède aux suffocations de Mina, je me suis sentie comme écartelée de l'intérieur. Cette sensation dura des années. Des années où j'aurais pu, si Sara n'était pas toujours vivante, si je ne m'étais pas accrochée à la musique, si je n'avais pas abusé de toutes sortes de substances, commettre l'irréparable. Ma colère et ma douleur étaient telles qu'il me fallait rester sans cesse à l'intérieur de moi pour ne pas les laisser s'échapper et tout détruire.

Je ne sais même pas comment nous avons vécu les jours et les semaines qui suivirent l'assassinat de Darius. À la confusion qui accompagne toute mort s'était ajouté un invraisemblable chaos. L'appartement de Leïli ne désemplissait pas, comme autrefois l'appartement de *Mehr*. Le téléphone hurlait sans cesse. Un appel sur deux venait de Saddeq, dévasté et sanglotant, à qui le régime avait refusé l'autorisation de sortie du territoire, le condamnant à pleurer son frère à distance. Nous étions devenus un centre névralgique vers lequel affluaient des individus du monde entier sans lien les uns avec les autres. Les Sadr d'Europe et des États-Unis, les Nasr venus de Washington, les Pourvakil venus de Cincinnati, les amis de toujours, les inconnus admirateurs de Darius, les opposants politiques tombés dans l'oubli, d'anciennes élèves de Sara installées en Europe. Mais aussi enquêteurs et journalistes, agents des services de renseignement, et toutes sortes de personnages indésirables.

Comme sa vie, comme son sang qui avait fui son corps déchiqueté, sa mort nous échappait. L'essentiel de nos efforts consistait à en perdre le moins possible. Nous savions combien il détestait les éloges et les glorifications. Il riait d'avance en imaginant ceux qui se placeraient au premier rang pour parler à son enterrement. Il y avait dans son dégoût affiché pour le show mortuaire des restes de son nihilisme d'adolescent. Une part de lui avait toujours résisté à toute manifestation conservatrice. Une part que j'adorais, et que Sara, bien plus classique sur ces questions, déplorait.

«Tu seras mort, Darius *Djan*, qu'est-ce que ça peut te faire qui fait quoi? lui reprochait-elle.

– On n'est hélas jamais assez mort pour ne pas entendre le croassement des corbeaux.»

Des centaines de fois, elle l'avait supplié d'écrire ses mémoires et il avait refusé. Souvent, elle nous avait même prises à témoin.

«Dites-lui quelle terrible erreur il fait! Il va, quoi? Mourir et emporter avec lui un pan de l'histoire de ce pays dans sa tombe? C'est ça ton plan, Darius? Si tout ce que tu as fait, tu l'as fait pour le garder pour toi, alors franchement il ne fallait pas te donner cette peine! Et surtout il ne fallait pas m'entraîner avec toi!»

Darius répondait que les générations futures, dont Sara s'inquiétait tant, n'avaient pas besoin de lui pour se pencher sur l'histoire et la comprendre.

«Bien sûr qu'elles ont besoin de toi! argumentait Sara. Puisque tout le monde leur ment et leur mentira. Puisque aucun livre d'histoire publié en Iran ne parlera jamais du Comité pour la libération des prisonniers politiques (fondé par Darius), du Comité pour les droits de l'homme (fondé par Darius), des combats menés par tous ceux qui sont morts dans les prisons du Shah, puis de Khomeiny.»

Mais Darius faisait non de la tête à chacun de ses mots: «Je ne suis pas historien. Aux historiens, s'ils sont dignes de ce nom, de faire leur métier!»

Nous nous attendions à ce que Sara s'écroule, mais elle tint fermement debout. Fidèle aux consignes de Darius, elle interdit à quiconque d'écrire, de parler, de communiquer à sa place. Elle n'était pas une veuve éplorée, mais une opposante politique dont le mari venait d'être assassiné. À nouveau, elle était chassée de chez elle, de l'appartement en location du 13e arrondissement devenu scène de

313

crime. À nouveau, elle se retrouvait démunie. Elle avait des choses à dire et elle n'avait nullement l'intention de laisser les «corbeaux», empressés de coller leur nom à celui de Darius, le faire à sa place.

À l'enterrement, au cimetière du Montparnasse, devant une foule compacte, dense et silencieuse, elle seule parla. Sans verser une larme. Sans trembler. C'était une journée grise de mars, le ciel était gonflé de nuages. Elle commença par expliquer pourquoi nous étions à Montparnasse que Darius appelait avec affection «le Quartier». Elle fit même sourire en racontant sa jeunesse au café Gymnase, son appartement rue Huyghens, son journal vendu aux étudiants iraniens. Puis, sans hausser la voix ni changer de ton, elle se lança dans une charge violente contre le régime des mollahs. Elle savait, nous le savions, que parmi les centaines d'individus en noir qui lui faisaient face se trouvaient des agents en mission. Ils étaient là pour entendre, eh bien, ils allaient entendre!

J'étais certaine qu'elle avait vécu cette scène en imagination des milliers de fois, comme elle avait vécu l'enterrement de chacun de nous. Elle avait passé la plus grande partie de sa vie d'adulte à se battre contre la Mort. Une guerre dont elle avait gagné toutes les batailles sauf deux: Emma, qu'elle n'avait pas pu enterrer, et maintenant Darius qu'elle avait laissé seul dans l'appartement une petite heure pour aller faire des courses au supermarché. La Mort était venue frapper à la porte et Darius, d'habitude si réticent à ouvrir, avait ouvert.

Que lui avaient-ils dit pour qu'il ouvre? Qui étaient-ils?

Debout face au cercueil de son mari, Sara n'avait pas besoin d'une enquête policière pour connaître la réponse. Maintenant, elle ressemblait à un général sur un champ de bataille assumant et la défaite et son manque de clairvoyance. Pourtant, il ne fallait pas se fier à son allure martiale. Il fallait regarder son visage pour comprendre ce qui se passait en elle. Sa voix était claire, mais son regard perdu, comme lorsqu'on descend du train dans un pays étranger et qu'on cherche un repère autour de soi. C'était Darius qu'elle cherchait. Là, dans la foule. Darius qu'elle avait toujours cherché au milieu de n'importe quelle foule. Darius qui lui échappait, fuyait, disparaissait dans les dédales du monde. Il me semble que c'est à cet instant que j'ai su que sans lui elle ne pourrait plus jamais envisager la vie comme une réalité.

Je suis contente qu'il soit mort de cette façon. En le tuant, ils l'ont sorti du silence dans lequel ils l'avaient plongé. Encore aujourd'hui, je me répète régulièrement cette phrase, comme un mantra, pour m'aider à accepter.

Ses assassins n'ont pas été arrêtés.

Selon les enquêteurs, ils ont été exfiltrés quelques heures après le meurtre, sans doute par l'Allemagne. À cette époque, les services secrets iraniens étaient connus pour mener des opérations techniquement parfaites, mais ne pas prêter une grande importance au rapatriement de leurs agents. Ce fut le cas des assassins de Bakhtiar, arrêtés en Suisse et extradés vers la France où ils furent jugés et condamnés. Cette fois pourtant, ils réussirent à quitter rapidement le territoire français. Sans doute parce que l'opération avait été si simple qu'ils avaient eu le temps de préparer leur fuite.

Pour comprendre cette supposition, il faut revenir des décennies en arrière et repartir à Qazvin. Souviens-toi, lecteur, d'Ebrahim Shiravan, fils d'un hôtelier qazvini, obligé de se présenter devant Mirza-Ali comme prétendant. Souviens-toi de leur poignée de main – le sourire feint de Mirza-Ali, l'air penaud d'Ebrahim – aussi hypocrite que le mariage qui suivit. L'un des deux assassins, Kamran Shiravan, n'était autre que le plus jeune fils de ce couple. Si Emma était encore en vie, elle aurait vu dans ce meurtre la vengeance a posteriori de ce pauvre Ebrahim forcé d'épouser une bigote prétentieuse, de sept ans son aînée, et de la supporter toute sa vie.

Kamran Shiravan arriva à Paris deux semaines avant L'ÉVÉNEMENT, invité par une société française de vente de matériel électronique. C'est ce qu'il dit à Sara et Darius et que l'enquête confirma. Désireux de voir au plus vite son cousin, il se précipita chez eux dès le lendemain de son arrivée, avec des sacs remplis de pâtisseries de Qazvin et de pistaches au safran. Darius l'accueillit à bras ouverts. Selon Sara, la solitude et la vieillesse avaient engendré chez lui une affection inédite et surprenante pour les membres de sa famille, même ceux, comme Kamran, qu'il ne fréquentait pas en Iran. Le fait qu'ils ne l'aient pas oublié le touchait profondément.

Plus jeune que Darius, Kamran était un homme jovial, bavard, dégingandé et moustachu, que nous croisions au moment des fêtes de Nowrouz chez mes oncles. Marié et père de trois enfants, il était ingénieur et dirigeait une entreprise qui marchait bien. Il n'était pas connu pour être politisé.

Ce soir-là, Kamran resta dîner avec Darius et Sara et leur raconta des anecdotes amusantes sur la famille. Avant de rejoindre son hôtel situé dans le quartier de l'Opéra, il serra Darius dans ses bras et l'embrassa sur les deux épaules en signe de respect.

Deux jours plus tard, il revint avec un ami, Nasser Velayati, résidant à Munich. Velayati se présenta comme un admirateur de longue date de Darius. Il dit avoir fui l'Iran, parce que sympathisant communiste. L'Allemagne l'avait guéri du communisme, mais, n'étant pas autorisé à exercer son métier d'avocat, il avait ouvert un magasin de photocopie. Velayati n'avait pas revu Kamran depuis son départ et s'estimait chanceux de faire d'une pierre deux coups en rencontrant Darius. Tout cela pour vous dire que ces retrouvailles, enrobées dans une chaleur toute persane, étaient suffisamment bien orchestrées pour ne pas éveiller les soupçons de Sara et Darius. Même Mina, d'habitude agacée par leur imprudence, ne trouva rien à redire quand Sara lui raconta les soirées passées en compagnie de Kamran et Velayati. Dans notre imaginaire, l'assassin de Darius ne pouvait être qu'un inconnu, un de ces Iraniens qui de temps en temps débarquaient de nulle part et demandaient à le rencontrer.

Le jeudi 10 mars 1994, Kamran passa les voir dans la matinée. Il leur annonça que Velayati était reparti pour Munich et que lui-même partait pour Téhéran le lendemain aux alentours de midi. Pourtant le lendemain, vers huit heures trente, en traversant le boulevard Vincent-Auriol pour aller au supermarché, Sara crut l'apercevoir dans un taxi. Elle pensa d'abord que le taxi passait par le 13e arrondissement pour rejoindre le boulevard périphérique et de là l'autoroute vers l'aéroport d'Orly. Mais pourquoi si tôt alors que Kamran ne devait être à l'aéroport que vers dix heures? Elle s'était probablement trompée, il ne devait pas s'agir de Kamran. Mais, avec sa tête d'Iranien et son nez imposant qui fendait son visage, Kamran était reconnaissable à des kilomètres...

Sara emporta ses interrogations au supermarché. Là, sous la lumière des néons, le long des allées ordonnées/oppressantes, elles se démultiplièrent, grossirent et se transformèrent en Anxiété. Sara portait en elle toute une gamme d'anxiétés, plus ou moins intenses, plus ou moins supportables, mais celle qu'elle ressentait pour Darius était la numéro 1 de son catalogue. Celle avec un A majuscule. N'y tenant plus, elle lâcha le caddie et ressortit. Elle se hâta dans la rue, arriva essoufflée devant la porte de l'appartement. Dès qu'elle la poussa, alors que l'horreur lui sautait au visage comme une bête sauvage, elle sut que c'étaient eux.

À cause du couteau de cuisine ensanglanté qui gisait à côté du corps de Darius. Sara ne le rangeait plus dans le tiroir à couverts de peur que les enfants de Leïli ou de Mina le prennent et se blessent. Elle le cachait en hauteur, dans le placard à verres. Kamran était venu dans la cuisine et l'avait aidée à mettre la table. Il avait même tenu à ranger la vaisselle après le dîner. Il avait vu, repéré. Le sol de la salle de bains était jonché de serviettes ensanglantées et humides sorties d'autres placards. Ils avaient pris le temps de se nettoyer avant de partir, parce qu'ils connaissaient leurs habitudes. Ils savaient que Sara allait au supermarché les vendredis matin, une heure plus tard Darius descendait au café où elle le rejoignait.

Le réceptionniste de l'hôtel où logeaient Kamran Shiravan et Nasser Velayati confirma aux enquêteurs que Velayati n'avait pas quitté l'hôtel la veille. Quelques minutes avant sept heures, ce vendredi, un taxi était venu les chercher.

Le chauffeur, un Iranien d'une cinquantaine d'années, Hassan Djahanfar, fut arrêté et interrogé trois semaines plus tard alors qu'il s'apprêtait à quitter la France pour les États-Unis sous une fausse identité. Lors de son procès, Djahanfar expliqua qu'il avait conduit Shiravan et Velayati dans le 13e arrondissement séparément. Puis il les avait attendus devant le café-tabac à l'angle du boulevard de l'Hôpital et de la place d'Italie et les avait emmenés à la gare de l'Est. Le train pour Munich avait démarré une dizaine de minutes plus tard, à peu près l'heure à laquelle Sara avait découvert le corps de Darius. Jugé et condamné à perpétuité, Djahanfar a pourtant été échangé douze ans plus tard contre un ingénieur français arrêté à Téhéran pour espionnage. L'information n'a été révélée que deux jours après l'échange, quand il était trop tard pour agir.

Aucun membre de la famille ne vit plus jamais Kamran. Personne ne sut ce qu'il était devenu, ni où étaient passés sa femme et ses enfants. Une partie des Sadr, la branche bigote et conspirationniste, refusa de croire à sa culpabilité, accusant publiquement Sara d'avoir inventé toute cette histoire. Ceux-là étaient les descendants des sœurs Sadr qui, en leur temps, avaient accusé Nour et Darius d'être la cause numéro 1 de la mort de Mirza-Ali. Après tout, Sara était étrangère à la famille n'est-ce pas? Qui plus est, arménienne... Qui sait ce que ces gens-là sont capables d'inventer pour salir l'honneur d'un citoyen exemplaire, un croyant aussi dévoué que Kamran?

Les journaux iraniens, mobilisés pour défendre le régime, reprirent leur thèse et firent de Sara une menteuse/ hystérique à la solde de l'Occident. La propagande était suffisamment efficace pour que Saddeq finisse par appeler Leïli, lui demandant d'une voix gênée si Sara était certaine «de ce qu'elle avançait».

«Comment ça "ce qu'elle avance"? s'emporta Leïli.

– Tu sais bien, ma petite... Sara n'était même pas là... Je veux dire comment peut-elle être si sûre?

– Et alors? On est à Paris, *Amou Djan*, il y a une police et une justice, ce n'est pas ma mère qui décide qui a tué son mari!

– Je sais, je sais... Mais si elle pouvait réfléchir aux dégâts que ça fait ici, cette histoire. Non seulement la famille se déchire, mais elle est montrée du doigt par tout le monde.

– Papa a été assassiné. Vous croyez que c'est le moment de nous parler de ces conneries?»

Et voilà Oncle Numéro 2, malheureux et offensé, éclatant en sanglots. Folle de rage, Leïli lui raccrocha au nez. Poussé par ses enfants, il rappela quelques jours plus tard pour s'excuser.

Pendant que la famille se déchirait à Téhéran, Sara pleurait son mari à Paris. Elle laissa ses filles ranger l'appartement, le rendre à son propriétaire et s'installa chez Leïli. «Allez-vous-en», dit-elle avant de fermer la porte de la chambre sur nos visages impuissants.

Elle resta cloîtrée, touchant à peine au plateau-repas que nous lui apportions tour à tour. Nous la trouvions soit assise au bord du lit, dos à la porte, lisant les écrits de Darius; soit debout devant la fenêtre, suivant des yeux la foule grouillante du boulevard. Nous déposions le plateau sur le lit, restions quelques secondes sans oser l'approcher, espérant un signe. Les journées passant, sa silhouette s'affaissait et ses muscles fondaient. Démunies, nous en étions arrivées à chuchoter dans la maison de peur de la déranger. De temps en temps, nous l'entendions pleurer et pleurions à notre tour, comme on pleure au son d'une musique déchirante. Son chagrin silencieux nous dévastait autant que la mort de Darius.

Elle aurait voulu être là et mourir avec lui. La mort, même violente, lui avait toujours fait moins peur que l'absence de Darius. Les années avaient fait d'eux une seule et même personne. Une unique âme séparée en deux, dont chacun possédait la moitié.

Quelques mois plus tard, un matin à l'aube, Leïli la trouva dans la cuisine en train de chauffer du lait dans une casserole. Surprise et heureuse qu'elle soit enfin sortie de cette satanée chambre, elle lui demanda :

« Qu'est-ce que tu fais debout si tôt ?

– Je prépare le petit déjeuner pour Darius et moi, répondit Sara avec un sourire plein de tendresse. Il va falloir que je range le salon avant que tout Téhéran débarque. Va dormir, ma petite chérie, je vous réveillerai bientôt. »

Pas de photos.
Pas d'images.
Juste des ciseaux.

Des petits ciseaux à bouts pointus avec lesquels il se coupait les ongles.

C'est tout ce que j'ai voulu de lui.

Il m'avait appris à me couper les ongles avec des ciseaux.

C'étaient d'autres ciseaux. Des ciseaux restés à Téhéran.

À Paris, il en avait cherché partout et avait fini par trouver une paire qui ressemblait aux ciseaux de Téhéran.

Je ne voulais rien d'autre.

Juste ces ciseaux qui brillent dans le noir.

Des années de noir.

5

Anna II

C'est elle qui retrouva ma trace à Paris.

En 2001, je travaillais depuis presque deux ans au Théâtre de la Ville comme assistante son et vivais place Voltaire, dans un deux-pièces loué à un collègue de Mina parti faire des recherches à l'étranger. J'étais avec Tom, un Autrichien de trente-trois ans, barman au Bottle Shop, un petit bar américain de la rue Trousseau où je passais souvent le soir après le travail. Il était ma première relation sérieuse depuis L'ÉVÉNEMENT.

Tom avait le corps de quelqu'un qui a fait du sport depuis l'enfance, a été bien nourri, bien soigné. Ses yeux étaient gris et ses cheveux blond cendré viraient au brun sous l'effet de la brillantine appliquée avec un soin chirurgical. Il portait des chemisettes impeccablement repassées, des jeans délavés et des mocassins noirs. Un look années 60 auquel s'ajoutait une rangée de dents aussi parfaite que le carrelage de la salle de bains d'un hôtel de luxe. Il était le genre d'hommes que les patrons de bar engagent pour attirer une clientèle féminine. Des types cool qui jouent de la séduction, mettent la musique à fond, font le show à minuit passé pour relancer l'ambiance, mais ont d'autres ambitions ; souvent des ambitions artistiques frustrées qui en journée les rendent malheureux, complaisants et ennuyeux. Mais, contrairement aux apparences, Thomas Krügel n'était pas de ceux-là.

Après des études de droit, il avait travaillé au service juridique de l'entreprise pharmaceutique de son père à Vienne avant de tout larguer pour venir en France, attiré par le pays et la langue. Ici, il avait découvert l'aviation, devenue très vite une passion. Il passait son temps libre à lire des livres sur le sujet et prendre des cours avec la ferme intention de devenir pilote. Son passé lui donnait une aisance et une assurance particulières. Tom n'avait pas besoin d'être barman pour gagner sa vie. C'était un boulot facile et agréable qui lui permettait d'avoir un pied dans la société et de faire partie de son mouvement rassurant.

Vous voulez sans doute savoir pourquoi je fréquentais Tom ? Pourquoi je l'avais plus ou moins laissé s'installer chez moi ? Pourquoi je l'avais même présenté à mes sœurs ? À toutes vos questions, je répondrai par une métaphore : pour fuir «le syndrome Sammy Davis Jr. ».

Après L'ÉVÉNEMENT et la lente disparition de Sara, je voulus réintégrer ma vie, mais réalisai qu'aucune vie ne m'attendait nulle part. Mon existence était constituée de continents à la dérive sur lesquels j'avais réussi à tenir debout un temps, trouvant un équilibre grisant dans le déséquilibre général. Mais je n'étais plus capable de mobiliser en moi une telle énergie.

J'ai passé des mois à errer dans les rues de Paris, à marcher dans un monde auquel je n'avais plus l'impression d'appartenir. Comme Darius, seule la marche calmait mes angoisses. J'épuisais mécaniquement mon corps qui venait s'échouer à la tombée de la nuit sur le canapé de Leïli ou Mina, ou sur le lit d'une chambre d'hôtel. C'est sans doute le fait de fréquenter mes sœurs au quotidien, les voir s'accrocher à leur famille et à leur travail pour ne pas sombrer, qui me donna envie de stabilité. Mes sœurs, mais aussi mes neveux et nièces. Leur présence bruyante, leurs besoins permanents qui poussaient à agir, se lever, faire à manger, écouter, soigner, jouer, me procuraient un apaisement inédit, une sensation de réalité dont je n'avais plus envie d'être coupée. Je commençais à me dire que, qui que je sois et quelle que soit ma vie, je n'étais pas moins digne qu'une autre d'être mère.

N'allez pas vous imaginer que ma relation avec Tom était le résultat d'une stratégie. J'étais disposée à changer bien avant de le rencontrer et il vint s'emboîter avec évidence dans cet espace vacant creusé en moi. Avant d'aller plus loin, laissez-moi vous apporter une précision importante… (Depuis que j'ai entamé l'écriture de ce chapitre, j'entends avec insistance des voix qui se demandent : « Mais enfin, elle est lesbienne ou pas ? » ; question qui perturbe mon esprit et dont il faut que je me débarrasse avant de continuer.)

J'ai rencontré dans ma vie des homosexuels rebutés par le sexe opposé, comme j'ai rencontré des hétérosexuels qui affirmaient l'aversion contraire. À l'autre extrémité, j'ai rencontré des bisexuels déclarés, revendiquant une sexualité libre à géométrie variable. Entre ces deux pôles, toute une nuance d'individus : de l'homo qui tombe amoureux de quelqu'un du sexe opposé, à l'hétéro attiré par quelqu'un du même sexe ; de l'hétéro qui tente l'expérience d'une relation homosexuelle, à l'homo occasionnel qui a du mal à choisir. Bref, le désir étant incessamment mouvant, si tant est qu'on lui prête attention, les variations sont infinies. Sur ce nuancier sexuel, je me situais désormais quelque part dans la tranche du milieu. Bien qu'ayant commencé près du bord, de rencontres en réflexions, de libertés prises en expériences partagées, j'avais peu à peu glissé vers une tendance plus souple. Pour résumer : les filles déclenchaient en moi un désir plus fort, mais les garçons ne me laissaient pas totalement indifférente.

Maintenant que j'ai réglé cette question, je dois vous parler d'amour. Je pense que le plus grand dommage que cette vie chaotique a causé en moi est lié à l'amour. L'amour, au sens de tomber amoureux, était un sentiment auquel je n'avais pas accès. Je restais toujours en deçà, incapable de franchir une barrière dressée quelque part à l'intérieur de moi. Quelque chose s'était défait, détaché, envolé. Quelque chose d'essentiel avait disparu. Quand je vois dans les journaux télévisés les enfants de la guerre ou de la misère, réfugiés dans des camps ou jetés sur les routes, je me dis aussitôt qu'ils sont atteints de la même maladie d'amour que moi. Pourtant, aussi étrange que cela puisse paraître, cette anomalie affective ne me dérangeait pas. Après tout, il fallait bien que la machine se détraque quelque part, non ? Quitte à choisir, je préférais avoir perdu l'amoureuse en moi que me réveiller un matin couverte de psoriasis ou plongée dans de multiples addictions. Cela dit, comme un malentendant qui lit sur les lèvres pour masquer son handicap, il m'arrivait de faire semblant, imitant les gestes repérés chez les autres filles pour donner le change (le seul que je n'ai jamais pu reproduire : glisser ma main dans la poche arrière du pantalon de l'autre. Je demande pardon à celles qui font ce truc, mais moi, c'est au-dessus de mes forces). Je n'étais pas fière d'agir de la sorte, consciente que j'étais dans l'imposture, mais je gardais espoir que mes imitations maladroites déclenchent un jour le mécanisme et fassent sauter la barrière.

Je n'étais pas amoureuse de Tom. J'étais bien avec lui et cela me convenait. Je ne sais pas s'il était amoureux de moi. Je ne me posais pas la question de peur d'être obligée de m'interroger sur mes sentiments. En tout cas, il semblait suffisamment attaché pour rester dormir, faire à manger dans ma cuisine et évoquer des vacances ensemble. Avec lui, je découvrais le fait de partager un quotidien et, ma foi, la Kimiâ disposée à nager dans le sens du courant s'en trouvait satisfaite. C'était nouveau, tout autant que changer de pays, et j'avais toujours aimé la nouveauté.

Nous étions ensemble depuis dix mois quand un matin, alors que je préparais le café, il entra dans la cuisine et me demanda, sur le ton anodin de quelqu'un qui ne veut pas donner de l'importance à une demande importante, si je voulais bien arrêter la pilule. La bouilloire dans la main, je restai interdite. Rien dans son attitude ne m'avait préparée à cette question. Il ne m'avait jamais laissée imaginer qu'il voulait des enfants, qui plus est avec moi.

Gros plan sur mon visage troublé/étourdi. Sourire. Hochement de tête. Joie. «Bien sûr que je veux!» Tom rit, prend la plaquette de pilules sur le plan de travail et la jette dans la poubelle: «Laisse tomber le café. Sortons en boire un avec des croissants et des tartines!»

Cinq jours plus tard, tout bascula.

Allez savoir pourquoi, ce matin, en relisant ce chapitre, je repense à la fameuse réponse de Mahmoud Ahmadinejad, alors président de la République islamique d'Iran, lors d'un débat organisé à l'université de Columbia en septembre 2007. Interrogé sur le traitement réservé aux homosexuels dans son pays, il répondit sans sourciller: «En Iran, nous n'avons pas d'homosexuels comme dans votre pays. Nous n'avons pas ce phénomène. Je ne sais pas qui vous a dit que cela existait chez nous.»

Si, une fois l'hilarité passée, vous avez envie de vous pencher sur la question, vous découvrirez qu'en Iran, l'homosexualité, considérée comme la violation suprême de la volonté de Dieu, est un crime dont la peine maximale est la mort. Des femmes et des hommes, parfois des adolescents, les yeux bandés, sont pendus à des grues sur la place publique. Il arrive que l'homosexualité ne soit pas évoquée comme le motif principal de ces exécutions à cause de la pression des pays occidentaux qui redoutent que ces actes encombrent les relations complexes qu'ils entretiennent avec l'Iran. Quoi qu'il en soit, depuis 1979, on estime à plus de quatre mille le nombre de ces pendaisons publiques. Vous apprendrez aussi que, comme le changement de sexe est autorisé en Iran, certains homosexuels ont recours à ce moyen pour sauver leur peau. D'autres s'enfuient en Turquie, un des rares pays qui n'exigent pas de visa pour les Iraniens. Regroupés dans la ville de Denizli, où ils forment une communauté précaire, ils attendent des années dans l'espoir de rejoindre le Canada, les États-Unis ou l'Australie, un des trois pays qui acceptent des réfugiés gays inscrits auprès du Haut Commissariat aux réfugiés de l'ONU.

Aussi risibles ou choquants que soient les propos d'Ahmadinejad, ils témoignent néanmoins d'une mentalité accrochée à la société iranienne comme le cramé au fond d'une casserole. J'ai entendu une de mes cousines dire que le seul acte positif du régime islamique était de tuer les homos. On pourrait s'imaginer que la personne qui tient de tels propos est peu éduquée ou bien très religieuse. Et pourtant... Instruite, cultivée, se revendiquant laïque, elle fait partie de cette classe très aisée qui vit en Iran, organise des soirées très courues, fréquente les cinéastes à la mode et voyage plusieurs fois par an en Europe et aux États-Unis pour faire du shopping et s'offrir quelques mois de liberté, sans interdit ni voile, à fumer des cigarettes mentholées et boire de l'alcool en terrasse.

Cinq jours plus tard donc, le téléphone sonna et tout bascula.

« Salut, c'est moi... Anna. »

Elle n'avait pas besoin de préciser. J'avais immédiatement reconnu sa voix granuleuse et son accent flamand. Pourtant, cela faisait des années que je n'avais pas pensé à Anna. Elle restait dans mon souvenir associée à une période insouciante que parfois je n'avais pas l'impression d'avoir vécue.

« Je me souviens très bien de toi.

– Je t'ai cherchée sur Internet, dit-elle comme si cette simple information pouvait expliquer son appel. C'est fantastique, Internet !

– C'est vrai... »

Il y eut un silence, elle semblait attendre une suite. Sauf que je ne savais pas quoi dire, comment tirer le fil de la conversation. Je naviguais au milieu de ma perplexité quand elle dit :

« On donne un concert à la Maroquinerie demain soir. Si tu as envie, on peut se voir avant... »

Si j'étais plus douée pour les relations humaines, je lui aurais demandé son numéro de téléphone et j'aurais pris le temps de réfléchir.

« Bien sûr, voyons-nous. Tu es déjà à Paris ?

– Oui, j'adore cette ville ! »

Je lui donnai rendez-vous le soir même au Bottle Shop.

Après avoir raccroché, je sentis monter en moi une mélancolie pareille au chant d'un fado, qui n'était pas liée à elle, mais dont elle était le déclencheur. Mon rapport avec le passé n'avait jamais été simple, mais depuis L'ÉVÉNEMENT, il était devenu totalement hostile. J'avais été chassée du paradis pour la seconde fois et je ne voulais plus, plus jamais, en entendre parler. À part Leïli, Mina et une paire de ciseaux, plus rien de ce qui m'entourait n'avait de rapport avec le passé. Je m'étais débarrassée de mes vêtements, de mes disques, de mes livres. J'avais tout bazardé et tout recommencé.

Le soir du rendez-vous, plus l'heure approchait, plus je regrettais. Un moment, je faillis renoncer, mais je savais que je me sentirais misérable et lâche, ce qui n'était pas plus confortable. Tout en descendant la rue Saint-Antoine, je pensai à Darius. Darius qui aurait continué son chemin, sans que cela lui pose aucun problème moral, parce qu'il savait être capricieux et l'assumer.

Comme d'habitude, la salle du Bottle Shop était bondée et moite. Ce qui restait d'espace était bouché par la masse compacte et grise de la fumée de cigarettes. Le niveau sonore était tel qu'il était impossible d'entendre la musique, réduite à un grésillement inutile. Anna était assise à une table près du bar. Derrière le comptoir, Tom préparait une carafe de mojito tout en plaisantant avec un client.

Je suis restée collée à la porte. Comme un photographe qui fait la mise au point, je réajustais mon regard à sa présence. Ses cheveux étaient toujours blond platine, mais coupés très court, *JeanSebergui*. Elle portait un T-shirt blanc froissé avec lequel elle semblait avoir dormi ; des bottes à talons enfilées par-dessus un jean noir. C'était bien elle. Elle, sous ce toit familier. Elle n'avait pas changé. Aucune secousse, aucun bouleversement ne semblait l'avoir atteinte. Soudain, un sentiment de danger m'envahit. Un murmure de panique s'éleva du fond de mon ventre. J'avais commis une erreur… Mais laquelle ? Agitée, j'étais sur le point de faire demi-tour, quand elle m'appela.

Peut-être à cause des Tigra qu'elle fumait toujours et que j'avais fumées en Belgique, peut-être à cause de ses expressions bruxelloises, de cette odeur de rock et de poussière de route qui émanait de son corps, elle représentait tout, absolument tout ce qui m'avait manqué. Et à travers elle, la Kimiâ d'autrefois. C'était comme si elle nous avait mises sur pause, et maintenant elle reprenait là où elle nous avait laissées. Elle parlait, racontait, s'extasiait, riait pendant de longues minutes. À vrai dire, malgré mon air concerné, je l'écoutais à peine. Sa présence me perturbait. J'avais passé une grande partie de ma vie à être n'importe qui, à endosser d'autres identités, à fuir, à me cacher derrière des faux-semblants, et maintenant, alors que je pensais m'être sortie de cette comédie avec Tom, Anna débarquait et avec elle l'impression troublante que je me fourvoyais encore. Justement, l'erreur était de la retrouver là, dans ce bar, où je guettais sans cesse Tom du coin de l'œil.

Une heure plus tard, quand deux des musiciens de son groupe vinrent la rejoindre pour l'embarquer dans une soirée, elle me proposa de les accompagner. Je refusai.

Je suis restée là, à attendre que Tom termine son service. Je voulais lui annoncer que c'était fini, mais la salle ne désemplissait pas. Au-dessus du bar, l'horloge indiquait une heure quarante-cinq. Nous étions le vendredi 7 septembre 2001. Dans quatre jours, le monde changerait de façon abrupte et sans doute définitive. Dans quatre jours, l'onde de choc de la Révolution iranienne ferait trembler l'Amérique. Comme dans le mythe de Frankenstein, le monstre créé de toutes pièces par l'Occident se retournerait contre lui. Bientôt, des mots rendus célèbres en 1979 par Khomeiny, «jihad», «islamophobie», «hidjab islamique», des mots symboles de sa tyrannie sanguinaire feraient leur apparition de ce côté-là du monde. Des guerres éclateraient, d'autres monstres surgiraient, du pétrole se vendrait en sous-main et comme toujours des innocents mourraient. La peur envahirait chaque rue d'ici ou d'ailleurs.

Tout cela prit du temps. Quitter Bruxelles (pour Anna), rendre l'appartement où je vivais en sous-location (pour moi), en chercher un nouveau (pour nous deux). Entre-temps, George W. Bush finit d'élaborer son plan d'attaque contre l'Irak dans le but inavoué de détruire Le Moustachu malencontreusement armé par ses prédécesseurs et leurs alliés européens. Alors il fallut se mobiliser et manifester. Ce n'était pas dans la culture d'Anna de battre le pavé, mais elle me suivit.

Tandis qu'à l'unisson d'une foule compacte et déterminée nous marchions dans les rues de Paris, entre deux slogans, nous parlions du fait d'avoir un enfant. Comment? Avec qui? J'écartai très vite sa proposition d'aller à Bruxelles ou à Amsterdam pour pratiquer une insémination artificielle par l'intermédiaire d'un donneur anonyme (même si, m'apprit-elle, aux Pays-Bas, il est possible pour l'enfant de connaître l'identité de son père à seize ans).

Je voulais que cet enfant ait un père. Je me voyais mal lui donner en héritage et l'exil et l'ignorance d'une partie de lui-même, engendrant un être avec le même «syndrome Sammy Davis Jr.» que moi. J'aurais peut-être envisagé la solution d'Anna si j'avais eu mes deux parents, une vraie famille, un seul pays. Si j'avais pu l'emmener dans le quartier où j'étais née, lui montrer la tombe d'Emma et la mer Caspienne. Si j'avais pu lui donner plus que des histoires éventées par le temps. Dans l'univers des symboles, c'est la mère qui est liée à la terre; dans mon cas, cela ne pouvait être que le père.

Même si elle ne s'opposait pas ouvertement à cette pos-sibilité, Anna avait peur que «ça cacophone», comme elle disait, peur de ne pas trouver sa place. Je n'avais pas la même lecture qu'elle de la vie de famille. Mes sœurs et moi avions grandi entre deux appartements, considérant les Nasr comme nos seconds parents. Je pensais qu'avoir deux mères ou deux pères pouvait même être une chance dans les sociétés occidentales urbaines où voisins et amis jouent un rôle mineur auprès de l'enfant. Je pars du principe que l'être humain est ainsi fait qu'il n'a jamais assez de rien. Pas même de parents.

Les mois passèrent, puis les années. Et nous discutions toujours. Pourtant j'étais la même qu'avec Tom. Ce jour-là, dans la cuisine, il avait suffi que je crie de joie, hoche la tête et arrête de fumer pour monter dans l'ascenseur de la maternité. Si en plus j'avais ouvert la fenêtre et fait une annonce publique, personne ne se serait demandé si nous nous connaissions suffisamment pour assumer une telle responsabilité, si nous avions envisagé de nous marier, d'acheter un appartement, d'ouvrir un compte commun. Alors que, maintenant, il fallait réfléchir, faire des ronds incessants autour de notre vie, traverser des forêts d'interrogations, des labyrinthes de doutes. Plus que quiconque, plus que tous ceux qui pouvaient se dresser sur notre chemin et nous renvoyer à la figure que ce que nous essayions d'envisager était répréhensible, nous étions conscientes de la situation. L'intérêt de l'enfant, son bien-être, son avenir, était tellement au cœur de nos préoccupations que j'avais parfois l'impression qu'il était déjà là, adolescent boutonneux avachi sur le canapé, à nous demander des comptes.

Anna finit par se rallier à mon choix. Sans doute parce qu'elle comprenait peu à peu qui j'étais. Il faut dire que j'avais commencé à tout lui raconter, par bribes et dans le désordre. Mes discussions avec Marteen m'avaient permis de stabiliser certaines parties, mais tout le reste était entassé en moi, aussi instable que la marchandise d'Agha Mohabati l'Épicier. Au début, je ne reconnaissais pas le son de ma voix qui semblait sortir d'un enregistrement aussi défectueux que la cassette envoyée par Bart Schumann après L'ÉVÉNEMENT. Attentive et bienveillante, Anna m'écoutait sans bouger. J'attendais à chaque instant qu'elle m'interrompe pour dire qu'elle ne comprenait rien à ce que je *bubblais* (blablater en *brusseleer*). Mais je m'interrompais toute seule, perdue et confuse. Ai-je vraiment vécu ces événements? Est-ce que je connais les gens que je décris? Jusqu'ici, mes mensonges avaient servi à me cacher de la vérité, comme un enfant qui ferme les yeux, pensant devenir invisible. Maintenant, je ressemblais à une maison abandonnée dont on ouvre d'un coup les fenêtres pour laisser entrer l'air et la lumière. Je me désengourdissais, me délestant de poids que je ne soupçonnais même pas. Lentement, j'apprenais à être heureuse.

Pierre entra dans notre vie un mardi après-midi d'octobre. Nous arrivions de Belgique avec cinq heures de retard. Genet venait de clôturer une tournée de sept jours par un immense concert au Muziekcentrum Trix d'Anvers devant une salle en transe. Nous n'avions pas dormi de la nuit, chargées d'adrénaline. Marteen avait promis de venir, mais au dernier moment il avait eu la flemme de quitter la Grèce où il vivait désormais. En revanche, les parents d'Anna, que je rencontrais pour la seconde fois, étaient là, ainsi que son frère aîné.

Lisbeth et Erik De Grave se ressemblaient l'un l'autre et ressemblaient à leurs enfants. Grands, blonds, yeux bleus et cheveux courts. Face à eux, comme face à d'autres familles flamandes dont les gènes avaient voyagé de génération en génération sans rencontrer d'obstacles, je ressentais la même confusion cognitive que face à un groupe de touristes japonais. Leur homogénéité physique rappelait un monde ancien, sans immigration ni métissage, dont je n'avais plus l'habitude. À les regarder, je comprenais mieux leur revendication identitaire et la montée spectaculaire du Vlaams Blok. Il y avait sans doute un aspect rassurant/apaisant à évoluer dans un monde où tous se ressemblent ; aussi rassurant que se promener dans une forêt de pins ou écouter les *Variations Goldberg* de Bach. Plus besoin de se préoccuper des autres, de se méfier d'eux, de s'interroger sur leur existence. Certes, cela n'engendrait pas le blues ni la samba, mais on ne pouvait pas tout avoir.

Je n'ai échangé que quelques mots avec Lisbeth De Grave. Elle voulait savoir comment ça se passait dans mon pays depuis la guerre et la chute de Saddam Hussein. Je lui répondis que je ne savais pas puisque je ne venais pas d'Irak, mais d'Iran. Elle fit une grimace et laissa échapper un « ah ! » dubitatif avant de baisser la tête. On aurait dit qu'un échafaudage construit avec peine s'écroulait dans son cerveau.

Anna et moi attendions un taxi devant la gare du Nord. Ce jour-là, *Le Parisien* titrait « Mardi noir » et toute la ville était dans l'effervescence de la grève.

Malgré le froid, les rues étaient bondées et la foule à bout de nerfs. Les gens cherchaient à rentrer chez eux par tous les moyens. À peine sorties d'un embouteillage, les voitures s'engouffraient dans un autre. Ça klaxonnait, ça hurlait, ça tapait sur les capots. Les taxis arrivaient au compte-gouttes, accompagnés de cris de soulagement ou de désespoir.

À un moment, quelqu'un décida que ceux qui allaient dans la même direction devaient se regrouper. Un mouvement se créa. Dans la confusion générale, nous nous retrouvâmes à côté d'un homme à la tignasse rebelle et au sourire avenant qui lui aussi allait dans le 20e arrondissement.

Nous nous présentâmes.

Anna, Kimiâ.

Pierre Favre.

Pierre Favre rentrait de Lille. Paysagiste, il travaillait à l'aménagement d'un parc dans le centre-ville.

Le fait de patienter ensemble créa tout de suite une intimité. Nous parlâmes de choses et d'autres, partageâmes des barres de chocolat belge et des cigarettes. Au bout de trois quarts d'heure d'attente sans l'ombre d'un taxi, tandis que la nuit s'installait chargée d'orage, nous décidâmes de rentrer à pied, faisant une pause dans un bistrot pour manger.

Dehors, la pluie se déversait sur la ville avec une rage exagérée. Avant même que nos plats soient servis, Pierre nous apprit qu'il était célibataire depuis dix-huit mois. Après sept ans de mariage, lui et sa femme, Gabrielle, avaient décidé de se séparer d'un commun accord. Comme l'appartement lui appartenait, c'est Gabrielle qui était partie, emportant la plupart des meubles qu'il n'avait toujours pas remplacés. Il pensait même vendre l'appartement, trop grand pour lui seul. Puis, d'un coup, il s'arrêta.

Dans une série américaine, c'est le moment que choisissent les scénaristes pour lancer la coupure pub, laissant le spectateur dans la curiosité d'une révélation à venir. Que s'était-il passé ? Pourquoi ne s'étaient-ils pas laissé une seconde chance (cette notion typiquement américaine) ? Dans notre histoire, c'est le moment que choisit Pierre pour vider son verre. Visiblement, il n'était pas disposé à faire d'autres confidences. Sauf qu'Anna n'était pas du genre à se contenter du premier épisode. Elle avalait sur-le-champ la totalité de la saison, faute de quoi elle avait l'impression d'avoir perdu son temps. Elle agissait de la même manière en concert, ne s'arrêtant jamais avant l'épuisement total. « Pourquoi vous vous êtes séparés ? » La question formulée sur un ton impatient déjouait toutes les règles de la bienséance, mais Anna s'en fichait.

Je m'arrête un instant pour vous dire que ce n'était pas uniquement pour une question de caractère qu'Anna se comportait ainsi. Contrairement aux Français, qui restent souvent laconiques dans leurs réponses, les Belges aiment développer. Quand vous demandez à un Français «comment ça va?», il vous répond de façon dépassionnée et mécanique «ça va bien et toi?». Alors qu'un Belge prend la question très au sérieux et convoque immédiatement toute sa journée. Il raconte sans détour le café du matin et le passage par la douche, la dispute avec la voisine, le trajet en voiture et le coup de fil inopiné de sa mère... Bref, il s'implique, prend son temps, s'ouvre à vous avec une spontanéité revigorante sans se demander si cela vous intéresse ou vous ennuie.

Pierre nous regarda tour à tour, l'air de quelqu'un qui se demande s'il vaut mieux aller à gauche ou à droite.

«Je suis séropositif.»

Le temps que cette information arrive à notre cerveau et libère sa charge émotive, il nous expliqua qu'il l'était déjà quand il avait rencontré Gabrielle. Après le mariage, quand ils avaient commencé à aborder la question de l'enfant, Pierre en avait parlé tout de suite à son médecin qui l'avait orienté vers l'hôpital Cochin et le CECOS. Il avait réussi à la convaincre de suivre ce protocole et ils avaient fait toutes les démarches nécessaires. Mais le temps d'attente était abominablement long et Gabrielle, déjà angoissée à l'idée qu'elle ou l'enfant soient contaminés, s'était découragée.

«On se disputait tous les jours, c'était devenu insupportable. Finalement, on a décidé de se séparer. Quand elle est partie, je me suis rendu compte que ce n'est pas seulement elle que je perdais, mais aussi cet enfant.

– Nous aussi, nous voulons un enfant... N'est-ce pas, Kim?»

Au moment de la naissance de sa seconde fille, Mina décida/décréta que nous devions aller au cimetière Montparnasse sur la tombe de Darius le jour de la Toussaint. Pour nous faire part de sa décision, elle nous envoya un mail commun aussi long et explicatif que ses cours magistraux. En voici un extrait.

« [...], car j'estime que les enfants doivent savoir pourquoi leur grand-père est enterré ici. Il leur faut un rituel pour en comprendre la portée, pour inscrire cette histoire qui est la nôtre dans la leur. Rien de mieux qu'un rituel pour abolir les frontières et revenir aux origines communes, à qui l'on est, d'où l'on vient. Souvenez-vous du jour où nous sommes allées sur la tombe de Mère avec Oncle Numéro 2. Ce jour-là, nous quittions le temps profane pour entrer dans un temps sacré qui nous connectait avec l'essence même de nos vies. Souviens-toi Kimiâ, tu n'avais jamais connu Mère et pourtant je vois encore ton visage qui reflétait l'amour que tu ressentais pour elle. Tu faisais partie d'un tout, d'un ensemble plus grand que le chaos dans lequel nous nous trouvions à l'époque. Et c'est parce que cet ensemble existait, parce que ces rites avaient été créés autour de Mère, que nous supportions tout le reste. Je m'adresse à toi Kimiâ parce que comme tu n'as pas d'enfant, tu pourrais penser que ce que je vous demande ne te concerne pas. Tu pourrais même t'y opposer, estimant comme toujours qu'on doit laisser le passé là où il est. Or, cela te concerne parce que sans toi, le cercle ne serait pas complet. Alors je te demande de ne pas prendre ma requête comme une obligation familiale de plus, mais comme un don fait à tes neveux et nièces. Je suis consciente que lorsqu'ils seront grands, les enfants n'iront peut-être jamais à Montparnasse, mais au moins ils se souviendront de ce jour où nous y allions tous ensemble. Combien de fois Sara nous a raconté les vendredis où Emma les emmenait sur la tombe de leur père ? Ces souvenirs-là étaient ancrés en elle comme des souvenirs joyeux, un moment affectueux. C'est cela que je recherche. Alors, le mieux, je pense, c'est de poser ce rituel à la Toussaint et de faire comme tout le monde [...]. »

Je ne sais pas si « tout le monde », entendez tous les Français, va sur la tombe de ses morts le jour de la Toussaint, mais toujours est-il que, dans le désir pathologique de normalité de Mina, ce périple codifié ne pouvait avoir lieu que ce jour-là. En un sens, je la comprenais. Du point de vue des enfants, cette date avait malgré tout une signification ne serait-ce que parce qu'elle correspondait aux vacances du même nom. Mina voulait lui donner en plus une réalité. Une réalité qui ne les ferait pas se sentir plus français, mais peut-être se sentiraient-ils plus persans ? Ce pays qui ne représentait rien pour eux, alors qu'il avait tant représenté pour nous.

Nous commençons toujours cette journée en nous retrouvant chez Leïli, à mi-chemin entre la maison de Mina et mon appartement. La plupart du temps, le mari de Leïli, Louis, un Breton aussi détendu que Leïli est angoissée, fait le chemin inverse pour rejoindre Diego, le mari de Mina, d'origine espagnole, né en France. Mes beaux-frères mangent ensemble et font une partie de tennis sur les courts couverts situés à quelques rues de chez Mina. Une ou deux fois, Anna les a rejoints, mais elle n'aime pas suffisamment le tennis pour se donner la peine d'aller en banlieue.

Tandis que les trois enfants de Mina (deux filles et un garçon) jouent avec les deux enfants de Leïli (deux filles), nous buvons un café dans la cuisine. Puis Leïli met le riz à cuire dans l'autocuiseur et lance le *ghaymeh* (plat à base de viande, de pois cassés et d'une sauce relevée de multiples épices). Le *ghaymeh* est une spécialité de Qazvin, et donc de la famille Sadr. Chaque vendredi soir, quand les Sadr se réunissaient, le *ghaymeh* trônait au milieu de la table entouré d'une dizaine d'autres plats de second ordre. Année après année, le *ghaymeh* de Leïli s'était bonifié pour finir par avoir la même consistance que celui des Qazvinis, à défaut d'en avoir totalement le goût.

Pendant les deux heures où le plat mijote sur le feu, nous restons dans la cuisine à bavarder. Nous pourrions aller dans le salon, mais la cuisine donne à notre petite réunion un côté oriental en accord avec la couleur générale de la journée. Bien entendu, nous évitons les sujets sérieux : L'ÉVÉNEMENT, Sara, la politique.

La veille de ce mardi de novembre, Mina avait vu *Un long dimanche de fiançailles* de Jean-Pierre Jeunet en DVD. Étant donné que ni Leïli ni moi n'avions vu le film, la discussion dériva sur les acteurs et Mina nous apprit que Jodie Foster jouait dedans. Le fait de parler cinéma était une manière détournée de nous remémorer Darius. Il nous avait inculqué son goût pour les films, mais aussi pour les acteurs, dont il connaissait toutes les subtilités biographiques. Notre père était d'une génération pour qui les acteurs américains, issus pour la plupart de la classe moyenne ou populaire, symbolisaient la capacité des hommes à prendre leur destin en main, loin des prédispositions sociales ou familiales. Cary Grant avait eu une mère placée à l'asile, les parents de Bette Davis avaient divorcé, Susan Hayward était née dans une famille ouvrière de Brooklyn, et combien d'autres étaient issus de familles juives qui avaient fui l'holocauste. Ils représentaient tout ce que Darius admirait.

Tandis que nous discutions de la filmographie de Jodie Foster, Leïli se tourna vers moi et lança d'un air faussement naïf : « On ne sait pas finalement qui est le père de ses enfants... » Je savais que Leïli faisait allusion à l'homosexualité de l'actrice, sans comprendre très bien où elle voulait en venir. En même temps, sa remarque me troubla.

Mes sœurs n'abordaient jamais la question de ma sexualité, du moins pas en ma présence. Leïli ne m'en avait plus jamais parlé après l'épisode de Mazandaran, et depuis la lettre d'Emma, ni Sara ni Mina n'avaient jamais fait allusion à mes *fréquentations*. Je ne pense pas qu'elles étaient d'accord avec l'interprétation fantaisiste d'Emma, mais sa requête de continuer à faire comme si de rien n'était tombait sous le sens. Leïli et Mina n'avaient fait aucun commentaire quand j'étais passée de Tom à Anna, et elles avaient accueilli Anna sans chercher à comprendre comment nous nous étions rencontrées. Il m'arrivait quand même de me demander si leur silence était synonyme d'une acceptation sans faille, ou bien s'il participait à notre volonté commune d'éviter les sujets conflictuels depuis L'ÉVÉNEMENT. Cependant, en parlant du père des enfants de Jodie Foster, Leïli faisait une tentative que je ne pouvais pas ignorer.

« Elle les a peut-être faits via un donneur anonyme.

– Eh bien elle a eu raison ! Si Dieu avait voulu que les lesbiennes ne deviennent pas mères, Il les aurait faites sans utérus ! »

Au moment même où ces mots sortirent de sa bouche, Leïli se figea. Et nous avec elle. Nous étions toutes les trois frappées par le timbre de sa voix et la façon dont elle avait appuyé sur la fin de la phrase, comme pour marquer le point d'exclamation. On aurait dit que Sara jaillissait de sa bouche pour défendre une de ses plus chères causes : la maternité. La maternité qu'elle considérait, je vous le rappelle, comme le Graal de l'existence dont l'épreuve principale était le couple.

L'émotion ressentie par Leïli de se voir superposée à Sara – la cuisine, le *ghaymeh* et maintenant la voix – était telle qu'elle détourna son visage et se mit à crier : « LES ENFANTS ! Allez, il faut mettre la table ! LES ENFANTS !

– Attends, je vais aller les chercher », proposa Mina en se levant.

En passant devant Leïli, elle voulut poser un baiser sur sa joue, mais tout à coup elles se prirent dans les bras l'une de l'autre et fondirent en larmes.

Ce soir-là, alors que je rentrais chez moi à pied, je me suis dit que j'avais raté là l'occasion de leur parler. *Allez, arrêtez de pleurer et venez vous asseoir, j'ai quelque chose à vous dire.* Puisque

Leïli s'était substituée à Sara et m'avait encouragée à faire un enfant, j'aurais dû leur raconter notre rencontre avec Pierre le mois d'avant.

Je l'aurais sans doute fait si Pierre n'avait pas été séropositif. Le mot même aurait déclenché des hurlements. « Enfin, tu te rends compte, Kimy, tu veux quoi, qu'on t'enterre toi aussi ?! » aurait crié Leïli ; « Il y a des milliards de types sur terre et il faut que tu choisisses un séropo ! C'est une blague ? » aurait renchéri Mina. La perspective de me perdre aurait empêché toute explication, tout dialogue rationnel. Le fait que nous nous entendions bien avec Pierre, qu'il soit prêt à reconnaître cet enfant, à être un père et pas seulement un géniteur, que nous ne soyons pas obligées d'aller en Belgique ou aux Pays-Bas, que je sois suivie à l'hôpital Cochin, que la chance de contamination soit infime... Rien n'aurait pesé dans la balance.

Plus tard, j'ai décidé de ne leur en parler que le jour où je serais certaine d'être enceinte, persuadée que l'annonce d'une telle nouvelle atténuerait leurs craintes. Ce jour-là, je leur rappellerais cette phrase qu'Emma nous répétait souvent : « On a la vie de ses risques, mes chatons. Si on ne prend pas de risque, on subit, et si on subit, on meurt, ne serait-ce que d'ennui. »

Bien sûr que tu feras des enfants!

«Je vous dois quand même une explication, dit le docteur Gautier en rangeant la sonde d'échographie. J'ai vu sur l'échographie d'avant l'insémination qu'il y avait un follicule à dix-huit millimètres et un autre à quatorze. J'ai totalement oublié de vous en parler à cause de cette histoire de travaux qui nous mobilise en permanence. Je suis désolée... Je dis toujours à mes étudiants qu'à partir de quatorze millimètres, il y a une possibilité. Minime, mais réelle. Il faut prévenir la patiente d'un risque de grossesse multiple, et je ne l'ai pas fait. Enfin bon, c'est arrivé! En même temps, cela vous évite de revenir dans deux ans pour avoir un autre enfant... Personnellement, quand mes patientes tombent enceintes de jumeaux, je me dis toujours qu'au regard de ce qu'elles ont traversé, c'est une vraie chance. Au début, c'est déboussolant, mais il faut dépasser ça rapidement (glissade de chaise vers le bureau). D'ailleurs, je vais tout de suite prendre rendez-vous avec notre psychologue pour que vous puissiez en parler. C'est ce que je fais toujours dans ces cas-là.»

Tandis qu'elle compose le numéro de la psychologue, j'essuie mon ventre tapissé de gel, incapable d'aucune pensée claire. Comprenez-moi: une infime partie de moi, celle qui s'asseyait dans la cuisine d'Oncle Numéro 2, la tête imbibée d'images sépia d'ancêtres farfelus, sentant couler dans ses veines le destin de sa famille, le savait, l'a toujours su ; alors que l'autre, celle qui s'accoude au comptoir et commande un café, pragmatique, réaliste, grandie à l'ombre du cartésianisme français, n'avait aucune raison de croire que cela pouvait se produire. Ce qui me surprend encore, c'est la façon dont les faits se sont emboîtés, les travaux, la stimulation inutile, le follicule de quatorze millimètres, pour que la Science et le Hasard se retrouvent face à face, se donnent la main et concrétisent les élucubrations de la vieille Bibi qui commençaient ainsi, souvenez-vous : « D'abord, t'auras des jumeaux… »

La voix du docteur Gautier me sort de ma torpeur.

« Tenez, dit-elle en me tendant un post-it avec la date et l'heure du rendez-vous. Une belle surprise, non ? »

J'acquiesce, avec un sourire hébété.

J'attrape mon manteau posé sur la chaise et je glisse le post-it à l'intérieur d'une poche. Quand je relève les yeux, le docteur Gautier est debout, à côté de la porte ouverte, la main tendue vers moi.

« Bon, a priori nous n'avons plus de raison de nous revoir. Votre gynécologue prendra le relais pour les suivis. Il ne me reste plus qu'à vous souhaiter bonne chance. »

Alors que je lui serre la main, dans un élan de sincérité et de reconnaissance, monte en moi l'envie de lui dire la vérité, de lui parler d'Anna. Je me sens comme au bord d'une piscine au moment de sauter dans l'eau glacée. Hésitante, appréhendant l'impact. Puis soudain, nous voilà dehors et elle avance à pas pressés dans le couloir. Elle s'arrête devant la salle d'attente, lance un nom d'une voix forte et précipitée. Tandis que je passe derrière elle, je jette un coup d'œil au couple qui se lève d'un bond et m'éloigne.

Ceux d'entre vous qui connaissent Paris savent que je ne peux pas marcher de l'hôpital Cochin jusqu'à Bastille, où j'ai rendez-vous avec Anna et Pierre à midi, sans passer par le 13ᵉ arrondissement. Depuis L'ÉVÉNEMENT j'évite ce quartier, incapable de me confronter aux rues que Darius et Sara traversaient, au café où ils s'asseyaient tous les matins, à la papeterie où Darius achetait ses Pentel à encre noire. Je ne sais pas comment, mais dans mon souci d'éviter ces lieux, je me retrouve dans le jardin intérieur de la résidence où Leïli a finalement installé Sara. Pourtant, j'ai dû faire le code d'entrée pour arriver jusque-là. Traverser le hall, passer devant l'accueil...

Je regarde en direction des fenêtres de la chambre du troisième étage. Le vent souffle à me faire monter les larmes aux yeux. Une des deux fenêtres est entrouverte, sans doute pour changer l'air. Ce n'est pas Sara qui l'a ouverte. Sara est frileuse, elle n'ouvre jamais les fenêtres en hiver. Elle doit avoir froid en ce moment et ne pas oser le dire. Ou bien elle ne ressent même plus le froid. Cette pensée, ajoutée à l'idée que selon toute probabilité son état a empiré depuis la dernière fois que je l'ai vue, me brûle la gorge.

En entrant dans la pièce, je murmure «maman, ma maman», tellement bas par rapport au son de la télévision qu'elle ne m'entend pas.

Elle est assise sur le fauteuil face à l'écran. Son corps replié sur lui-même comme une feuille d'automne est perdu dans un chandail offert par Mina il y a des années. Un plaid couvre ses cuisses sur lesquelles reposent ses mains. Son alliance pend à son annulaire.

La décoration de la chambre est chargée. Partout des photos, des objets familiers, des livres, des coussins; un tapis persan couvre le sol. C'est nous qui les avons apportés, dans le but dérisoire de rendre ce lieu chaleureux et de lutter contre l'immense culpabilité qui nous habite depuis que nous l'avons installée ici. Il y a en chacune de nous ce conflit insondable entre la raison et la culture, le fait que nos vies ne nous permettent pas de la garder avec nous et l'honneur persan qui consiste à ne pas abandonner ses parents, quel que soit leur état.

Sara n'a besoin d'aucun de ces objets. Elle évolue dans une capsule spatio-temporelle où le souvenir n'existe pas. Si je devais décrire son état, je dirais qu'il ressemble étrangement à ce procédé cinématographique, la transparence, utilisée de manière grossière dans les années 50-60. Rappelez-vous : le personnage est dans une voiture immobile, faisant semblant de conduire, alors que le paysage filmé au préalable défile derrière lui. En regardant ces films, nous sommes conscients de la supercherie qui se cache derrière la scène, et pourtant nous l'acceptons, parce que ce qui se déroule dans la voiture est plus important que le décor. Sara est ce personnage. Quelle que soit sa position, assise sur ce fauteuil ou allongée dans le lit, tout autour d'elle, sur les murs de la chambre, sont projetées les images de son passé. Elle les traverse en permanence, sans aucun effort. Cela lui donne l'impression d'être en mouvement alors qu'elle ne bouge pas.

Je m'approche de la télévision et baisse le son. Elle met quelques secondes avant de tourner la tête. Elle me regarde. De peur qu'elle me confonde avec quelqu'un d'autre, je la devance : « C'est moi, Kimiâ.

– Oh Kimiâ ! Va te laver les mains, s'il te plaît ! Il est tard, je ne veux plus que tu retournes dans la cour.

– Je me suis déjà lavé les mains. Tu n'as pas froid ? »

Au lieu de me répondre, elle jette un coup d'œil vers la porte, préoccupée.

« Ton père n'est toujours pas rentré, je ne sais pas où il est. On est vendredi, n'est-ce pas ?

– Oui, on est vendredi. Tu sais bien qu'il va rentrer. Il a dû croiser quelqu'un en chemin. »

Je m'accroupis près d'elle, pose ma main sur son bras pour la rassurer. J'avale la boule qui se forme dans ma gorge au contact de son bras amaigri.

345

« Franchement, je me demande à quoi lui sert sa montre. Je lui dis tous les jours, dix fois par jour, mais enfin regarde ta montre, Darius ! Et tu crois qu'il m'écoute ? Pas une seconde il pense que je suis là à l'attendre. »

Je hausse les épaules avec un grand sourire complice/ fataliste.

« Tu ne le changeras jamais.

– Tu sais ce que disait Mère quand elle n'était pas contente d'un de ses fils ? »

Je le sais, mais je fais non de la tête.

« Elle poussait un long soupir et murmurait avec son accent de Qazvin : "Ah les Sadr…" En trois mots, elle résumait toute sa vie, la pauvre. Tu as les mêmes cheveux qu'elle, dit-elle en me caressant la tête. Tu es née le jour de sa mort, je ne sais pas si ça explique votre ressemblance, mais c'est quand même incroyable quand on y pense. Où sont tes sœurs ?

– Dans leur chambre.

– Pourquoi tu ne t'assois pas sur cette chaise près de moi ? Je t'ai déjà dit que je ne voulais pas que tu retournes dans la cour. »

Je tire la chaise, m'assieds en face d'elle. J'en profite pour éteindre la télévision. Elle m'observe, puis se penche, prend un biscuit dans le paquet posé à côté d'elle et me le tend. Elle continue à m'observer tandis que je mords dans le biscuit pour lui faire plaisir.

« Il faut que tu me fasses une promesse, Kimiâ, d'accord ?

– D'accord.

– Il faut que tu me promettes que quand tu seras grande, tu partiras en France. Tes sœurs partiront sans problème, elles n'attendent que ça, mais toi, j'ai peur que tu refuses de quitter cette satanée cour. Sauf qu'ici tu vas avoir des ennuis, ma chérie. Ici, ce n'est pas fait pour les gens comme toi. Tu es trop petite pour que je t'explique, tu ne comprendrais pas. On ne sait jamais ce qui peut m'arriver, je peux mourir demain et ton père aussi. Tes sœurs sont grandes, et même si je sais qu'elles veilleront sur toi, elles auront leur vie. C'est pour ça que je veux que tu me promettes que tu partiras. Je ne veux pas qu'il t'arrive quoi que ce soit, tu comprends?»

Je sens mon cœur qui s'accélère.

Elle savait donc depuis le début. Avant même Leïli. Avant même la lettre de Grand-Mère Emma. Elle savait qui elle avait mis au monde. Si nous avions eu cette conversation plus tôt, à l'adolescence, si elle ne m'avait pas laissée jouer à cache-cache avec moi-même et avec eux pendant tant d'années, ma vie n'aurait sans doute pas été la même. Je n'aurais jamais quitté Paris pour errer dans le monde, je n'aurais jamais connu Anna ni rencontré Pierre. Je ne me serais jamais aventurée dans les dédales de l'hôpital Cochin.

«Alors ma chérie, tu me promets?

— Oui, je te promets.

— C'est bien, c'est très bien. Et tu sais qu'il faut toujours tenir ses promesses, n'est-ce pas?

— Oui, je sais.

— Et quelle que soit ta vie, débrouille-toi pour faire des enfants. Il faut faire des enfants, tu sais, c'est la seule consolation.

— Je ferai des enfants.

— Bien sûr que tu feras des enfants! Peut-être même que tu auras un garçon aux yeux bleus, qui sait, ajoute-t-elle avec un sourire malicieux. Ça ferait tellement plaisir à ton père!»

Je lui prends la main, tout en me mordant la lèvre pour ne pas pleurer. Elle continue de sourire, satisfaite et soulagée par notre échange. La sonnerie de mon téléphone portable s'élève et d'un coup son expression change:

«J'espère qu'il n'est rien arrivé à Darius.

— Non, ne t'inquiète pas, il va rentrer bientôt.»

CET OUVRAGE A ÉTÉ ACHEVÉ D'IMPRIMER
SUR ROTO-PAGE
PAR L'IMPRIMERIE FLOCH À MAYENNE
EN AOÛT 2020

N° d'édition : 494. N° d'impression : 96497.
Dépôt légal : août 2016.
Huitième réimpression
Imprimé en France

Si le doute vous a conduit jusqu'à cette page, c'est qu'une petite mise au point généalogique est nécessaire :

Kimiâ Sadr, la narratrice.

Leïli Sadr, la sœur aînée de Kimiâ.

Mina Sadr, la cadette.

Sara Sadr (née Tadjamol), mère de Kimiâ.

Darius Sadr, père de Kimiâ. Né en 1925 à Qazvin, c'est le quatrième fils de Mirza-Ali Sadr et de Nour.

Les oncles Sadr (six officiels… et l'autre) :
Oncle Numéro 1, l'aîné, procureur à Téhéran.
Oncle Numéro 2 (Saddeq), responsable de la gestion des terres de Mazandaran et Qazvin. Dépositaire émérite de la mémoire familiale.
Oncle Numéro 3, notaire.
Oncle Numéro 5, gérant d'une boutique d'électroménager près du Grand Bazar.
Oncle Numéro 6 (Pirouz), professeur de littérature à l'université de Téhéran. Propriétaire d'une des plus grosses agences immobilières de la ville.
Abbas, l'Oncle Numéro 7 en quelque sorte. Le fils bâtard que Mirza-Ali a eu avec une prostituée de Qazvin.

Nour, la grand-mère paternelle de Kimiâ que ses six fils appellent Mère. Née quelques minutes après sa sœur jumelle, elle est le trentième enfant de Montazemolmolk, le seul à avoir hérité des yeux bleus de son père, le bleu de la mer Caspienne. Elle meurt en 1971, le jour de la naissance de Kimiâ.

Mirza-Ali, le grand-père paternel. Fils et petit-fils de commerçants fortunés de Qazvin, c'est le seul des onze enfants de Rokhnedin Khan et Monavar Banou à avoir les yeux turquoise du

ciel de Najaf, sa ville natale. Il épouse Nour en 1911 afin de perpétuer une lignée de Sadr aux yeux bleus.

Emma Aslanian, la grand-mère maternelle de Kimiâ, la mère de
Sara. Ses parents, Anahide et Artavaz Aslanian, ont fui la Turquie
peu avant le génocide des Arméniens en 1915. La coutume de lire
dans le marc de café lui vient de sa grand-mère Sévana.

Montazemolmolk, l'arrière-grand-père paternel de Kimiâ, le père
de Nour. Seigneur féodal originaire de Mazandaran.

Parvindokht, une des nombreuses filles de Montazemolmolk et
sœurs de Nour.

Kamran Shiravan, fils d'une des sœurs de Mirza-Ali et d'Ebrahim
Shiravan. Cousin de Darius…